L'été du cyclone

Beatriz Williams

L'été du cyclone

Traduit de l'anglais (États-Unis) par Julia Taylor

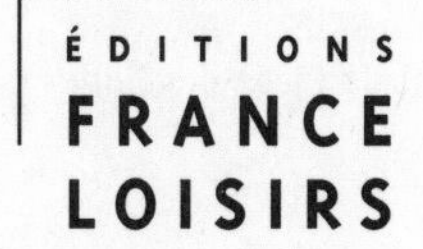

Titre original : A Hundred Summers
Publié par Penguin group (USA) Inc.

Édition du Club France Loisirs,
avec l'autorisation des Éditions Belfond.

Éditions France Loisirs,
123 boulevard de Grenelle, Paris
www.franceloisirs.com

ISBN : 978-2-298-08398-9

To my readers in France—
a story of love, secrets,
and redemption.

Happy reading!

Beatriz xo

À mes lecteurs français, cette histoire d'amour, de secrets et de rédemption. Bonne lecture !

Beatriz

Aux victimes et aux survivants
du Grand Ouragan de Nouvelle-Angleterre de 1938.

Et, comme toujours,
à mon mari et mes enfants.

Ah, mon amour, soyons fidèles
L'un à l'autre ! Car le monde qui semble
Se déployer devant nous comme une terre de rêves,
Si variée, si belle, si nouvelle,
N'offre réellement ni joie, ni amour, ni lumière,
Ni certitude, ni paix, ni secours dans la souffrance ;
Et nous sommes ici comme sur une plaine obscure,
Parcourue de cris confus de combats et de fuites,
Où des armées aveugles s'affrontent dans la nuit.

— *La Plage de Douvres* (1867), Matthew Arnold[1]

---

1. Source de la traduction :
Jean-Claude Polet, *Patrimoine littéraire européen*, vol. 11b, *Renaissances nationales et conscience universelle (1832-1885) Romantismes réfléchis*, Bruxelles, De Boeck, 1999. Traduction inédite : A. Jumeau (1997). Toutes les notes sont de la traductrice.

1

ROUTE 5, À UNE QUINZAINE DE KILOMÈTRES AU SUD DE HANOVER, NEW HAMPSHIRE

Octobre 1931

Cent quatre-vingts kilomètres de route tortueuse s'étendent entre les grilles de l'université de Smith College et le stade de football de Dartmouth, et Budgie conduit comme elle fait tout le reste : à toute vitesse.

Les feuilles scintillent dans des tons dorés, orangés et rouges, elles se détachent du ciel bleu où le soleil brille sans un nuage, créant une impression de chaleur trompeuse. Budgie a décrété que nous devions prendre la décapotable et conduire cheveux au vent, mais je grelotte. Enroulée dans mon gilet de laine, je m'agrippe à mon chapeau.

Elle rit d'un air moqueur.

— Tu devrais ôter ton chapeau, ma belle. Tu me fais penser à ma mère. Elle croit que ce serait la fin du monde si quelqu'un voyait ses cheveux.

Elle doit crier pour que je l'entende, avec tout ce vent.

— Ce n'est pas ça ! réponds-je en criant aussi.

La vérité, c'est que mes cheveux se transformeront en une boule d'herbes sèches si je les libère du chapeau cloche en laine noire qui les enveloppe ; les jolies petites boucles de Budgie, elles, volettent délicatement dans le vent et se remettront parfaitement en place à la fin du voyage. Mais cette explication est bien trop longue pour être relatée entre deux bourrasques, alors je la ravale, je retire les épingles qui retiennent mon chapeau en place et je le jette sur la banquette à côté de moi.

Budgie tripote les boutons de la radio. La voiture, une Ford V8 flambant neuve, a été dotée des équipements les plus modernes par son père, il la lui a offerte il y a un mois, un cadeau anticipé pour son futur diplôme de fin d'études, qu'elle ne pourra obtenir au mieux que dans huit mois. Il lui fait une confiance aveugle et veut qu'elle puisse s'en servir pendant sa dernière année à Smith.

« Sors et va t'amuser, ma chérie, lui a-t-il dit avec un grand sourire. Vous, les filles, travaillez trop dur à l'université. Vous travaillez trop et vous ne vous amusez pas assez. »

Il a agité les clés devant son nez.

« Tu es sûr, papa ? » a demandé Budgie avec de grands yeux ronds comme Betty Boop.

Je le sais parce que j'étais là. Budgie et moi sommes amies depuis toujours. Nous sommes nées avec deux mois d'écart, elle au début de l'été et moi à la fin. Nos familles passent leurs étés ensemble depuis toujours, dans le même village du Rhode Island, et c'est ainsi depuis des générations. Elle m'a traînée avec elle ce matin, justement au nom de notre longue amitié, ce lien qui nous liera à jamais, même si nous ne fréquentons pas vraiment les mêmes cercles à l'université et même si elle sait que le football ne m'intéresse pas le moins du monde.

Le moteur de la Ford vrombit comme Budgie accélère dans un virage, recouvrant les voix nasillardes provenant de la radio. Je m'agrippe à la poignée de la portière d'une main et au siège de l'autre.

Budgie éclate de rire.

— Allez, ma belle. Je ne veux pas rater l'échauffement. Les garçons deviennent si sérieux une fois que le match a commencé.

Je ne suis pas sûre d'avoir bien entendu ce qu'elle vient de dire. Le vent emporte deux mots sur trois. Je me tourne vers la vitre et regarde les feuilles qui scintillent dans le ciel d'automne, tandis que Budgie parle de garçons et de football.

En fait, nous avons bien raté l'échauffement et même la plupart du premier quart-temps du match. Les rues de Hanover sont vides, l'entrée du stade déserte. Une clameur s'élève au loin, ainsi que les notes sourdes d'une fanfare. Budgie se gare sur une pelouse à côté d'un panneau sur lequel il est écrit « INTERDICTION DE STATIONNER » et je remets mon chapeau et les épingles à la hâte.

— Attends, laisse-moi faire, dit-elle en prenant les épingles de mes mains pour les planter impitoyablement dans mon chapeau avant de tourner son visage vers moi. Voilà ! Tu es très jolie, Lily. Tu en as conscience, pas vrai ? Je ne sais pas pourquoi les garçons ne te remarquent pas. Regarde, tu as les joues toutes roses. Nous avons bien fait de baisser la capote.

Après avoir pris une bouffée de l'air frais et pur du New Hampshire, avec ses arbres aux feuilles dorées, je lui dis que oui, je suis contente que nous ayons baissé la capote.

À l'intérieur, le stade est plein à craquer, la foule semble déborder des gradins, comme un bol de punch trop rempli. Face à cette explosion de bruit et de couleurs, à ce soudain déluge d'humanité, je marque un temps d'arrêt, mais Budgie, elle, fonce sans hésitation. Elle prend mon bras et m'entraîne au bas des marches, traversant plusieurs rangées, passant par-dessus des jambes tendues, des chaussures en cuir et des coques de cacahuètes, tout en lançant des excuses joyeuses à chaque fois. Elle sait parfaitement où elle va, comme toujours. D'une main assurée, elle me tire derrière elle et une voix forte parvient jusqu'à nous au-dessus de cet océan infini de casquettes à carreaux et de chapeaux cloche. « Budgie ! Budgie Byrne ! » Budgie s'arrête, tend l'oreille, se retourne et lève le bras dans un salut délicat.

Je ne connais pas ses amis. Des étudiants de Dartmouth, j'imagine, qu'elle a rencontrés je ne sais où. Ils ne semblent pas faire très attention au match. D'humeur festive et turbulente, ils rient très fort, se jettent des cacahuètes et escaladent les bancs. En 1931, deux ans après le krach boursier, nous sommes toujours joyeux. Les gens paniquent, les entreprises ferment, mais ce n'est qu'un petit soubresaut sur la route, une situation temporaire. Le grand moteur toussote, crachote, mais il ne cale pas. Il repartira de plus belle très vite et cette crise sera aussitôt oubliée.

En 1931, nous n'avons aucune idée de ce qui nous attend.

Il n'y a presque que des garçons. Budgie en connaît beaucoup. La plupart ont leur petite amie blottie contre eux, certaines viennent de la ville, d'autres ne sont là qu'en visite, mais toutes lancent des regards méfiants et inquiets à Budgie. Elles jaugent son pull vert bouteille un peu trop près du corps, avec un grand D sur la poitrine, ses cheveux bruns et brillants et son visage à la Betty Boop. Elles ne remarquent pas mes jolies joues roses.

— Qu'est-ce que j'ai raté ? Comment va-t-il ? demande-t-elle en s'asseyant sur le banc.

Son regard parcourt le terrain à la recherche de son petit ami du moment – la raison pour laquelle nous avons fait le trajet à toute vitesse depuis le Massachusetts – qui joue pour l'équipe de football de Dartmouth. Elle l'a rencontré cet été alors qu'il était en vacances chez des amis à Seaview. C'était un peu comme si une agence de casting hollywoodienne lui avait envoyé le partenaire de cinéma idéal, ses yeux bleus chaleureux s'accordant parfaitement au regard bleu glacier de Budgie. Graham Pendleton est grand, musclé, charmant et extrêmement séduisant. Il excelle dans tous les sports, même ceux auxquels il ne s'est pas encore essayé. Je l'aime bien, on ne peut pas ne pas aimer Graham. Il me fait penser à un labrador, et qui n'aime pas les labradors ?

— Bien, je crois, répond l'un des garçons.

Il vient s'asseoir à côté de Budgie sur le banc, si près que leurs jambes se touchent, et lui propose un carré de chocolat Hershey.

— Il a bien couru dans la dernière série. Onze yards.

Budgie suce le morceau de chocolat avant de le prendre dans sa bouche et me fait signe de venir m'installer, dans le petit espace à côté d'elle.

— Viens t'asseoir près de moi, Lily. Regarde, il est là sur le terrain, dit-elle en le montrant du doigt. Le numéro 22. Tu le vois ? Derrière la ligne, près du banc de touche. Il est en train de parler à Nick Greenwald.

Je regarde la ligne de touche. Nous sommes plus près du terrain que je ne le pensais, à peut-être dix rangs de hauteur, et je ne vois que des maillots de Dartmouth. Je repère le numéro 22 peint d'un blanc éclatant sur un large dos vert forêt. Cela me fait bizarre de voir Graham dans une tenue de football au lieu d'un maillot de bain, d'une tenue de tennis blanche ou d'un costume de flanelle bien repassé avec un canotier. Il est en pleine conversation avec le numéro 9 qui se tient à sa droite et le dépasse d'une demi-tête. Ils portent leurs casques en cuir sous le bras, et leurs cheveux sont du même châtain, humides et collés par la sueur, sauf que l'un a les cheveux bouclés et l'autre raides.

— Qu'est-ce qu'il est beau ! dit-elle avec un soupir rêveur.

Comme s'il l'avait entendue, le numéro 9, le plus grand avec les cheveux bouclés, lève la tête à cet instant précis. Ils se trouvent à environ cinquante mètres de nous et le soleil éclatant de ce matin d'automne baigne leurs têtes d'une lueur dorée.

« Nick Greenwald. » Je répète son nom dans ma tête. Où ai-je déjà entendu ce nom ? »

Son visage est dur, comme s'il avait été sculpté dans le même granit que le stade de football, il a les yeux plissés et perçants, surmontés de sourcils froncés. Il y a une intensité incroyable dans son regard.

Un frisson remonte le long de ma colonne vertébrale, comme un courant électrique.

— Oui, réponds-je à Budgie. Très beau.

— Il a les yeux si bleus, presque comme les miens. Et il est si gentil. Tu te souviens de la fois où il sauté dans l'eau pour récupérer mon chapeau, Lily ?

— Qui est-ce, celui à qui il parle ?

— Nick ? Oh, c'est juste le quarterback.

— Qu'est-ce qu'un quarterback ?

— Rien de spécial. Il ne fait pas grand-chose à part passer le ballon à Graham. La star, c'est Graham. Il a marqué huit essais cette année. Personne ne peut l'arrêter.

Graham lève la tête, suivant le regard de Nick, et Budgie se lève pour lui faire coucou. Aucun des deux ne répond. Graham se tourne vers Nick et lui dit quelque chose. Nick fait passer le ballon qu'il porte d'une main à l'autre d'un air absent. Ses mains sont énormes.

— Ils doivent regarder ailleurs, dit Budgie en se rasseyant d'un air confus.

Elle se penche vers le garçon à côté d'elle.

— Tu serais un amour si tu me donnais un autre carré de chocolat.

— Prends-en autant que tu veux, répond-il en lui tendant la plaquette.

Elle casse un morceau de ses longs doigts fins.

— Sont-ils amis ? dis-je.

— Qui ? Nick et Graham ? Je crois. Assez bons amis. Ils partagent la même chambre à l'université.

Elle s'arrête et se tourne vers moi. Son haleine est sucrée, presque sirupeuse.

— Lily ! s'écrie-t-elle. À quoi penses-tu, petite cachottière ?

— À rien. Je suis curieuse, c'est tout.

Elle plaque sa main contre sa bouche.

— Nick ? Nick *Greenwald* ? Vraiment ?

— Je… Il a l'air intéressant, rien de plus. Ce n'est rien.

Je me sens rougir de la tête aux pieds.

— Rien n'est jamais rien, avec toi, ma belle. Et je connais ce regard, alors arrête tout de suite.

— Quel regard ? réponds-je d'un air innocent en tripotant la ceinture de mon gilet. Et que veux-tu dire par « arrête tout de suite » ?

— Oh, Lily, ma chérie. Faut-il que je te fasse un dessin ?

— Un dessin ? De quoi ?

— Je sais qu'il est séduisant, mais…

Elle ne termine pas sa phrase, comme si elle était trop gênée pour le faire, mais ses yeux brillent dans son visage de magnolia.

— Mais *quoi* ?

— Tu me fais marcher ? C'est ça ?

Je scrute son visage à la recherche d'un indice qui me permettrait de deviner ce qu'elle refuse de me dire. Budgie a ce talent de saisir les nuances à travers des signes que moi-même je suis incapable de traduire. Peut-être Nick Greenwald a-t-il une maladie incurable. Ou peut-être a-t-il déjà une petite amie, même si, en général, ce n'est pas le genre de chose qui arrête Budgie.

Je m'en fiche, bien sûr. J'aime bien son visage, c'est tout.

— Je te fais marcher ? dis-je pour insister sans en avoir l'air.

— Lily, *chérie*.

Budgie me regarde en secouant la tête, pose sa main sur mon genou et je vois son air ravi comme elle se penche pour murmurer à mon oreille :

— Il est j-u-i-f.

Elle a épelé le dernier mot avec une précision exagérée et un dégoût non dissimulé.

Une clameur s'élève de la foule, de plus en plus forte. Devant nous, les gens commencent à se lever et à crier. Le banc est dur comme de la pierre sous mes cuisses.

Mon regard retrouve les deux silhouettes sur la ligne de touche. Et Nick Greenwald. Il observe les mouvements sur le terrain de ses yeux de lynx et son profil se détache en une ligne dorée contre la pelouse verte tondue de près.

Cette explication, Budgie me l'a délivrée sur le ton d'un parent faisant la morale à un enfant particulièrement borné, qui ferait exprès de ne pas comprendre. Lorsqu'elle entend le nom Greenwald, Budgie sait immédiatement qu'il s'agit d'un nom juif, qu'une ligne invisible sépare son existence de celle de Nick.

Pour autant, je ne suis pas complètement ignorante. Je connais des filles juives à l'université. Elles sont comme tout le monde, gentilles et amicales, et tout aussi intelligentes que les autres.

Cependant, elles ont tendance à rester entre elles, mis à part une ou deux qui tentent tant bien que mal de s'attirer les faveurs de filles comme Budgie. Avant, je me demandais ce qu'elles faisaient le jour de Noël, quand tout était fermé. Célébraient-elles cette fête à leur manière ou était-ce un jour comme les autres pour elles ? Que pensaient-elles de tous ces sapins à vendre, de tous les cadeaux, des crèches de l'avent que l'on trouvait aux quatre coins de la ville ? Nos coutumes désuètes les amusaient-elles ?

Bien sûr, je n'ai jamais osé le leur demander.

Budgie, au contraire, comprend parfaitement l'univers qui l'entoure sans avoir besoin qu'on le lui explique. Confiante, elle poursuit :

— Ça ne se voit pas forcément à première vue. Le nom de jeune fille de sa mère est Nicholson, une bonne famille, à la peau très claire ; mais son père a tout perdu dans la panique – pas la dernière, évidemment, celle d'avant la guerre – et elle a fini par épouser le père de Nick. Tu as l'air confuse. Qu'y a-t-il, tu ne savais rien de tout cela ? Il faut sortir plus souvent, ma belle.

Je reste silencieuse, j'observe le terrain et les deux hommes sur la ligne de touche. Il se passe quelque chose, des maillots verts s'agitent sur et hors du terrain. Graham et Nick Greenwald enfilent leurs casques et courent rejoindre les autres joueurs.

Budgie retire sa main de mon genou.

— Tu me trouves horrible, pas vrai ?

— Tu me fais penser à ma mère.

— Ce n'était pas ce que je voulais dire. Tu sais bien que je ne suis pas comme elle. Je ne suis pas sectaire, Lily. J'ai des amis juifs.

Elle a parlé d'un air contrarié. Je n'avais encore jamais vu Budgie contrariée.

— Ce n'est pas ce que j'ai dit.

— Mais c'est ce que tu penses, s'écrie-t-elle en rejetant la tête en arrière. Très bien. Je suis sûre qu'il viendra dîner avec nous ce soir. Tu auras l'occasion de le rencontrer en personne. D'autant qu'il est plutôt sympa.

— Qu'est-ce qui te fait croire qu'il m'intéresse ?

— Après tout, pourquoi pas ? Si quelqu'un a besoin de s'amuser un peu, c'est bien toi, ma belle. Je parie qu'il arriverait à te décoincer.

Et elle se penche à mon oreille avant d'ajouter :

— Mais ne le présente pas à ta mère, si tu vois ce que je veux dire.

— Que complotez-vous, toutes les deux ? demande le garçon assis à la droite de Budgie, le garçon à la tablette de chocolat, en la tirant par le bras.

— Une fille ne révèle jamais ses secrets, répond Budgie qui se lève et me force à faire de même. Regarde ça, Lily ! C'est à nous. Quand la partie reprendra, Nick va passer le ballon à Graham. Observe bien Graham. Le numéro 22. Il va tous les dégommer. Il est comme une locomotive, c'est ce que disent les journaux.

Budgie se met à applaudir, et je fais pareil, des battements secs de métronome. J'observe le terrain comme elle me l'a demandé, mais ce n'est pas Graham que je regarde. Mon regard est rivé sur le numéro 9 dans une rangée de maillots verts. Il se tient juste derrière le joueur au centre, la tête levée. Il crie quelque chose et ses instructions retentissent jusqu'à moi, derrière dix rangées de spectateurs qui les acclament.

En un instant, les hommes s'élancent. Nick Greenwald se déplace à reculons, le ballon dans les mains, et j'attends de voir Graham s'élancer lui aussi, partir comme un boulet de canon, j'attends de voir Nick passer le ballon à Graham, comme Budgie a dit qu'il le ferait.

Mais Graham ne s'élance pas.

Nick fait du surplace pendant quelques instants, il examine le terrain devant lui, ses pieds exécutent une petite danse sur la pelouse abîmée, et puis il lance le bras en arrière avant de projeter la balle vers l'avant. Elle s'élève dans les airs au-dessus des têtes des joueurs en décrivant un arc majestueux et traverse presque toute la longueur du terrain.

Je suis sur la pointe des pieds, portée par les cris de la foule autour de moi. Tous les yeux sont rivés sur la trajectoire du ballon, un petit missile marron fendant les airs au-dessus du terrain vert et blanc et d'une marée de joueurs, qui courent après pour le rattraper.

Quelque part derrière cette marée humaine, deux mains s'élèvent et attrapent la balle dans les airs.

Soudain, le bruit est assourdissant.

— Il l'a eue ! Il l'a eue, crie le garçon à côté de Budgie en lançant le reste de sa tablette de chocolat en l'air.

— Vous avez vu ça ? s'exclame quelqu'un derrière moi.

Le joueur de Dartmouth qui a attrapé le ballon traverse à une vitesse incroyable la distance qui le sépare du rectangle aux rayures blanches tout au bout du terrain, et tout le monde se prend dans les bras, pousse des cris de joie et jette son chapeau en l'air. Un coup de canon retentit dans le stade et la fanfare démarre avec enthousiasme.

— C'était génial ! Je dois crier dans l'oreille de Budgie.

Le bruit autour de nous est si fort que j'ai du mal à m'entendre.

— Génial ! répète-t-elle.

Je sens mon cœur battre contre mes côtes, en rythme avec la fanfare. Chaque cellule de mon corps exulte de joie. Je retiens d'une main le bord de mon chapeau pour me protéger du soleil aveuglant et je cherche du regard Nick Greenwald.

D'abord, je ne le trouve pas. Le tourbillon d'hommes sur le terrain s'est enfin arrêté. Un groupe de maillots verts s'assemble, un par un, vers la ligne de touche, comme si les joueurs étaient attirés par un aimant invisible. Je cherche le numéro 9 inscrit en blanc sur leurs dos, mais dans ce méli-mélo de chiffres, il est introuvable.

Peut-être est-il déjà retourné sur le banc ? Ce profil acéré ne laisse pas deviner une nature à se donner en spectacle.

Quelqu'un, là, dans la foule de maillots de Dartmouth, lève les bras et fait de grands signes en direction de la ligne de touche.

Deux hommes se précipitent, vêtus de blanc. L'un d'entre eux porte à la main une sacoche en cuir noir.

— Oh non ! s'exclame le garçon à la droite de Budgie. Quelqu'un est blessé.

Budgie se tord les mains.

— Oh, j'espère qu'il ne s'agit pas de Graham. Où est-il ? Est-ce que quelqu'un le voit ? Cherchez-le, je ne peux pas regarder.

Et elle blottit son visage dans le creux de mon épaule.

Je passe un bras autour d'elle et observe fixement la foule de joueurs. Ils secouent la tête tristement. La mêlée s'écarte pour laisser passer les hommes en blanc et j'aperçois le jeune homme allongé au sol.

— Le voilà ! Je vois son numéro ! s'écrie l'ami de Budgie. 22, juste là à côté du blessé. Il va bien, Budgie. Il n'a rien.

— Oh, merci, mon Dieu ! dit-elle.

Je me mets sur la pointe des pieds, mais je ne vois pas très bien au-dessus des têtes devant moi. Je repousse Budgie et monte sur le banc.

Le stade est silencieux, la fanfare a cessé de jouer ; même le commentateur s'est tu.

— Alors ? Qui est blessé ? demande Budgie avec impatience.

Le garçon assis à côté de moi monte lui aussi sur le banc et saute une fois, deux fois.

— J'arrive tout juste à voir… Non, attendez… Oh, non…

— Quoi ? Quoi ? dis-je, sans comprendre.

Je ne vois rien d'autre que les deux hommes en blanc accroupis devant le corps sur le terrain, la sacoche de cuir est grande ouverte.

— C'est Greenwald, dit le garçon en descendant. (Il étouffe un juron.) Le match est plié.

2

SEAVIEW, RHODE ISLAND

Mai 1938

Kiki avait décidé de prendre des cours de voile cet été-là, même si elle n'avait pas tout à fait six ans.

— Tu as commencé à en faire quand tu avais mon âge, me fit-elle remarquer avec la logique sans faille de l'enfance.

— C'est ton grand-père qui m'a appris, répondis-je. Et moi, ça fait des années que je n'ai pas navigué.

— Je parie que c'est comme pour le vélo. Tu me l'as dit, ça, pas vrai ? On n'oublie jamais comment faire du vélo une fois qu'on sait.

— Ce n'est pas du tout la même chose que faire du vélo, et les jeunes filles ne parient pas.

Elle ouvrit la bouche pour me dire qu'elle n'était pas une jeune fille, mais tante Julie, qui avait toujours eu le sens de l'à-propos, choisit cet instant précis pour se laisser tomber sur la couverture à côté de nous et poussa un long soupir.

— Enfin l'été ! dit-elle en observant le va-et-vient des vagues. Et après cet horrible printemps… Lily, chérie, tu n'aurais pas une cigarette, dis-moi ? Je meurs d'envie de fumer. Ta mère est aussi stricte que ce maudit Hitler.

— Cela ne t'a jamais arrêtée avant, répondis-je en fouillant dans mon panier.

J'en sortis mon paquet de Chesterfield et un briquet en argent et les lui lançai.

— Je m'adoucis avec l'âge. Merci, chérie. Tu es la meilleure.

— Je croyais que l'été commençait au mois de juin, dit Kiki.

— L'été commence quand je dis qu'il commence, chérie. Oh, ça va mieux.

Elle emplit ses poumons, ferma les yeux et souffla lentement un long ruban de fumée. Le soleil brillait dans le ciel, il faisait enfin chaud pour la première fois depuis septembre de l'année précédente, et tante Julie portait son maillot de bain rouge très échancré. Elle était d'une beauté frappante, avec ses jambes interminables, toute bronzée de son récent séjour aux Bermudes. (« Avec son nouveau jules », disait mère avec le dédain d'une sœur ayant dix ans de plus.) Penchée en arrière, appuyée sur ses coudes, elle pointa ses seins vers le ciel dégagé.

— Mme Hubert dit que les cigarettes c'est comme des clous de cercueil, dit Kiki en dessinant quelque chose dans le sable de la pointe de son pied.

— Mme Hubert est une vieille bonne femme, répondit tante Julie en tirant une longue bouffée. Mon docteur conseille de fumer, il dit que c'est bon pour la santé.

Kiki se leva.

— Je veux jouer dans la mer. Cela fait des mois que je n'ai pas joué dans la mer. Des années même, peut-être.

— Il fait trop froid, ma puce, répondis-je. La mer n'a pas encore eu le temps de chauffer. Tu vas geler.

— Je veux y aller quand même.

Elle planta ses mains sur ses hanches. Elle portait sa nouvelle tenue de plage à pois rouges et à volants et avec ses cheveux bruns et sa peau mate, elle ressemblait à une petite Polynésienne.

— Oh, laisse-la jouer, intervint tante Julie. Les enfants sont résistants.

— Tu ne préfères pas construire un château de sable à la place, ma puce ? Tu peux aller remplir ton seau dans la mer, dis-je en le lui tendant.

Elle me regarda, puis regarda son seau, hésitante.

— Tu fais les plus beaux châteaux de sable que j'aie jamais vus, ajoutai-je en secouant son seau. Montre-moi de quoi tu es capable.

Elle prit le seau avec un long soupir, un soupir de grande personne, et partit vers la mer.

— Tu sais t'y prendre avec elle, dit tante Julie en fumant les yeux fermés. Mieux que moi.

— Dieu ne t'a pas créée pour élever des enfants, répondis-je. Tu as d'autres talents.

Elle éclata de rire.

— Ha ! Tu as raison. Je suis la reine du ragot. À propos, as-tu entendu dire que Budgie venait passer l'été dans la maison de ses parents ?

Une vague se formait sur l'océan, plus forte que les autres. Elle montait, montait, n'en finissait plus de monter, se figeant dans toute sa hauteur, vacillant un instant avant de venir s'écraser sur le rivage en un grand arc d'écume blanche. Le fracas parvint à mes oreilles un instant plus tard. Je pris la cigarette de tante Julie d'entre ses doigts et en tirai une longue bouffée furtivement, avant de penser « Oh, et puis tant pis ! » et d'en sortir une de mon paquet.

— Ils arrivent la semaine prochaine, d'après ce qu'a dit ta mère. Il viendra passer les week-ends, bien sûr, mais elle sera là tout l'été.

Tante Julie leva la tête vers le ciel et secoua ses longs cheveux dorés, sans une seule mèche blanche. Mère dit sans cesse qu'elle les teint, mais je sais bien qu'aucune teinture de cheveux au monde ne peut reproduire cette chevelure parfaite blondie par le soleil. C'était comme si Dieu Lui-même encourageait tante Julie à continuer de vivre comme bon lui semblait.

Au bord de l'eau, Kiki attendait l'arrivée de la vague pour remplir son seau. L'eau tourbillonna autour de ses chevilles, éclaboussa ses jambes et elle se mit à sauter et danser. Elle se retourna pour me lancer un regard accusateur auquel je répondis par un haussement d'épaules qui signifiait : « Je te l'avais bien dit. »

— Qu'est-ce que tu dis de ça ? demanda tante Julie.

— J'ai hâte de la revoir. Cela fait longtemps.

— Elle a de l'argent maintenant. Elle pourra au moins faire des travaux dans cette vieille maison. Tu aurais dû voir leur mariage, Lily.

Elle siffla. Tante Julie était allée à leur mariage, évidemment. Au sein d'une certaine frange de la société, aucune fête ne pouvait être considérée comme un succès sans une apparition de Julie Van der Wahl, née Schuyler (que les magazines et pages société appelaient simplement « Julie ») et son petit ami du moment.

— Je lis la presse, merci, répondis-je en soufflant un nuage de fumée.

— C'est de l'histoire ancienne, ma belle. Les choses finissent toujours par s'arranger, c'est ce que j'essaie de t'apprendre depuis six ans. Dans la vie, on ne peut compter sur rien ni personne, sauf soi-même et sa famille... et parfois, même pas sur sa famille. Mon Dieu, il fait un temps magnifique ! Je pourrais vivre ainsi pour toujours. Rien ne peut me rendre plus heureuse qu'une plage au soleil, soupira-t-elle avant d'éteindre sa cigarette dans le sable et de se rallonger sur la couverture. Tu n'aurais pas du whisky ou quelque chose comme ça dans ton panier ?

— Non.

— J'aurais dû m'en douter...

Kiki revint en chancelant sous le poids de son seau rempli d'eau, dont un peu se renversait à chaque pas. Heureusement que Kiki était là. Budgie avait peut-être obtenu tout ce qu'elle voulait, mais elle, elle n'avait pas Kiki, avec ses cheveux bruns et ses membres graciles, pensais-je en la regardant plisser les yeux pour juger de la distance qu'il lui restait à parcourir jusqu'à la couverture.

Tante Julie se redressa sur les coudes.

— À quoi penses-tu ? J'entends les rouages tourner dans ton cerveau de là où je suis.

— Je regarde juste Kiki.

— Regarder Kiki. Voilà ton problème, dit-elle en s'allongeant et en couvrant ses yeux de son bras. Tu laisses cette enfant vivre à ta place. Regarde-toi. C'est horrible comme tu t'es laissée aller. Regarde tes cheveux. Je préférerais me raser la tête plutôt que te ressembler.

— Toujours aussi pleine de tact, à ce que je vois.

J'écrasai ma cigarette à moitié fumée dans le sable et ouvris grands les bras pour Kiki. Celle-ci posa son seau et vint se blottir contre moi. Son corps était tout chaud, elle sentait la mer et le sel. J'enfouis mon visage dans ses cheveux bruns et inspirai profondément son parfum d'enfant. Pourquoi les adultes ne sentaient-ils pas aussi bon ?

— Il faut que tu m'aides.

Kiki se détacha de moi, attrapa son seau et renversa l'eau sur le sable. L'été précédent, nous avions construit un archipel de châteaux dans le sable sur toute cette plage, une entreprise ambitieuse qui nous avait valu un triomphe au concours annuel du plus beau château de sable qui avait lieu tous les ans à Seaview, le jour de Labor Day[1].

Ah, il s'en passait des choses à Seaview…

Kiki me tira par le bras et nous allâmes toutes les deux nous agenouiller dans le sable. Elle me tendit une pelle et me dit de commencer à creuser parce que ça allait être un véritable château fort et les douves devaient être profondes.

— Nous ne pouvons pas avoir des douves si loin de la mer, dis-je.

---

1. Premier lundi de septembre, jour férié aux États-Unis célébrant la fête du Travail.

— Oh, laisse cette enfant s'amuser, dit tante Julie. Mais qu'est-ce que c'est, cette chose abominable que tu portes ? Tu n'as pas un maillot de bain ?

— C'est mon maillot de bain.

— Dieu nous préserve. Tu vas laisser Budgie Byrne te voir là-dedans ?

Je plantai ma pelle violemment dans le sable.

— Elle ne s'appelle plus Byrne, désormais.

— Ah ! Donc, tu lui en veux quand même...

Je cessai de creuser et posai mes mains sur mes genoux, couverts du coton épais de mon maillot de bain noir.

— Et pourquoi Budgie n'aurait-elle pas le droit de se marier ? N'importe qui peut se marier s'il en a envie.

— Oh, je vois. Nous en sommes revenues au bon vieux temps, c'est ça ? Où sont ces cigarettes ? J'ai besoin d'une autre cigarette.

— L'enfant vous entend, nous rappela Kiki.

Elle retourna son seau et le retira pour révéler une tour parfaite.

— C'est très bien, chérie.

Avec le sable, j'érigeai un mur à côté de la tour. Je fis une pause en me demandant si j'étais suffisamment en colère pour en faire des remparts inexpugnables.

Tante Julie fouillait dans mon panier à la recherche du paquet de Chesterfield.

— Est-ce que je t'ai demandé d'aller t'enterrer à côté du cadavre ambulant de ta mère pendant ces six dernières années ? Non. Je ne l'ai jamais fait. Bien au contraire. Je t'ai dit de vivre ta vie, d'essayer de devenir quelqu'un.

— Kiki avait besoin de moi.

— Ta mère aurait très bien pu s'en occuper.

Bouche bée, Kiki et moi regardâmes tante Julie. Elle avait trouvé les cigarettes et tentait d'en allumer une entre ses lèvres rouge carmin.

— Quoi ? demanda-t-elle en nous regardant, moi, puis Kiki. D'accord, d'accord, concéda-t-elle en approchant la flamme de sa cigarette. Mais tu aurais pu engager une nounou.

— L'enfant ne souhaite pas être élevée par une nounou, dit Kiki.

— Mère a suffisamment à faire avec toutes les œuvres de bienfaisance auxquelles elle participe, dis-je.

— Ses œuvres de bienfaisance ! répéta tante Julie comme s'il s'agissait d'un gros mot. Si tu veux mon avis – même si tu ne me le demandes jamais –, une femme qui passe plus de temps à s'occuper de petits orphelins que de sa famille, c'est mauvais signe.

— Elle s'occupe de papa, dis-je.

— Est-elle en train de s'occuper de lui à cet instant précis ?

— C'est l'été. Nous passons toujours l'été à Seaview. C'est ce que papa voudrait.

— Tu en es sûre ? Quelqu'un lui a demandé son avis ? répondit tante Julie d'un air moqueur.

Je ne pus m'empêcher de penser à mon père dans sa chambre toute blanche dont l'un des murs était couvert de rangées de livres, ces mêmes livres qui lui avaient jadis procuré tant de plaisir.

— Ce n'est pas gentil, tante Julie.

— La vie est trop courte pour être gentille, Lily. Tu es en train de gâcher ta vie. Les accidents de parcours, cela arrive à tout le monde, surtout quand on est jeune. Dieu sait que j'en ai pas mal à mon actif. Mais on se ressaisit et on avance, dit-elle en me tendant sa cigarette, que je refusai d'un signe de tête. Laisse-moi au moins te couper les cheveux ce soir. Juste les pointes. Un peu de rouge à lèvres ne te ferait pas de mal non plus.

— Oh oui, fais-le, Lily ! s'écria Kiki. Tu serais si belle ! Je pourrais t'aider, dis, tante Julie ?

— Ne sois pas bête ! répondis-je. Tout le monde me connaît ici. Si je mettais du rouge à lèvres, on ne me laisserait même plus entrer au club. Et puis, de toute façon, pour qui m'habillerais-je ? Mme Hubert ? Les sœurs Lockley ?

— Quelqu'un aura bien invité un jeune homme célibataire pour le week-end.

— Dans ce cas, je ne doute pas que tu seras la première à l'envoyer te chercher des gin-tonics toute la soirée.

Tante Julie fit un geste de la main signifiant que ce ne serait pas le cas, ce qui eut pour effet de dessiner un long ruban de fumée.

— Je te jure que non. Parole de scout.

— Scout, toi ? Laisse-moi rire !

— Lily, chérie, laisse-moi faire, je t'en supplie. Il faut que je fasse quelque chose, sinon je mourrai d'ennui ici, tu n'as pas idée.

— Alors pourquoi es-tu venue ?

Elle remonta ses genoux sous son menton et passa ses bras autour, le regard perdu sur l'océan, la cendre de sa cigarette menaçant de tomber sur le sable. Le vent soufflait dans ses cheveux, mais n'ébouriffa que les pointes.

— Oh, c'est pour déstabiliser mes soupirants. Je disparais quelques semaines chaque année. Même moi, je n'oserais pas ramener un petit ami à Seaview. Mme Hubert ne m'a toujours pas pardonné mon divorce, la pauvre femme.

— Personne ne t'a pardonné ton divorce. Peter était une vraie perle.

— Trop gentil. Il méritait mieux, dit-elle en se levant d'un bond tout en lançant sa cigarette dans le sable. Alors, c'est entendu ? Ce soir, je te reprends en main.

— Je ne me souviens pas d'avoir dit que j'étais d'accord.

Tante Julie m'adressa un sourire d'une blancheur éclatante, celui que les journaux new-yorkais aimaient tant. Elle approchait de la quarantaine, on le voyait aux petites ridules de chaque côté de ses yeux, mais qui les remarquerait avec un sourire pareil ?

— Chérie, dit-elle, je ne me souviens pas de t'avoir demandé la permission.

***

La vie à Seaview tournait autour du club, et le club tournait autour de Mme Hubert. Si vous aviez demandé à n'importe quel résident de Seaview pourquoi, il vous aurait regardé comme si vous étiez simple d'esprit. Mme Hubert était là depuis si longtemps que personne ne se souvenait quand exactement son règne avait commencé. Et elle était en si bonne santé (« Elle ne s'assoit jamais aux fêtes, c'en est presque vulgaire », disait mère) qu'il était impossible de deviner quand il prendrait fin. Elle était la reine Victoria de l'été, sauf qu'elle ne portait jamais de noir et était aussi grande et maigre qu'un arbre de mai aux cheveux gris.

— Lily, ma chère, mais qu'as-tu donc fait à tes cheveux, ce soir ? dit-elle en déposant une bise sur ma joue.

Je ne pus m'empêcher de toucher le chignon sur ma nuque.

— C'est tante Julie qui m'a coiffée. Elle voulait me couper les cheveux, mais je ne l'ai pas laissée faire.

— C'est bien, répondit Mme Hubert. Il ne faut jamais écouter les conseils d'une divorcée, surtout en matière de mode. Eh bien, Kiki, ma jolie, ajouta-t-elle en s'agenouillant face à elle, promets-tu d'être sage ce soir ? Tu ne voudrais pas être exclue du club, n'est-ce pas ? Après tout, nous sommes toutes de parfaites jeunes femmes.

Kiki passa ses bras autour du cou de Mme Hubert et murmura quelque chose à son oreille.

— Très bien, dit la vieille dame, mais seulement quand ta mère aura le dos tourné.

Je me retournai pour jeter un regard en direction de mère et tante Julie. Elles avaient été abordées dans le hall par une vieille connaissance.

— Passerez-vous la soirée dehors sous la véranda ? Il fait tellement bon ce soir.

— Avec ces vagues ? Je ne pense pas. Je n'entends plus aussi bien qu'avant.

Mme Hubert tapota affectueusement la joue de Kiki avant de se relever avec la grâce d'une girafe arthritique.

— Allez, je ne veux pas vous retenir. Ah non, juste une minute. Je voulais te demander quelque chose.

Elle plaça une main sur mon bras et m'attira tout près d'elle, assez près pour sentir le parfum de pétales de rose sur sa peau, assez près pour voir les traces blanches de la poudre de riz dans les rides de son visage.

— Tu es au courant pour Budgie Byrne, bien sûr.

— J'ai entendu dire qu'elle venait passer l'été dans la maison de ses parents, répondis-je calmement.

— Qu'en penses-tu ?

— Je pense qu'il était grand temps qu'elle le fasse. Cette maison est si belle, c'est dommage qu'elle soit restée fermée si longtemps.

Les yeux bleus de Mme Hubert étaient aussi perçants que le jour où elle m'avait donné ma première fessée pour avoir déterré ses impatiences – j'avais à peu près l'âge de Kiki à l'époque et j'avais voulu décorer mon char pour la parade du 4 juillet. Elle me dévisagea un moment et il me fallut faire un effort surhumain pour ne pas ciller.

— Je suis d'accord, dit-elle enfin. Il est grand temps. Je m'assurerai qu'elle ne te cause pas de problèmes, Lily. Cette fille a le don d'attirer des ennuis à tous ceux qui l'approchent.

— Oh, je peux me débrouiller de Budgie. Je vous verrai plus tard, madame Hubert. Je vais emmener Kiki boire un *ginger ale*.

— J'ai le droit d'avoir un *ginger ale* ? demanda Kiki en sautillant à côté de moi.

— Ce soir, oui, répondis-je. Un gin-tonic, dis-je au barman, et un *ginger ale* pour la jeune fille.

— Mais laquelle est laquelle ? demanda-t-il avec un clin d'œil.

Un étudiant.

Il posa une cerise confite sur le *ginger ale* puis, Kiki et moi nous rendîmes sur la véranda, sa petite paume rose dans la mienne, pour attendre que mère et tante Julie nous y rejoignent.

Les vagues étaient hautes et les rouleaux s'écrasaient avec fracas sur la plage en contrebas. Quand je posai mon verre sur la rambarde et m'appuyai contre le bois érodé, de petites gouttes d'eau salée me piquèrent les bras et le cou comme des aiguilles. Ma tenue du soir avait été choisie par tante Julie, une concession nécessaire pour éviter qu'elle me coupe les cheveux, et, bien qu'elle ait désapprouvé d'un air consterné le coton rigide et l'imprimé floral de la robe, elle avait fini par l'accepter comme la moins pire du lot et avait fait tout son possible pour baisser son décolleté aussi bas que les lois de la physique le permettaient.

— Demain, nous jetterons toute ta garde-robe, avait-elle annoncé. Il faut tout brûler. Je ne veux plus voir une seule fleur sur toi, Lily, à moins que ce ne soit une grosse marguerite rouge accrochée dans tes cheveux. Juste au-dessus de ton oreille, je crois. Ça, ce serait vraiment splendide. Encore plus Budgie que Budgie elle-même !

Kiki se glissa entre mes bras et s'appuya contre la rambarde de la véranda. Elle leva les yeux vers moi en tirant sur ma robe.

— Qui est Budgie Byrne ? demanda-t-elle. Est-elle vraiment aussi scandaleuse que le dit Mme Hubert ?

— Tu ne devrais pas écouter les conversations des adultes, chérie.

Elle but son *ginger ale* en prenant soin de regarder autour d'elle.

— Je ne vois pas d'autres enfants ici, et toi ?

Elle avait raison, bien sûr. Ma génération avait rompu avec la tradition et ne venait pas passer ses étés à Seaview, comme toutes les générations précédentes l'avaient fait. Elle ne remplissait plus les courts de tennis avec de jeunes enfants turbulents et des adolescents lunatiques, les petits bateaux de l'école de voile ne filaient plus sur la baie et les chars de la parade du 4 juillet n'étaient plus décorés avec des impatiences volées. Je les comprenais. Les raisons pour lesquelles je revenais à Seaview chaque été – son charme suranné, ses traditions inébranlables, son mobilier en rotin et le parfum d'eau de mer dans ses tapisseries – étaient précisément ce qui avait rebuté tous les autres. Ce n'était pas au Seaview Club que l'on pouvait satisfaire son goût pour le glamour, le chic ou le luxe. Pendant la Prohibition, on avait remplacé l'alcool par la limonade et maintenant que les gin-tonics avaient repris leurs droits, les jeunes gens étaient loin.

Tous, sauf moi.

Kiki était donc la plus jeune personne présente au club ce soir-là, et j'étais la deuxième plus jeune, et nous étions toutes les deux sur la véranda en ce début de soirée, à regarder la marée monter, avec nulle part où aller et rien d'autre à faire. Cela ne m'embêtait pas. Il y avait pire comme endroit où passer la saison estivale. La véranda s'étirait sur toute la façade du bâtiment et ses deux côtés, avec la longue allée d'une part et le reste de l'Association de Seaview de l'autre, maison après maison, les porches allumés clignaient de l'œil vers la mer. Ce paysage, je le connaissais par cœur. Je m'y sentais en sécurité. C'était ma famille. Ma maison.

Kiki était en train de dire quelque chose, et une grosse vague venait de s'écraser avec fracas contre le sable en dessous, mais, en dépit de tout ce bruit, j'entendis distinctement celui d'un moteur de voiture tourner le dernier virage avant d'arriver à l'allée circulaire menant à l'entrée du club.

Plus tard, j'aurais été incapable de dire pourquoi ce bruit m'avait frappée à ce point, celui du moteur de cette voiture en particulier, parmi toutes celles qui s'étaient garées devant le Seaview Club ce soir-là. Je ne crois pas au destin, ni à la prédestination ni même à l'intuition. Pour moi, c'était une simple coïncidence que mon oreille ait repéré et suivi le parcours de cette voiture tournant le coin de l'allée, puis le grondement sourd de son moteur au point mort devant l'entrée, mais ce fut avec une précision et une clarté parfaite que j'entendis la voix de Budgie Byrne, une semaine en avance, émettre un rire aigu et cristallin, et une voix grave d'homme lui répondre.

Elle n'était plus Budgie Byrne, me répétai-je. Voilà tout ce que mon esprit trouvait à formuler.

Je pris mon verre d'une main et, de l'autre, j'attrapai Kiki.

— Tu as les mains froides, s'écria-t-elle.

Je l'entraînai à ma suite le long des marches peintes en bleu qui menaient à la plage.

— Allons faire une promenade.

— Mais mon *ginger ale* !

— Je t'en achèterai un autre.

J'avalai la fin de mon gin-tonic en descendant les dernières marches, tenant ma jupe longue pour ne pas trébucher. Une fois en bas, je posai mon verre vide tout contre la dernière contremarche, pour que personne ne risque de le casser par inadvertance.

— Les autres viennent aussi ? demanda Kiki qui sautillait à côté de moi.

Le moindre changement dans sa routine suffisait à la rendre heureuse.

— Non, non. C'est juste une petite promenade rien que nous deux. Je voudrais... (Le gin me montait rapidement à la tête.) Je voudrais voir le club tout illuminé de l'autre bout de la plage.

Mon explication était suffisante pour satisfaire son imagination de petite fille de six ans.

— En avant, alors ! dit-elle en balançant nos mains jointes d'avant en arrière.

Avec ses semelles plates, elle marchait aisément sur le sable, alors que les talons de mes sandales s'enfonçaient à chaque pas. Au bout de cent mètres, j'étais déjà à bout de souffle.

— Arrêtons-nous ici, dis-je.

Elle me tira par la main.

— Mais tu as dit jusqu'au bout de la plage ! Nous n'y sommes pas encore.

— Nous sommes suffisamment loin. Et nous devons retourner au club avant que mère ou tante Julie ne partent à notre recherche.

Kiki, déçue, se mit à bouder et se laissa tomber sur le sable, les pieds tendus vers la mer.

— Oh Lily, s'exclama-t-elle, regarde ce coquillage !

Elle me montra une conque en forme de spirale intacte.

— Regarde ça ! Le mois de mai est le moment parfait pour aller à la pêche aux coquillages parce que aucun n'a encore été ramassé. Celui-là, il faut que tu le gardes.

Je retirai mes chaussures et mes orteils s'enfoncèrent dans le sable ; l'écume au bord de l'eau était tentante. La marée, presque haute. Je regardai les vagues onduler d'avant en arrière, jusqu'à ce que mon souffle ait repris son rythme normal et que mon cœur ait cessé de tambouriner dans ma poitrine. J'avais un goût amer dans la bouche et mon esprit, anesthésié par les effets du gin, reconnut le goût de la honte.

Maintes fois j'avais imaginé ces retrouvailles et, enfin, le moment était venu. Encore et encore, j'y avais pensé. Je m'étais demandé ce que je ferais, ce que je dirais. J'avais tout prévu : les propos intelligents que je prononcerais, la confiance avec laquelle je leur ferais face.

Au lieu de cela, je m'étais enfuie.

— Puis-je retirer mes chaussures et chercher des coquillages dans la mer ? demanda Kiki.

Elle avait fait un cercle de petits coquillages foncés autour de la conque, comme des fidèles priant dans un sanctuaire.

— Non, chérie. Nous devons y retourner.

— Je croyais que nous devions regarder le club tout illuminé.

— Eh bien, voilà ! Tu le vois. C'est joli, non ?

Elle se tourna vers le club, perché face à la mer, toutes lumières allumées en prévision du coucher de soleil. Derrière le toit du bâtiment, le soleil se couchait à l'ouest dans le ciel doré.

— C'est beau. Ne sommes-nous pas chanceuses de vivre ici tous les étés ?

— Très chanceuses.

Les éclats de voix parvenaient jusqu'à la plage, mais elles étaient trop loin pour en distinguer les mots précis. J'avais horriblement conscience de ma lâcheté. Si Kiki savait, si elle comprenait, elle aussi aurait honte de moi. Kiki relevait toujours les défis, sans peur.

— Allons-y, dis-je en lui prenant la main.

Le temps de retourner à la véranda, j'avais déjà tout prévu. Je choisirais une table dans un coin, le coin le plus éloigné de l'entrée, isolé, abrité des regards par l'angle de la pièce. J'enverrais Kiki trouver ma mère et tante Julie pendant que j'informerais le manager du club que nous dînerions là ce soir. La marée, dirais-je, était trop forte pour mère, trop de bruit, trop de vent...

Après notre dîner, nous traverserions la véranda, saluerions nos connaissances, et, le temps d'arriver à leur table, je serais calme et sûre de moi, prête pour cette routine éternellement répétée consistant à serrer les mains et complimenter à propos de nouvelles coupes de cheveux, de nouvelles robes, m'apitoyer sur la perte d'un proche au cours de l'année passée, ou me réjouir de la naissance d'un petit-fils ou d'une petite-fille : les mêmes conversations, les mêmes rituels, soir après soir, été après été. Ces paroles, je les connaissais par cœur. Une minute, deux tout au plus, et nous serions parties.

Tandis que Kiki montait les marches en sautillant devant moi, je me baissai pour ramasser mon verre. Des cheveux s'échappèrent du chignon parfait que tante Julie m'avait fait, l'effet du vent sans doute, mais aussi de ma chevelure rebelle. Je repoussai la mèche derrière mon oreille. Mes joues me piquaient à cause des gouttes d'eau salée et de la marche dans le sable. Ne devrais-je pas me repoudrer le nez aux toilettes afin d'être plus présentable, ou était-ce trop risqué ?

— Oh, bonjour, dit Kiki du haut de l'escalier. Je ne vous ai jamais vu ici avant.

Immobile, comme paralysée, courbée en deux, j'agrippai le verre vide comme si ma vie en dépendait.

Le silence, épouvantable, étira les secondes jusqu'à la limite du supportable.

— Bonjour, mademoiselle, répondit une voix d'homme, doucement.

3

HANOVER, NEW HAMPSHIRE

Octobre 1931

Tout le monde à la Hanover Inn reconnaît l'homme à notre table. Nous sommes assis là, sur nos chaises au dossier ovale, tous les trois, à manger des steaks et du gratin de pommes de terre, et il n'y a pas un dîneur à proximité qui n'ait la tête tournée vers nous, qui ne donne de coup de coude à son voisin, en murmurant et en faisant des signes de tête dans notre direction.

Budgie est assise le dos bien droit, rayonnante de plaisir, et mange son steak en le coupant en tout petits morceaux.

— Si seulement ils arrêtaient de nous dévisager, dit-elle. Comment fais-tu pour t'habituer à ça ?

Graham Pendleton hésite, son couteau et sa fourchette levés. Il remplit sa chaise, remplit toute la pièce : ses larges épaules carrées, ses cheveux bruns attrapant les reflets dorés des lampes au plafond. De près, il est incroyablement beau ; c'est même absurde, une telle symétrie.

— Quoi, ça ? demande-t-il en pointant son couteau vers la table d'à côté.

Soudain, nos voisins ébahis reprennent leur conversation.

— Tout le monde, dit-elle en souriant. Tout le monde.

Il hausse les épaules et se remet à couper son steak.

— Oh, je ne le remarque pas, en fait. En plus, ce n'est que le samedi. Une fois le match terminé, je ne suis qu'un étudiant comme les autres. Pourriez-vous me passer le poivre, s'il vous plaît, mademoiselle… ?

Il a déjà oublié mon nom.

— Dane, réponds-je en tendant le petit poivrier en verre.

— Mademoiselle Dane, répète-t-il en souriant. (Le poivrier a l'air ridicule dans sa main épaisse.) Merci.

— Chéri, tu te souviens de Lily, dit Budgie. Nous avons passé l'été ensemble, tous les trois. À Seaview.

— Ah oui, je me disais bien que je vous avais déjà vue. Vous avez changé de coupe de cheveux, non ?

— Non, pas vraiment.

Mais Graham s'est déjà retourné vers Budgie.

— De toute façon, la véritable star de l'équipe, c'est Greenwald. Tous ces vieux sont juste trop bêtes pour s'en rendre compte.

Il enfourne une grosse bouchée de steak.

— Quoi, Nick ? demande Budgie avec un sourire qui dissimule mal sa fausseté. Mais il n'est que le quarterback. Il ne fait rien.

Graham avale goulûment sa bouchée, sa pomme d'Adam monte et descend. Il prend son verre, un grand verre de lait.

— Tu n'as pas vu sa passe dans le deuxième quart-temps ? Quand il s'est blessé ?

— Bien sûr, c'était super. Mais, c'est toi qui cours tout le temps. Qui marques des essais. C'est toi qui fais tout le vrai boulot.

Il secoue la tête.

— Non, on m'accorde toute l'attention parce que je suis le fullback, et parce que Greenwald est… enfin, tu sais.

Il boit son lait à grandes gorgées, comme si cela pouvait le purger du judaïsme de Nick.

— Les passes comme celles de Nick, on va en voir de plus en plus. Cette manière de jouer, c'est ce qui remplit les stades. Tu as vu comme les gens étaient excités. Greenwald, il est vraiment doué. Il a un super lancer, tu l'as bien vu, et il a beaucoup de sang-froid. Il lui suffit de regarder le terrain pour savoir où chaque joueur se trouve et quoi faire, comme si c'était une partie d'échecs. Il ne s'est jamais trompé.

— Comment va-t-il ? Sa jambe, je veux dire.

Je n'ai pas pu me retenir, la question m'a échappé.

— Oh, il va bien. Il a téléphoné de l'hôpital. Ce n'était pas aussi grave que ce qu'ils pensaient. Ce n'est qu'une petite fracture ou un truc comme ça. Il a les os solides, j'imagine.

Graham relève la manche de sa chemise pour regarder l'heure.

— Il a dit qu'il nous rejoindrait quand ils auraient posé son plâtre, ajoute-t-il.

— Quoi, ici ?

— Oui, pour dîner. Il aura faim.

— Il ne préfère pas rentrer chez lui pour se reposer ?

Graham éclate de rire.

— Non, pas Nick. Même quand il a la grippe, il refuse de se reposer. Il insistera pour venir ce soir, rien que pour montrer qu'il est un grand garçon.

— C'est ridicule, dit Budgie. Et stupide. Que veut-il ? Finir boiteux ?

— Il voulait sortir du terrain à cloche-pied, l'imbécile. C'est moi qui ai dû l'empêcher de se lever pendant qu'ils le mettaient sur le brancard.

— Stupide, répète encore une fois Budgie.

Le sang bat si fort dans mes oreilles que j'ai même du mal à entendre Budgie. Ma main est froide contre ma fourchette. Je me force à manger une bouchée de steak, à boire une gorgée d'eau, puis encore un morceau de pomme de terre.

— Mais il ira bien, n'est-ce pas ? dis-je, une fois que je suis certaine que ma voix ne tremblera pas.

— Il ira très bien, répond Graham en haussant les épaules. Bien sûr, il ne jouera plus au football puisqu'il aura son diplôme au mois de juin. Heureusement que ce n'est qu'une simple fracture, il n'en gardera pas de séquelles. Il a eu de la chance. En revanche, l'année dernière, Gardiner s'est brisé la nuque en plaquant un adversaire pendant le match contre Yale. Il s'est jeté sur lui tête la première. Il aurait pu se tuer. Il passera le reste de ses jours dans une chaise roulante. Oh, regardez ! le voilà.

Graham jette sa serviette sur la table et fait signe à son ami.

Je tourne la tête et il est là. Nick Greenwald se tient à l'entrée de la salle du restaurant, muni de ses béquilles, sa jambe gauche recouverte d'un épais plâtre blanc qui lui arrive presque au genou. Je veux voir son visage, voir s'il correspond à l'idée que je m'en suis faite, mais il est plongé dans la pénombre.

Il tourne lentement la tête. Lorsqu'il aperçoit Graham, il claudique jusqu'à nous en s'appuyant sur ses béquilles. Et soudain, il apparaît sous la lueur d'un lustre. Je n'ai qu'un instant pour l'observer. Il sourit à présent, et ce sourire le transforme, adoucit tous les angles durs aperçus un instant plus tôt dans la pénombre, et le rend moins intimidant que je ne le pensais.

Budgie se penche pour murmurer à mon oreille.

— C'est à toi, Lily. N'oublie pas de lui poser des questions sur lui. Les garçons adorent ça. Et, pour l'amour du ciel, ne lui parle pas de livres !

— Nick ! Pas trop tôt. Tu es venu à cloche-pied de l'hôpital ? Ou as-tu rencontré une belle infirmière ? dit Graham en lui tirant une chaise. Nick, tu te souviens de Budgie ? Budgie Byrne.

— Bonjour, Nick. J'espère que votre blessure guérira vite, dit Budgie en lui tendant la main.

Nick coince sa béquille sous son bras et lui serre la main.

— Budgie. Comment allez-vous ?

— Et voici son amie, Mlle Dane. Lily Dane. Elle est venue avec Budgie ce matin, tout droit de Smith, rien que pour te rencontrer.

Graham parle d'un ton jovial – il rit même –, il est clair que les présentations formelles l'ennuient et qu'il préfère les tourner à la rigolade pour détendre l'atmosphère. Comme si celle-ci était plombée par le plâtre de Nick, par ses béquilles. Et le problème, c'est que ce n'est pas complètement faux.

Nick se tourne vers moi et je rougis jusqu'aux oreilles. Il sourit poliment. Sous la lumière électrique, sa peau est parfaitement lisse, son teint mat, et ses yeux noisette entre le marron et le vert. Lavés et séchés, ses cheveux sont plus foncés que ceux de Graham, d'un brun riche de nombreux reflets, bouclant légèrement malgré un bon coup de peigne. Il n'est pas aussi beau que Graham, pas aussi parfait, mais, quand il parle, ses yeux sont très expressifs.

— Mademoiselle Dane. Nick Greenwald. Je suis désolé de ne pas avoir pu vous offrir un meilleur spectacle après votre long trajet depuis le Massachusetts.

— Avec Budgie au volant, intervient Graham, elle devait avoir les nerfs en pelote.

— Oh, vous avez été incroyable, dis-je avec enthousiasme. C'est vraiment dommage pour votre jambe. Est-ce que tout va bien ?

— Ça va. C'est le tibia. Il sera guéri pour Thanksgiving. Au moins, le plâtre s'arrête sous le genou, il ne m'empêchera pas de me déplacer.

Nick se laisse tomber sur la chaise à côté de la mienne et, sans doute parce qu'il n'est pas spécialement costaud ni très musclé, ce n'est qu'à ce moment-là que je prends conscience de sa large carrure, de sa silhouette tout en longueur et de la puissance physique qu'il dégage. Sous sa veste foncée, ses épaules sont d'une largeur incroyable. À côté de lui, Graham, qui, un instant plus tôt, semblait remplir la pièce, paraît chétif.

— Mais merci de vous en inquiéter.

J'ai dû avoir l'air d'une parfaite idiote. Il me prend probablement pour une écervelée qui ne pense qu'à séduire des garçons, une de plus parmi les dizaines de filles qui se pâment devant lui sous prétexte qu'il est grand, beau et qu'il joue au football. Il a peut-être raison. Je ne suis peut-être pas si différente des autres, esclaves de leurs hormones. Que sais-je de lui, après tout, à part qu'il est grand et beau et qu'il joue au football, qu'il a un regard perçant comme un aigle et bouge avec la grâce d'un félin ?

Graham demande qu'on lui apporte la carte, que Nick étudie rapidement pendant que le serveur attend juste derrière lui. Tous les regards sont encore une fois tournés vers nous, vers Nick, ses larges épaules et sa jambe plâtrée.

— Je vais prendre le steak, je crois. À point. Merci.

Il rend la carte au serveur et prend son verre d'eau.

C'est à toi, Lily. Pense à quelque chose. Que dirait Budgie ?

— Alors, dites-moi, monsieur Greenwald, qu'étudiez-vous ?

— Appelez-moi Nick. L'histoire, répond-il. Et vous ?

— La littérature.

Nous buvons une gorgée d'eau en même temps.

— Mais ce n'est pas tout, hein, Nick ?

Graham l'encourage à poursuivre avec un coup de coude, mais, comme Nick ne dit rien, il ajoute :

— Greenwald étudie aussi l'architecture, mais son père désapprouve.

— Pourquoi ? demande Budgie.

— Il veut qu'il rejoigne l'entreprise familiale quand…

— Non, je ne voulais pas dire son père. Je parlais de Nick. Pourquoi étudie-t-il l'architecture ?

Budgie a l'air sincèrement curieuse. Pour elle, un architecte tient plus de l'ouvrier que de l'entrepreneur. Elle l'imagine déjà couvert de plâtre et de sciure, quelqu'un à qui l'on donne des ordres et dont la facture peut être ignorée jusqu'à ce qu'on ait à nouveau besoin de lui.

— Parce que ça me plaît, répond Nick.

— Mais vous ne voulez pas vraiment devenir architecte ! s'écrie Budgie, horrifiée.

— Et pourquoi ne deviendrait-il pas architecte s'il en a envie ? dis-je sèchement. Pourquoi ne créerait-il pas de belles choses au lieu de vendre des actions ou d'intenter des procès ?

Personne ne dit rien. Graham esquisse un sourire, tousse d'un air gêné et boit une gorgée de lait.

Nick quant à lui aligne la pointe de sa fourchette sur le dessin de la nappe, puis fait de même pour son couteau.

— Non, bien sûr, je ne deviendrai pas architecte. Mais cela ne veut pas dire que je ne peux pas étudier l'architecture.

Budgie l'observe et esquisse un sourire forcé.

— Bien sûr que non. Graham, de quoi me parlais-tu l'autre jour au téléphone ? De rochers, non ?

— Du Grand Canyon, répond Graham en lui tapotant la main affectueusement. Je te disais que nous devrions y aller un jour. On peut voir toutes les strates de roche, des millions d'années de géologie.

— C'est ça ! Tu vois, c'est exactement ce que je voulais dire. On peut étudier un sujet juste parce qu'on le trouve intéressant. Ce n'est pas comme si Graham voulait devenir géologue, dit-elle avec un petit rire, comme si c'était la chose la plus absurde qu'elle ait jamais entendue.

— Et pourquoi pas ? répond-il. Imagine. Nous pourrions camper dans les canyons, ce serait génial.

Budgie éclate de rire.

— Ce qu'il est drôle !

Plus tard, les garçons nous raccompagnent à la voiture de Budgie et nous aident à relever la capote pour le trajet de retour jusqu'à Smith. Budgie propose de les reconduire jusqu'à leur résidence universitaire.

— Je ne peux pas vous laisser rentrer à pied comme ça, dit-elle en montrant le plâtre de Nick.

Nick regarde Graham et ils haussent les épaules.

— Pourquoi pas ? dit Graham.

Il s'assoit à l'avant à côté de Budgie, et Nick réussit à me tenir la portière ouverte tandis que je me glisse sur la banquette arrière. Il lance ses béquilles à l'intérieur puis s'installe à côté de moi maladroitement.

— Excusez-moi, dit-il en glissant doucement son plâtre contre ma jambe.

Nous sommes assis si près l'un de l'autre, à l'arrière de la petite Ford de Budgie, que je sens son souffle chaud sur ma joue.

— Non, ce n'est rien. Je ne prends pas beaucoup de place, de toute façon.

Il m'observe. Dans la lueur jaune du lampadaire à l'extérieur de l'hôtel, son visage est sombre et déformé, ses yeux presque invisibles.

— Non, en effet, dit-il.

— Soyez sages, à l'arrière, nous lance Budgie en démarrant.

La voiture parcourt les rues sombres dans un bruit de ferraille. Graham, à l'avant, marmonne des indications à Budgie en se glissant tout contre elle. Leurs épaules se touchent. Je vois les muscles se tendre dans le cou de Graham, dans son dos ; je vois sa tête penchée vers Budgie et son sourire amusé. Le contraste entre leur intimité et le silence tendu qui règne à l'arrière est saisissant et impossible à ignorer. Je jette un coup d'œil à Nick à l'instant même où il tourne la tête vers moi. Les phares d'une voiture venant dans l'autre direction illuminent soudain son visage et il lève les yeux au ciel en souriant.

— Juste là, dit Graham d'un air légèrement excédé. Mais enfin, Budgie, tu ne reconnais pas le bâtiment ?

Budgie arrête la voiture devant une grande maison blanche.

— C'est différent de nuit, répond-elle en pianotant sur le volant.

Personne ne bouge.

— Nous sommes arrivés, dit Nick.

— Greenwald, dit Graham, emmène Lily faire une promenade, veux-tu ? Montre-lui le campus.

— Nom de Dieu ! grommelle Nick.

— Budgie ? dis-je d'une petite voix.

— Vas-y, ma belle, dit-elle. Il faut juste que je parle à Graham, j'en ai pour une minute.

Graham ouvre la portière de Nick et l'aide à sortir dans la nuit froide. Je me glisse sur la banquette derrière lui, absorbant au passage un peu de sa chaleur.

— Nous en avons pour une minute, dit Graham à Nick.

— Bien sûr, répond Nick en me regardant.

Dans le noir, je n'arrive pas à déchiffrer l'expression de son visage, mais je crois lire de la compassion dans son regard.

— Allez, venez Lily. Il y a un banc par là-bas.

— Ça va ? Vous arrivez à marcher ?

— Bien sûr. Ce n'est rien.

L'air s'est considérablement rafraîchi depuis ce midi ensoleillé dans le stade. Je serre mon gilet en laine contre ma poitrine et je cale mon rythme sur celui de Nick Greenwald et ses béquilles. J'aurais dû emporter un manteau, mais je ne pensais pas que nous resterions si tard.

— Ce n'est vraiment pas sympa de leur part, par une nuit froide comme celle-ci, dis-je. Ils auraient pu attendre pour se parler demain au téléphone.

— Visiblement pas. Voilà le banc. Il doit être gelé, désolé.

Il s'assoit avec difficulté et appuie ses béquilles contre le banc entre nous.

— Budgie est trop irrésistible, j'imagine.

Nick fait non de la tête.

— Vous ne trouvez pas ? dis-je, surprise.

Selon moi, et de manière purement objective, Budgie semble être la personnification incarnée du désir masculin. Je vois bien l'effet qu'elle a sur les garçons ; ils se damneraient pour elle, ils lui offrent du chocolat et des steaks dans de grands restaurants, leur bras pour traverser la rue, porter ses livres, lui proposer une danse ou aller lui chercher un verre. Ils seraient prêts à tout pour combler chacun de ses désirs.

— Écoutez, dit Nick. Je ne veux pas dire de mal d'elle, mais je ne comprends pas ce qu'un garçon pourrait bien trouver à Budgie Byrne alors qu'il y a une fille comme vous à côté d'elle.

Je reste immobile à regarder la Ford garée à cent mètres de nous. La résidence universitaire ressemble à un immense bâtiment fantôme derrière la voiture.

Je n'arrive pas à croire ce que je viens d'entendre. Dans mon esprit, je me répète ses mots, je les dissèque et les mets dans le désordre avant de les rassembler.

Il s'éclaircit la gorge.

— Je ne voulais pas dire ça comme ça. Je ne veux pas... Tout ce que je veux dire, c'est, oui, elle est très jolie, comme toutes les autres filles comme elle, avec leurs cheveux, leur peau et leurs vêtements à la mode. Elles se ressemblent toutes. Elles n'ont rien de spécial, rien d'intéressant, hésite-t-il. Vous voyez ce que je veux dire, non ?

— Pas vraiment. Tous les garçons aiment Budgie. Elle doit bien avoir quelque chose de spécial.

Il éclate de rire.

— Oh, il y a quelque chose, c'est évident. Je suis sûre qu'elle plaît aux garçons, à la plupart en tout cas. Mais je dois être différent.

Il se tait, semble hésiter, et murmure :

— Ce n'est pas nouveau.

— Eh bien, différent, moi, ça me plaît.

— Je le sais. Oh non, regardez. Vous êtes gelée, je suis désolé, dit-il en retirant sa veste.

— Non, non, pas la peine.

Mais il la pose sur mes épaules. Elle est lourde et chaude. La doublure en soie glisse comme de l'eau le long de ma nuque.

— Je n'ai pas froid, dit-il. Alors, dites-moi, Lily Dane, ce que vous faites quand vous n'accompagnez pas Budgie Byrne à des matchs de football.

— J'étudie, surtout. Je lis, j'écris. Je voudrais devenir journaliste.

— Tant mieux. C'est ce que font beaucoup de femmes de nos jours.

— Et vous ? Vous aurez bientôt terminé vos études.

Il déterre une motte de gazon avec le talon de sa chaussure.

— Je commencerai à travailler dans l'entreprise de mon père.

— Pour y être employé en tant qu'historien ? dis-je pour rire.

— Non, répond-il en riant. Tout le monde à Wall Street a un diplôme d'histoire, même si on ne le dirait pas parce qu'ils refont sans cesse les mêmes erreurs, krach boursier après krach boursier.

— C'est pour cela que vous étudiez aussi l'architecture ? Pour trouver le moyen de tout reconstruire sur des bases plus solides ?

— Non.

Sa voix ne contient plus la moindre trace d'amusement.

— J'aime l'architecture, c'est tout.

— Alors pourquoi ne devenez-vous pas architecte ?

— Parce que mon père veut que je travaille avec lui.

— Et vous faites toujours ce que votre père vous dit de faire ?

— Je ne sais pas. Est-ce que vous faites toujours ce que veulent vos parents ?

Je tire les pans de sa veste contre ma poitrine. Un parfum chaud s'élève du lainage, un parfum de cèdre et de mousse à raser, rassurant, incroyablement intime. « Un parfum d'homme. »

— Oui, je crois. En même temps, mère pense que je veux travailler juste pour trouver un mari.

— Et c'est le cas ?

— Non, je voudrais...

Il me donne un petit coup d'épaule, m'invitant à continuer.

— Allez, vous pouvez me le dire. Je ne suis qu'un inconnu pour vous et encore plus pour vos parents.

— Je ne sais pas. Voyager. Écrire sur ce que je vois.

J'hésite encore, gênée. Je n'en ai encore jamais parlé à personne. Ce rêve n'est qu'une image dans ma tête, une vision, un désir d'ailleurs, d'autre chose, quelque chose de sublime et de brillant. Je suis assise à un bureau quelque part, ma machine à écrire devant moi, dans une pièce située en hauteur, avec un paysage étranger sous mes yeux – Paris, Venise, New Delhi – par la fenêtre.

— Alors faites-le, s'écrie Nick Greenwald avec passion. Faites-le maintenant, avant qu'un mari ne vous enferme dans une maison pour que vous

vous occupiez de son foyer et de ses enfants. Partez et faites-le, Lily, avant qu'il soit trop tard.

Nous restons là en silence, à regarder la Ford de Budgie. Je me demande ce qu'il se passe à l'intérieur. Et soudain, je comprends qu'ils ne sont probablement pas en train de discuter. J'imagine Graham embrassant Budgie, Budgie embrassant Graham, les mains de Graham dans ses cheveux, serrés l'un contre l'autre. Comme dans les films avec Clark Gable et Joan Crawford.

Je me sens rougir.

Nick regarde sa montre, la secoue et la tient en l'air pour lire l'heure à la lueur de la lune.

— Excusez-moi, dit-il. Je ne voulais pas être si véhément.

Véhément.

— Non, vous avez raison. Vous avez raison. C'est gentil de votre part de faire preuve d'un tel intérêt pour moi.

La veste de Nick me tient chaud, pourtant, je n'arrête pas de trembler. J'ai l'impression d'entendre ses paroles comme un écho dans ma tête. Il est si solide, si imposant à côté de moi, plein de vie. Je repense à l'expression de son visage lorsqu'il se tenait à côté de Graham sur le terrain dans son maillot vert, son regard implacable, la rapidité fulgurante de son bras quand il a lancé la balle à l'autre bout du terrain. J'ai du mal à faire le rapprochement entre cette habileté, cette détermination et l'homme taciturne qui a allongé sa jambe blessée à côté de la mienne. Si j'avais assez de courage, si j'avais l'audace et la confiance de Budgie, je pourrais lever ma main de quelques centimètres pour la poser sur la sienne. Que ressentirais-je ? Sa main serait-elle rugueuse comme le cuir du ballon de football ? Puissante, rugueuse et ferme. Cette main pourrait sûrement briser mes doigts en un instant, si elle le voulait.

La portière arrière de la Ford s'ouvre et Graham s'en extrait maladroitement, il passe la main dans ses cheveux, relève son pantalon. La tête de Budgie émerge de l'autre côté de la voiture et semble flotter jusqu'à la portière avant.

— Pourquoi l'appelle-t-on Budgie, au fait ? demande Nick.

Il n'a pas l'air d'avoir envie de se lever du banc.

— Eh bien, vous voyez, elle était blonde quand elle était enfant. Une blondinette, même si c'est difficile à croire. Et c'était un vrai moulin à paroles. Son père disait toujours qu'elle ressemblait à un perroquet à tête jaune. C'est le surnom que lui a donné sa famille[1].

— Quel est son véritable prénom ?

— Helen. Comme sa mère.

— Et Lily, c'est votre véritable prénom, ou un autre surnom ridicule ?

Du grand arc que décrivent les phares de la Ford, Graham scrute l'obscurité et nous fait un signe de la main.

— Mon vrai prénom.

Nick se lève et me tend la main.

---

1. *Budgerigar* ou *budgie* est un oiseau originaire des régions arides d'Australie qu'on appelle en français une perruche ondulée. C'est le type de perroquet le plus commun comme animal de compagnie. Plumage généralement vert et tête jaune.

— Tant mieux, dit-il.

— Mais vous le trouvez ridicule, dis-je en prenant sa main et me levant à mon tour.

— Seulement si ç'avait été un surnom. Mais puisque ce n'est pas le cas, je le trouve très joli.

Je suis debout, mais il n'a pas lâché ma main. Sa paume est plus douce que je ne l'aurais imaginé. Nous restons là, immobiles, sur le point de rompre notre solitude, sans vraiment nous regarder. Graham crie quelque chose, et sa voix parvient jusqu'à nous dans l'air frais et pur. Nick me lâche la main et attrape ses béquilles.

— Laissez-moi vous aider.

— Non, c'est bon.

Il glisse habilement ses béquilles sous ses bras. J'imagine que ce n'est pas sa première fracture de la jambe.

— Nick est un surnom. Mon vrai prénom, c'est Nicholson, le nom de jeune fille de ma mère.

— Nicholson Greenwald. Très distingué.

— Je vous conseille vivement de m'appeler Nick.

Oh mon Dieu, il me plaît. Il me plaît énormément.

Graham est appuyé contre la portière, chevilles et bras croisés. Il fait un clin d'œil à Nick.

— Vous en avez mis du temps. Vous vous êtes perdus ou quoi ?

— Je te rappelle que je ne peux pas courir avec ça, répond Nick en brandissant une béquille.

Budgie donne un coup de klaxon.

— Nous ferions mieux d'y aller, dis-je. Je crois que nous avons déjà raté le couvre-feu.

— Impardonnable, dit Graham en m'ouvrant la portière d'un grand geste plein de panache.

Je grimpe à l'avant, Graham referme la portière derrière moi. Il fait chaud et moite dans la voiture. Je baisse la vitre.

— Au revoir. C'était un plaisir de vous rencontrer tous les deux.

— Au revoir, les chéris ! crie Budgie en se penchant vers moi pour remuer les doigts par la vitre.

Graham attrape sa main et l'embrasse.

— Je te verrai bientôt, dit-il. Tu as prévu de revenir, pas vrai ? Nous avons un autre match samedi prochain, comme aujourd'hui.

— C'est d'accord. Lily, relève la vitre, on gèle.

Budgie démarre la voiture et libère le frein à main.

— Au revoir, dis-je juste avant que la vitre ne se referme complètement, un peu trop triste.

Ça ne peut pas être la fin, pas encore, pas quand tout semblait être sur le point d'arriver.

— Bon rétablissement à votre jambe ! dis-je d'une voix forte par la petite fente.

Oh non ! *Bon rétablissement à votre jambe !* Je crois que je serais morte de honte si je n'étais pas si désespérée.

Nick dit quelque chose, mais Budgie est déjà en train d'actionner l'embrayage, de rouler et de nous éloigner d'eux. Je ne parviens pas à distinguer ses paroles.

— C'était bien, hein ? Tu t'es bien amusée ? Avec Nick, vous avez bien parlé ?

Budgie dégage une chaleur électrique, une énergie qui semble s'échapper d'elle. Elle se recoiffe d'une main, puis change de vitesse. Son chapeau a disparu.

— Oui, il est très gentil.

Elle jette un coup d'œil vers moi.

— Il t'a laissé un petit souvenir ?

La veste de Nick.

— Oh, non ! Fais demi-tour, vite !

Budgie éclate de rire et allume la radio.

— J'oublie parfois que tu es une novice. Tu n'y connais absolument rien.

— À quoi ?

— Écoute, le truc c'est de garder la veste, ma chérie. Comme ça, tu as une excuse pour revenir avec moi la semaine prochaine et la lui rendre.

— Oh.

Je pose les mains sur mes genoux et laisse mon regard se perdre au-dehors. Les arbres de chaque côté de la route forment comme une voûte. La veste de Nick sent encore le savon et le cèdre. L'odeur de Nick. L'excitation s'empare de moi à l'idée de le revoir. De la radio s'élèvent les premières notes nasillardes de « *Goodnight, Sweetheart* »[1] et l'atmosphère change soudain dans la Ford.

— Tu dois avoir raison, dis-je.

***

1. Chanson écrite en 1931 par les musiciens anglais Ray Noble, Jimmy Campbell et Reg Connelly. Aux États-Unis, elle a d'abord été enregistrée par le Wayne King Orchestra, le Ray Noble Orchestra (avec Al Bowlly au chant) et Carmen Lombardo. Généralement jouée à la fin d'un bal (de fin d'année au lycée, par exemple) pour signaler la fin de la soirée.

Mais, pour une fois, Budgie a tort. Le lendemain matin, juste avant sept heures, je suis réveillée en sursaut par quelqu'un qui tape à ma porte. Une étudiante de première année au regard endormi derrière ses épaisses lunettes en écaille de tortue et vêtue d'une robe de chambre à motif écossais m'informe qu'un garçon avec des béquilles m'attend en bas, et qu'il veut récupérer sa veste.

4

SEAVIEW, RHODE ISLAND

Mai 1938

Contrairement à moi, Kiki n'a jamais été intimidée par les gens qu'elle ne connaissait pas. Adulte ou enfant, grand ou petit, humain ou animal, tout le monde est son ami. Tandis que je me tenais, comme paralysée sur place, tout juste à l'abri de leurs regards au bas de l'escalier, agrippant mon verre de gin vide de toutes mes forces, elle répondit à Nick Greenwald comme si elle l'avait connu toute sa vie.

— Quel beau chapeau vous portez. Comment vous appelez-vous ? demanda-t-elle d'un ton plaisant.

— Je m'appelle Nick Greenwald. Et je crois déjà savoir qui tu es.

— Vraiment ?

Cette information semblait lui faire plaisir.

— Tu dois être mademoiselle Catherine Dane de New York City. Ai-je raison ?

Sa voix n'avait pas changé, elle était exactement identique à celle de mes souvenirs, peut-être un peu plus grave, plus douce. Le son de sa voix, sa familiarité, me firent chavirer et je me laissai tomber dans le sable, sous la véranda.

J'entendis Kiki pousser une petite exclamation de ravissement.

— Comment le savez-vous, monsieur Greenwald ?

— Il suffit de regarder tes yeux. Ces yeux, je les reconnaîtrais n'importe où, dit-il avant d'hésiter. Est-ce que ta famille est avec toi ?

— Lily est juste derrière moi. Lily ?

Je me levai d'un bond et me forçai à gravir les marches.

— Je suis là, ma puce. Je ramassais juste mon verre et... Oh ! monsieur Greenwald !

Nick était agenouillé devant Kiki, pour lui parler face à face, et il la regardait avec une expression si tendre qu'elle me coupa le souffle. Il se leva lentement, de toute sa hauteur.

— Lily Dane, dit-il. Comment vas-tu ?

Kiki avait raison à propos de son chapeau. Il avait l'air neuf, la paille encore raide et d'un jaune éclatant, comme s'il l'avait acheté quelques jours plus tôt chez Brooks Brothers dans le seul but de le porter sur la plage de Seaview. Sous son chapeau, ses yeux noisette brillaient de la même chaleur, et son visage avait perdu toute la rondeur de la jeunesse. Ses traits s'étaient affinés, les os saillants sous la peau, austères comme ceux d'un moine, réguliers et intransigeants.

— Je vais bien, je vais bien. Comment vas-tu ?

— Mieux que jamais. Je...

Mais avant que nous ayons eu la chance de poursuivre ce début de conversation très prometteur, une autre voix, familière elle aussi, retentit dans l'air lourd de la véranda.

— Ma parole ! Si ce n'est pas Lily Dane !

Nick et moi nous retournâmes en même temps, avec le même soulagement.

J'avais eu le temps de me préparer à la vision de Budgie Greenwald. J'avais vu sa photo dans les journaux, je savais donc qu'elle portait désormais les cheveux plus longs et moins bouclés qu'auparavant, selon la mode du moment. Je savais que ses yeux ronds observaient le monde autour d'elle avec un regard aguicheur, mais j'ignorais si cela était dû à l'effet naturel de la maturité ou à un maquillage sophistiqué ; je savais qu'elle teintait ses lèvres d'un rouge foncé, encore plus éclatant maintenant que je la voyais en vrai. Je savais qu'elle portait les dernières tenues en vogue, et sa robe longue en mousseline de soie, sans manches et avec une taille Empire, était en effet à la pointe de la mode.

Je fus néanmoins choquée de la voir, plus encore que d'avoir vu Nick. C'était peut-être tout à fait normal. Après tout, je connaissais Budgie depuis toujours. Je connaissais chacune de ses humeurs, je l'avais vue dans toutes les situations possibles : je la connaissais bien mieux, en somme, que je n'avais jamais connu Nick. C'était la première fois que je n'étais pas associée à un événement de la vie de Budgie. Mais elle était là, à présent, devant moi, parfaitement épanouie, chaque promesse tenue, et je ne supportais pas qu'elle me soit inconnue.

— J'étais sûre que tu serais là. Je t'ai cherchée partout. Bien sûr, Nick a réussi à te trouver avant moi, n'est-ce pas chéri ?

Elle se glissa contre lui dans un bruissement de soie et passa langoureusement son bras sous le sien. Elle m'observait d'un air curieux, les sourcils levés.

Je savais qu'il fallait que je dise quelque chose, mais je ne trouvais rien.

Kiki vint à ma rescousse.

— Vous êtes Budgie Byrne, pas vrai ? s'exclama-t-elle. J'ai beaucoup entendu parler de vous.

Budgie baissa les yeux vers elle.

— Je te demande pardon, chérie ?

Le désir de protéger Kiki me tira de ma torpeur, et je retrouvai ma voix.

— Budgie, quel plaisir de te revoir. Et quelle bonne surprise. Kiki, je te présente Mme Greenwald.

— Kiki, mais bien sûr, répondit Budgie en lui tendant la main d'un air sérieux. Comment allez-vous ?

Kiki lui serra la main sans la moindre hésitation.

— Je vais très bien, merci. J'adore votre robe.

Budgie éclata de rire.

— Merci beaucoup. Mais dis-moi, qu'as-tu entendu dire à mon propos ? Des choses scandaleuses, j'espère ?

— J'ai entendu dire que vous aviez grandi avec ma sœur, avant ma naissance.

— Ta sœur, répéta Budgie en me lançant un regard sournois. C'est absolument vrai. J'en sais des choses sur elle, tu peux me croire !

— Ah oui ? Comme quoi ? demanda Kiki, enthousiaste.

— Laisse-moi réfléchir, répondit Budgie en tapotant son menton pointu. Eh bien, elle aimait aller se baigner nue, tous les matins, avant que tout le monde soit levé.

Kiki leva les yeux au ciel.

— Ça, je le savais déjà.

— Ah, elle le fait toujours ? demanda Budgie en riant. Dans la petite crique à côté de votre maison, c'est ça ?

— Exactement.

— Il faudra que je vienne vous rendre visite un matin, en souvenir du bon vieux temps. Même si je ne suis pas vraiment du matin…

Budgie dégagea son bras de celui de Nick et se pencha en avant. Le décolleté de sa robe s'ouvrit, exposant les courbes minces de sa poitrine. Apparemment, elle ne portait rien en dessous.

— Mais regarde-toi ! s'exclama-t-elle en observant Kiki. Tu es le portrait craché de Lily. Pas vrai, Nick ?

Ma main serra un peu plus celle de Kiki et je l'attirai contre moi.

Nick croisa les bras et parla à voix basse :

— Elles se ressemblent, naturellement.

— À l'exception de ses cheveux bruns et de sa peau mate. Elle est déjà tellement bronzée !

Budgie se redressa et m'observa d'un regard rieur.

— Elle a joué sur la plage toute la journée.

Soudain, je fus frappée par le silence presque surnaturel qui régnait sur la véranda. Le tintement des verres, le brouhaha des conversations : aucun bruit ne venait jusqu'à moi. Je replaçai une mèche de cheveux derrière mon oreille, consciente à chaque seconde que tous les regards étaient tournés vers moi.

— Quelle chance tu as d'avoir une si belle peau ! Oh, regarde, tu as déjà fini ton verre.

Elle posa la main sur le bras de Nick, sa main gauche. Trois diamants carrés se faisaient concurrence sur son annulaire, sertis sur un fin anneau doré.

— Chéri, sois un gentleman et va chercher un autre verre pour Lily.

Nick tendit sa main ouverte. J'avais oublié comme il avait de grandes mains, comme elles faisaient paraître les miennes minuscules.

— Que veux-tu boire, Lily ? demanda-t-il.

— Un gin-tonic, répondis-je en plaçant le verre vide dans sa main.

Il se tourna vers Budgie.

— Et toi, chérie ? Veux-tu boire quelque chose ?

— La même chose.

Puis, sans crier gare, Budgie me prit le bras.

— Nous profiterons de ton absence pour avoir une petite conversation, pas vrai, Lily ?

— Je devrais essayer de retrouver ma mère et tante Julie. Nous avons prévu de dîner ensemble.

— Oh, non ! Joignez-vous plutôt à nous. Qu'en dis-tu, Nick ? Ce n'est pas une bonne idée ?

Elle se retourna, mais Nick avait déjà disparu.

— Peu importe, je suis sûre qu'il sera d'accord. Il sera même ravi, je pense, de pouvoir passer du temps avec toi après toutes ces années.

— Oh, mais je ne crois pas que ma mère…

La sensation de sa peau contre la mienne me révulsait. Je dus prendre sur moi pour ne pas retirer mon bras immédiatement. Je fis un pas en arrière et j'eus l'impression d'avoir perdu l'équilibre. Kiki me lança un regard inquiet.

— Oh s'il te plaît, Lily. Cela fait tellement longtemps qu'on ne s'est pas vues.

Sa voix avait perdu sa bonne humeur habituelle. Elle serra mon bras contre elle, m'obligeant à me rapprocher.

— Tu m'as manqué, ma belle. Nous nous amusions tant ! Parfois, je pense que...

— Lily ! Te voilà !

La voix de Mme Hubert résonna dans le silence, si soudainement que Budgie lâcha mon bras dans un sursaut, comme si on venait de la surprendre en train de faire une bêtise.

De l'autre côté de la véranda, Mme Hubert venait vers nous d'un pas décidé, sans jeter le moindre regard en direction de Budgie ou des nombreux membres du club qui suivaient sa progression d'un air intéressé par-dessus les verres qui contenaient leurs cocktails.

— Nous nous demandions où tu étais passée. J'ai demandé à ta mère si vous pouviez vous joindre à nous pour le dîner. Nous sommes installées à l'intérieur, malheureusement, mais je pense que tu as suffisamment pris l'air pour la soirée.

Sa voix et ses mots étaient lourds de sens.

J'hésitai en regardant Budgie, dont le visage s'était figé en un sourire forcé.

— Budgie vient de m'inviter à me joindre à elle et Nick. Vous vous souvenez de Budgie, n'est-ce pas, madame Hubert ?

— Bien sûr que je me souviens de Budgie, répondit-elle.

Mais elle attendit d'avoir terminé sa phrase avant de se tourner vers elle et de la regarder pour la première fois.

— Comment allez-vous ? C'est Mme Greenwald maintenant, paraît-il.

— Oui, c'est ça.

Au lieu de la féliciter pour son mariage, comme l'aurait voulu la politesse, elle lui dit :

— C'est une robe très élégante que vous portez, madame Greenwald. Vous ressemblez à une star de cinéma.

Le ton sur lequel elle avait prononcé ces derniers mots laissait deviner ce qu'elle pensait exactement des stars de cinéma.

— Merci, madame Hubert. Vous n'avez pas changé du tout. J'ai du mal à croire…

— Cependant, j'ai bien peur de devoir vous voler Lily et Kiki. Nous avons absolument besoin de parler de l'organisation de la fête du 4 juillet, c'est impératif.

C'était la première fois que j'entendais parler de la fête du 4 juillet, car cette année, je ne m'étais pas portée volontaire pour le comité d'organisation.

— La fête du 4 juillet ? s'étonna Kiki. Mais Lily…

— Lily a toujours sa place au sein du comité, dit Mme Hubert. N'est-ce pas, Lily ?

L'idée de partager un dîner avec Nick et Budgie m'était insupportable, je saisis donc la main tendue par Mme Hubert.

— Oui, bien sûr. Je suis vraiment désolée, Budgie. Peut-être un autre soir.

— Un autre soir ? répéta Nick, qui revenait avec deux verres à la main.

— Nous n'aurons pas le plaisir de la compagnie des Dane ce soir, mon chéri, dit Budgie en arrachant son verre de gin des mains de son mari.

Nick me tendit mon verre.

— Quel dommage.

— Madame Hubert, je ne sais pas si vous avez déjà rencontré mon mari, Nick Greenwald.

— Je connais M. Greenwald, répondit-elle en me prenant le bras. Viens, Lily. Kiki, ma chère.

— Au revoir, madame Greenwald, dit Kiki. Au revoir, monsieur Greenwald.

Mais Mme Hubert me tirait déjà derrière elle vers l'autre bout de la véranda. J'entendis la réponse de Nick : « Au revoir, mademoiselle Dane », flotter jusqu'à moi en provenance de l'autre bout de la pièce, passant par-dessus les têtes, les chapeaux et les verres des membres du Seaview Club, et je me demandai à laquelle de nous deux il s'adressait.

***

— Au moins, c'est fait, dit Mme Hubert. Je ne pensais pas qu'elle aurait cette audace.

— Qui ?

— *Qui.* Budgie, bien sûr ! Et tu sais exactement ce que je veux dire. Tu le sais toujours, Lily Dane, même si tu as l'air très sereine.

Mère monta dans la voiture, à côté de tante Julie qui conduisait. Le voiturier referma la portière derrière elle.

— Bonne nuit, madame Hubert, dis-je en l'embrassant. Merci pour le dîner.

— Quand tu veux, ma chère. Avec un peu de chance, ils en auront vite assez de venir au club et tu n'auras pas besoin de dîner avec moi tous les soirs.

Elle tourna légèrement la tête vers le coin de la véranda où Nick et Budgie devaient être en train de finir de manger. Ils avaient choisi une table pour deux avec une vue directe sur la salle à manger, si bien que, chaque fois que je regardais dehors, comme je le faisais toujours, leurs deux silhouettes apparaissaient devant la vue de l'océan que je connaissais si bien.

— Ils ont décidé de rester jusqu'au bout, je vois, continua Mme Hubert en m'observant de son regard perçant. Elle a du cran, je dois le reconnaître.

— Elle en a toujours eu.

Je plantai mes ongles dans la paume de ma main pour tenter de m'éclaircir les idées, car j'avais l'impression étrange, mais pas désagréable, de flotter dans un brouillard de gin et de vin. Ce soir-là, j'avais décidé de boire plus qu'à mon habitude, dans l'espoir de bannir de mon esprit l'image douloureuse de Budgie et Nick dînant en tête-à-tête, même si je savais bien que, logiquement, cela devait leur arriver très souvent. Ils étaient mariés, après tout. Mon ivresse avait nécessité un certain effort de ma part, car chaque membre du club, il me semblait, avait décidé de venir nous saluer pour me faire part de son soutien, et j'avais dû me concentrer pour donner des réponses cohérentes et intelligibles.

— Dans tous les cas, madame Hubert, je…

Mais quelque chose frappa soudain mon esprit et me força à m'interrompre.

— Excusez-moi, mais qu'avez-vous dit ? Ils en auront assez du club ?

— Bien sûr, ce n'est pas comme si nous pouvions tout simplement les exclure. Elle a payé les cotisations elle-même toutes ces années depuis la mort de son père, même si je me demande bien comment… Mais si personne ne fait attention à elle, ou ne l'invite nulle part, je suis certaine que…

— Mais pourquoi ? demandai-je, confuse. Budgie a vécu ici toute sa vie.

Mme Hubert posa sa main sur mon bras.

— Elle savait ce qu'elle faisait quand elle a épousé Nick Greenwald. Si c'était l'argent qui l'intéressait (et je sais qu'elle en avait besoin), elle n'avait que l'embarras du choix. Mais elle l'a choisi, *lui*, et elle l'a amené ici, ce soir, bien sûr, devant nous tous.

Malgré la confusion qui m'habitait, la colère et la rancœur que je ressentais à l'égard de Budgie et Nick, mon anxiété nourrie par le gin et le vin, je ne pouvais m'empêcher d'éprouver une profonde indignation.

« Elle est vieille, pensais-je en regardant le visage de Mme Hubert, avec ses rides profondes et les marques de la vieillesse accentuées par l'éclairage du porche. Elle a les idées bien trop arrêtées pour pouvoir en changer maintenant. Il serait inutile d'essayer. »

En revanche, pourquoi défendrais-je Nick Greenwald ? Il ne m'appartenait plus depuis longtemps, j'avais renoncé à lui pour toujours pendant ce terrible hiver de 1932, tout comme il avait renoncé à moi.

Tante Julie donna un coup de klaxon.

— Je dois y aller, dis-je. Kiki ?

Je la cherchai du regard, mais elle avait disparu.

— Tante Julie, criai-je. Kiki est-elle dans la voiture avec vous ?

— Non, répondit-elle. Je croyais qu'elle était avec toi.

— Elle est encore partie toute seule, dis-je, ennuyée.

Tante Julie leva les mains en l'air.

— Encore ! Bon sang, mais tu ne peux pas au moins faire attention à elle ?

— Allez-y. Je vais la chercher.

— Tu es sûre ? demanda tante Julie, les mains sur le volant.

— Nous rentrerons à pied par la plage. Cela nous fera une petite promenade au clair de lune.

Tante Julie tapota les doigts sur le volant en réfléchissant. Elle se retourna vers ma mère et lui posa une question à voix basse, trop basse pour que j'entende. Mère haussa les épaules.

— Bon, très bien, répondit tante Julie. Préviens-nous quand tu seras rentrée.

Ma mère me recommanda de faire attention, avant que la voiture démarre dans un crissement de pneus.

Mme Hubert secoua la tête, les diamants étincelant à ses lobes d'oreilles.

— Va voir au bar. Jim a passé la soirée à lui offrir des verres de *ginger ale*, en douce.

Mais Kiki n'était pas près du bar, elle ne parlait pas non plus aux vieilles dames dans la salle à manger, et elle n'aidait pas non plus les serveurs à essuyer la vaisselle dans la cuisine. Elle n'était dans aucun de ses repaires habituels.

Je n'étais pas inquiète, pas encore. D'abord, grâce aux effets persistants du gin. Ensuite, je savais que Kiki avait une prédilection pour les fugues, et ce, dès le moment où elle avait appris à marcher à quatre pattes. J'avais passé la majeure partie de ces six dernières années à lui courir après dans notre appartement, dans les allées de Central Park, du Muséum d'histoire naturelle ou du rayon des sous-vêtements féminins de Bergdorf[1]. Tous les portiers de notre portion de Park Avenue savaient qu'ils devaient l'attraper au vol quand ils la voyaient courir dans la rue pieds nus, parfois en pyjama, et la forcer à m'attendre. J'avais même dû, un jour, entrer dans les toilettes pour hommes de l'Oyster Bar de la gare de Grand Central.

Personne n'avait vu Kiki. Je retournai au bar, puis aux toilettes pour femmes et tombai sur M. Hubert dans le hall d'entrée en train de chausser ses lunettes et en profitai pour lui demander d'aller voir dans les toilettes pour hommes. J'attendis dehors, les mains croisées dans le dos, en l'écoutant ouvrir chaque cabine, l'une après l'autre, et appeler Kiki, en vain.

J'avais lu un article à ce sujet dans *Time Magazine*. L'adrénaline vous faisait battre le cœur et vous rendait les jambes en coton, c'était une réponse naturelle à la sensation du danger. J'en avais l'habitude à présent. Chaque fois que Kiki fuguait, elle me parcourait le corps comme une vieille amie. Et chaque fois que je la retrouvais et la prenais dans

1. Célèbre grand magasin new-yorkais.

mes bras, je tremblais de soulagement, incapable de parler.

Bien sûr, je savais que Kiki n'était pas en danger. Elle ignorait peut-être la plupart des règles mineures, mais elle se soumettait en général aux plus importantes. Elle n'allait jamais se baigner seule, elle ne courait jamais sur la jetée le soir. Il ne me restait plus qu'à découvrir où elle était partie, et je savais que je l'y trouverais en sécurité. Elle avait une imagination débordante, voilà tout.

Mais mon corps, lui, l'ignorait et, peu importe le nombre de fois où elle disparaissait, il ne le comprendrait jamais. Du jour de sa naissance jusqu'à ma mort, je reconnaîtrais toujours cette angoisse, ma vieille amie.

Je sortis sur la véranda. Le bruit des vagues sur le sable semblait s'être magnifié au cours de la soirée. Toutes les tables étaient vides désormais. Même Nick et Budgie étaient partis.

Je plaçai mes mains tremblantes autour de ma bouche.

— Kiki ! appelai-je d'une voix forte.

Une vague vint s'écraser lentement contre la plage, son écume blanche illuminée par la lune gibbeuse.

— Kiki ! appelai-je à nouveau.

Une mouette poussa un cri dans le ciel, puis une autre. Quelque chose tomba sur le sable dans un bruit sourd et les oiseaux fondirent sur la plage en se querellant. « Comme j'aimerais pouvoir avancer dans le temps d'une demi-heure, pensai-je, et tenir Kiki dans mes bras en sachant sans l'ombre d'un doute qu'elle va bien et qu'elle est vivante. »

Je devais être raisonnable. Il était temps de penser comme Kiki. Si j'étais Kiki et qu'il soit l'heure de rentrer à la maison, qu'aurais-je envie de faire une dernière fois ?

Son gilet. L'avait-elle laissé quelque part ?

Non, elle le portait encore pendant le dessert. Je m'en souvenais parce que je lui avais remonté ses manches pour qu'elle ne se tache pas avec sa glace au chocolat.

Ses rubans à cheveux ?

Ses chaussures ?

Non, bien sûr, elle avait encore ses rubans et ses chaussures. Quelque chose devait pourtant bien m'échapper, mais quoi ? Il n'y avait pas d'autres enfants, personne à qui dire au revoir. Avait-elle parlé à quelqu'un en particulier au cours du dîner ?

Si c'était le cas, je ne m'en souvenais pas. Je n'avais pas écouté, trop occupée à boire et à m'anesthésier, à parler avec les adultes, l'esprit bien trop pris par toutes mes préoccupations. Comme si tout le reste était aussi important que Kiki.

— Kiki ! criai-je encore, mais ma voix ne pouvait rien contre le rugissement de l'océan Atlantique.

J'ôtai mes chaussures à la hâte et trébuchai sur les marches de l'escalier jusqu'à la plage. La logique et la raison m'avaient quittée, seule restait l'angoisse.

— Kiki ! criai-je une nouvelle fois.

Un coup de klaxon retentit impatiemment de l'allée à l'entrée du club.

Je m'arrêtai, hésitante. L'allée ? Non, c'était impossible, elle n'était pas allée courir entre les voitures à la lueur des phares. Elle n'avait certainement pas vu mère et tante Julie partir en voiture ni pensé que nous étions parties sans elle.

Je piétinais sur place. Que devais-je faire ? Retourner voir dans l'allée ou rester sur la plage ? Qu'est-ce qui était le plus probable ? Qu'est-ce qui était le plus dangereux ? Je n'arrivais pas à réfléchir. Je voulais la chercher, agir, faire quelque chose.

Le combat ou la fuite, voilà ce que disaient les scientifiques, comme si un scientifique pouvait avoir envie de faire l'un ou l'autre. Comme si un scientifique, dans son laboratoire, pouvait avoir la moindre idée de l'importance d'une petite fille, savoir à quel point elle pouvait être précieuse et aimée profondément, passionnément et infiniment. Comme ses cheveux pouvaient être doux contre votre joue et comme son petit corps était chaud et rassurant dans vos bras.

— Kiki ! criai-je à nouveau et ma voix résonna le long de la plage.

Dans le noir, il me sembla apercevoir un mouvement, mais mes yeux me jouaient peut-être un tour.

Immobile, je tendis l'oreille, mais n'entendis rien d'autre que les vagues à ma gauche et mon pouls battant à tout rompre contre mes tympans.

Encore une fois, je crus voir quelque chose et me mis à courir en hurlant son nom et en trébuchant dans le sable.

— Kiki ! Kiki !

Elle apparut soudain, comme sortie de nulle part, un instant le noir total, et, le suivant, Kiki courant vers moi, un coquillage brandi fièrement à la main. Elle se jeta dans mes bras.

— Regarde ! On l'a trouvé !

— Oh, chérie ! Oh, ma chérie.

Je me laissai tomber dans le sable sous le poids de son petit corps frétillant et de mes jambes tremblantes.

— J'étais morte d'inquiétude. Oh, ma chérie.

— Pourquoi étais-tu inquiète ? J'étais avec M. Greenwald. Il est très gentil, il m'a aidée.

Surprise, je redressai immédiatement la tête et Nick était là, trois ou quatre mètres plus loin, juste à la limite de mon champ de vision, parfaitement immobile. Il avait ôté son chapeau, qu'il tenait à la main contre sa cuisse.

— Monsieur Greenwald ? répétai-je, hébétée.

— Je l'ai vue courir vers la plage, juste comme nous nous apprêtions à partir. Je me suis dit qu'il valait mieux que je la suive, au cas où, dit-il en frottant son chapeau contre sa jambe. Elle cherchait des coquillages, c'est tout.

— Il a été si gentil, Lily. Nous avons cherché partout. Il a allumé son briquet pour que nous puissions voir dans le noir.

Kiki lança à Nick un regard plein d'adoration.

— J'espère que tu l'as remercié, ma puce.

— Merci, monsieur Greenwald.

— De rien, répondit-il d'un air hésitant. Tu peux m'appeler Nick, si tu veux.

— Non, non, m'empressai-je de répondre. Nous avons des règles très strictes sur la manière de s'adresser aux adultes, n'est-ce pas, Kiki ?

— C'est vrai, répondit-elle en me faisant un câlin. Mère est-elle très en colère ?

— Non, elle est partie avec tante Julie. Nous allons rentrer à pied par la plage.

Je me levai, pris sa main dans la mienne et me retournai pour faire face à Nick.

— Merci de t'être occupé d'elle. Elle a une fâcheuse tendance à disparaître dès que nous avons le dos tourné. Je devrais avoir l'habitude, je suppose.

— Je t'ai entendue l'appeler. J'ai répondu, mais je crois que le vent a emporté ma réponse. Vous voulez vraiment rentrer à pied ?

Il faisait trop sombre pour voir son visage, déchiffrer son expression ; trop sombre pour voir s'il s'inquiétait vraiment pour nous ou si ce n'était que pure politesse.

— Oh, ce n'est pas loin, il n'y a même pas un kilomètre.

— Dans le noir ?

— La lune éclaire suffisamment.

Il avança vers nous en secouant la tête.

— Nous pourrions vous déposer en voiture, nous sommes garés juste devant le club.

— Non ! Non, merci. Une promenade nous fera du bien.

— Mais c'est sûrement trop loin pour ta sœur, à cette heure-ci.

— Kiki aime bien marcher. N'est-ce pas, chérie ?

— Je veux voir la voiture de M. Greenwald ! s'exclama-t-elle en sautant sur place d'excitation. Oh, rentrons avec eux.

— Lily, dit Nick, ne refuse pas à cause de moi.

— Non, je…

Mes protestations restèrent en suspens dans l'air iodé, j'avais terriblement conscience du ton désespéré et paniqué de ma voix.

— C'est d'accord. Merci. C'est très gentil.

— Ce n'est pas gentil, marmonna-t-il en partant à grandes enjambées vers le club.

J'avais encore le cœur battant, le souffle court. Kiki agrippait ma main en sautillant, inconsciente de tous ces non-dits qui pesaient entre les adultes tandis que nous marchions dans le sable.

— Il faut qu'on parle, dit soudain Nick sans crier gare.

— Quoi ?

— Il faut que nous parlions. Je suis venu pour ça, pour te parler.

En bas des marches, il s'arrêta et se tourna vers moi. La rambarde de la véranda, au-dessus, dessinait des ombres sur son visage.

— Que veux-tu dire ? murmurai-je.

— Tu sais ce que je veux dire.

Mon cœur battait si fort contre mes côtes que j'avais l'impression d'être sur le point de m'évanouir.

— Après tout ce temps, je pense que nous n'avons plus rien à nous dire.

— Au contraire, nous avons tout à dire, dit-il en levant la main, comme pour me prendre le bras, mais il la laissa retomber aussitôt.

— Non, Nick. Il n'y a rien à dire.

— Lily…

Je me retournai et gravis les marches d'un pas décidé, tirant Kiki derrière moi. J'avais le front humide, ma robe collait à mon dos à cause de l'effort physique et de la panique. Je ramassai mes chaussures en haut du petit escalier et les enfilai comme je pouvais en ignorant la main que Nick m'avait tendue pour m'aider.

Je n'avais pas pris de sac à main, aussi je traversai la salle de restaurant jusqu'à la porte d'entrée sans m'arrêter. Budgie attendait dans leur voiture, garée tout près, élégamment étendue sur le siège passager tandis que le moteur tournait. Une voiture de sport, d'une marque luxueuse, comme la Speedster Packard que Nick conduisait plus jeune, et sans banquette arrière, naturellement.

— Que se passe-t-il ? demanda Budgie en nous voyant approcher.

Dans le noir, ses lèvres étaient presque aussi sombres que ses cheveux. Elle avait dû se remettre du rouge à lèvres, ou alors elle n'avait pas touché à son dîner.

— Nous allons raccompagner Lily et sa sœur, dit Nick en ouvrant la portière. Peux-tu leur faire de la place ?

Budgie nous adressa un sourire accueillant et glissa sur le siège.

— Mais bien sûr ! Il y a bien assez de place pour tout le monde, je n'aurai qu'à me coller contre mon mari. Je vois que tu as trouvé ton adorable petite sœur. Koko, c'est ça ?

— C'est Kiki, dit celle-ci.

Je m'installai sur la banquette et pris Kiki sur mes genoux.

— Oui. Nick a eu la gentillesse de la ramener jusqu'ici.

Nick ferma la portière sans rien dire et contourna la voiture pour s'asseoir au volant.

— Il est parti en trombe quand il l'a vue passer. C'était très mignon.

Budgie posa sa tête sur l'épaule de Nick et la voiture s'élança dans la nuit.

— Tu feras un bon père un jour, n'est-ce pas, chéri ?

— Je l'espère, dit Nick.

Nous aurions fait le court trajet en silence sans les babillages constants de Kiki. Elle ne cessa de questionner Nick sur la voiture, son moteur et ses capacités, et il lui répondait patiemment, en entrant dans les détails et en lui offrant toute son attention.

Notre maison de famille se trouvait presque au bout de la baie de Seaview, après toutes les autres maisons. Nick conduisit le cabriolet avec une lenteur insupportable le long du gravier de Neck Lane, comme s'il craignait de réveiller les voisins ou d'abîmer son précieux petit bolide. La longue jambe de Budgie était pressée contre la mienne et, à la moindre secousse, nous bougions à l'unisson. Après un temps qui me parut interminable – en réalité, j'imagine qu'il avait dû être très court –, nous nous arrêtâmes devant le vieux cottage si familier, tout en vieux bois de cèdre gris, comme le club. La lumière du porche était allumée.

— C'est ici ? demanda Nick en se penchant vers nous pour observer la porte d'entrée qui venait d'être repeinte en blanc.

— Oui. Merci.

Je tentai maladroitement d'ouvrir la portière, gênée par le corps de Kiki sur mes genoux et, le temps que j'y arrive, Nick était déjà sorti et avait fait le tour de la voiture pour nous ouvrir.

— Merci encore, dis-je en laissant Kiki glisser à terre. N'oublie pas de remercier les Greenwald, Kiki.

— Merci, monsieur Greenwald. Merci, madame Greenwald, dit-elle avec une étonnante docilité.

— De rien, ma chérie, répondit Budgie de l'intérieur.

Nick s'accroupit sur le gravier et tendit la main à Kiki.

— De rien, mademoiselle Dane. C'était un plaisir de faire enfin votre connaissance.

Elle lui serra la main et leva de grands yeux vers moi.

— Il peut m'appeler Kiki, hein, Lily ?

— Oui, je suppose, s'il en a envie.

Nick se redressa.

— Bonne nuit, Lily.

Je détournai la tête juste avant que son regard ne rencontre le mien.

— Bonne nuit, dis-je par-dessus mon épaule.

Je ne voulais pas avoir à le regarder monter en voiture à côté de Budgie. Je ne voulais pas le voir s'éloigner avec Budgie, retourner vers la maison qu'il partageait avec Budgie, jusqu'au lit où il dormait avec Budgie.

Je pris la main de Kiki et nous passâmes sous la glycine avant d'entrer dans le cottage sombre que mes arrière-grands-parents avaient entièrement reconstruit après la grande tempête de 1869.

5

SMITH COLLEGE, MASSACHUSETTS

Octobre 1931

— Tu me prends pour un fou, dit Nick Greenwald. Admets-le.

— Bien sûr que non. C'est une très belle veste. Tiens.

Il regarde la tasse de café en néon rose fluo qui clignote au-dessus de nous. Avant que j'aie le temps de faire quoi que ce soit, il ajuste ses béquilles d'un geste expert et ouvre la porte pour me laisser passer.

— Il a l'air sympa ce café, dit-il.

— Ils font les meilleurs pancakes du coin. Et ils ouvrent tôt le dimanche matin.

Je fais semblant d'être parfaitement à l'aise, comme une femme du monde, comme si j'avais l'habitude d'accepter des rendez-vous galants à sept heures du matin tous les week-ends. Je passe devant lui pour pénétrer dans la chaleur du vestibule qui embaume l'odeur du café. Je connais bien ce *diner*, j'y ai mes habitudes, cela au moins n'est pas feint.

— Bonjour, Dorothy, dis-je à la serveuse avec un signe de tête.

— Oh, salut Lily. Que puis-je…

Elle dévisage Nick des pieds à la tête. La surprise qui se lit sur son visage est si évidente qu'elle n'a même pas besoin de parler: je sais ce qu'elle pense.

— Petit déjeuner pour deux, s'il vous plaît, Dorothy, dit Nick avec un sourire. Dans un coin tranquille, si possible.

— Un box, ça vous va?

— Très bien.

D'un air hébété, elle prend deux menus sur le comptoir et nous invite à la suivre. Le *diner* est pratiquement vide. Un couple âgé, dans ses vêtements du dimanche, mange discrètement à côté de la porte, et un policier est assis au comptoir, un toast et une tasse de café devant lui. Il fait chaud à l'intérieur et la lumière est trop forte après le brouillard humide du dehors. Derrière moi, les béquilles de Nick résonnent et cliquettent en rythme sur le linoléum.

Je me glisse sur la banquette et Nick s'assoit face à moi, posant ses béquilles en équilibre à côté de lui. Dorothy nous tend nos menus.

— Je vous apporte du café?

— Oui, s'il te plaît, dis-je.

— Autant que possible, ajoute Nick.

Dorothy plante son crayon derrière son oreille.

— Tout de suite, dit-elle et elle me jette un regard curieux avant de disparaître.

Nick n'a rien remarqué. Il me regarde en souriant. Il a les traits tirés et son visage est pâle et plus doux que dans mes souvenirs de la veille. Il pose son menu sur la table.

— J'avais une chance sur deux que tu descendes, dit-il.

— Alors pourquoi avoir fait tout ce trajet?

— Eh bien, j'avais laissé un billet de cent dollars dans ma poche gauche sans faire exprès.

Ma surprise doit se lire sur mon visage, car il éclate de rire.

— Non, je rigole. La vérité, c'est que je me suis endormi tout de suite en rentrant hier soir, parce que j'étais crevé, mais je n'ai dormi que deux heures. Je me suis réveillé vers minuit et impossible de me rendormir. Je n'arrêtais pas de penser au dîner, de penser à toi. À deux heures, j'ai sauté dans ma voiture et j'ai pris la route. Je savais que je n'arriverais plus à dormir de toute façon.

— Comment as-tu su dans quel bâtiment se trouvait ma chambre ?

— J'ai réveillé Pendleton pour le lui demander avant de venir. Je me suis dit qu'il y avait de bonnes chances que tu sois dans le même que Budgie.

Il se penche vers moi, son regard soudain sérieux.

— Cela ne te dérange pas, hein, Lily ?

Dorothy vient nous verser deux tasses de café. J'attends qu'elle s'éloigne pour lui répondre.

— Non, Nick, cela ne me dérange pas. Je suis contente que tu sois venu.

Il cligne des yeux et regarde son menu, puis il me prend la main, très doucement. Son pouce, énorme, caresse la base du mien.

— Tant mieux.

Je regarde ma main, qui paraît minuscule dans la sienne.

— Je n'ai pas beaucoup dormi, non plus, dis-je à voix basse, presque un murmure.

J'ai même du mal à former les mots.

— Je ne peux pas te dire comme je suis content de t'entendre dire ça.

— Mais pourquoi ? dis-je en levant les yeux vers lui.

Dorothy revient avec son bloc-notes, elle semble avoir retrouvé son sang-froid.

— Alors ? décidés ? demande-t-elle de son air distrait habituel, même si ses joues sont encore toujours un peu rouges.

— Deux œufs brouillés, dis-je, et beaucoup de toasts.

— Voyons voir, dit Nick en se tournant vers elle, sa main tenant toujours fermement la mienne. J'ai une faim de loup ce matin. Quatre œufs, du bacon et des toasts. Comment sont vos pancakes ?

— Les meilleurs des Berkshire, répond-elle. Tout le monde vous le dira.

— J'en prends aussi, alors. Avec du beurre et du sirop d'érable, ajoute-t-il en lui tendant son menu. Merci, Dorothy.

— Merci à vous, monsieur.

Elle prend son menu, puis le mien, et articule silencieusement quelque chose que je ne saisis pas.

— Est-ce que tu fais cet effet à toutes les filles ? dis-je sèchement à Nick.

— Quel effet ?

— Dorothy serait ravie d'échanger sa place avec la mienne.

— Je ne suis pas un coureur de jupons, si c'est ce que tu veux dire.

— Mais tu aimes charmer les gens.

— Si seulement Pendleton pouvait t'entendre, réplique-t-il en riant. Il me demande toujours d'être plus gentil et de ne pas rester dans mon coin.

— Ah oui ? Et pourquoi es-tu différent aujourd'hui ?

— Je ne sais pas. Je suis heureux, c'est tout.

Il serre un peu plus fort ma main dans la sienne et je ne peux m'empêcher de sourire. Moi aussi, je suis heureuse.

— Tu n'as pas encore répondu à ma question, dis-je.

— Non, c'est vrai. Bon d'accord, Lily. Mademoiselle Lily Dane, du Smith College dans le Massachusetts et... et où d'autre ?

— New York.

— Du Massachusetts et de New York. Dans l'Upper East Side, je parie.

— Et de Seaview, Rhode Island, dis-je en souriant.

Il lève les yeux au ciel d'un air amusé.

— Où ta famille passe tous ses étés depuis des générations et des générations, je me trompe ? Tourne la tête. Non, de l'autre côté. Comme si tu regardais par la fenêtre.

La vitre est pleine de buée, mais j'arrive à apercevoir les immeubles de l'autre côté de la rue.

— Comme ça ?

— Maintenant, tourne les yeux vers moi, rien que tes yeux. Lève un peu la tête. Oui..., murmure-t-il. Comme ça, c'est ça. Et voilà, mademoiselle Lily Dane, jeune fille de bonne famille qui ne fréquente que les endroits les plus convenables de la côte Est, pourquoi je n'ai pas réussi à me rendormir cette nuit.

Je me retourne pour lui faire face en riant. Il est confortablement assis contre la banquette, il sourit en me regardant d'un air bienveillant.

— C'est ce regard que tu m'as adressé, nous étions à peu près à la moitié du dîner. J'étais en train de parler de… je ne sais plus quoi. Tu m'as regardé de côté, avec tes yeux bleu foncé, et je me suis arrêté net. Tu l'as sûrement remarqué.

— Oui, il me semble.

En fait, je m'en souviens parfaitement. Il parlait d'un nouvel appareil de radiographie et de l'exposition aux rayons X. Sur le moment, je m'étais dit qu'il s'était interrompu parce qu'il craignait que ce sujet de conversation ne soit trop technique pour des jeunes femmes. Je m'étais sentie frustrée et j'étais restée assise là, bien droite contre le dossier de mon élégante chaise, alors que je mourais d'envie de l'entendre parler.

Je prends ma tasse de café fumante, et son parfum envahit mon nez et ma bouche tandis que la tasse en céramique blanche couvre – du moins, je l'espère – le rouge de mes joues.

Il soulève sa tasse de la main gauche, car sa main droite retient toujours la mienne. Il boit longuement et la repose sur sa soucoupe sans même regarder ce qu'il fait.

— Impossible de me souvenir de quoi j'étais en train de parler, comme un parfait idiot. Et je me suis dit : « Greenwald, cette fille repart dans une heure. Tu ferais bien de savoir comment tu vas faire pour la retrouver. » Pourquoi est-ce que tu secoues la tête ?

— Je ne sais pas. J'ai l'impression d'être dans un film. D'habitude, mes histoires d'amour sont de vrais désastres.

— D'habitude ? (Il lève un sourcil d'un air amusé. Ses sourcils, comme tout chez lui, me plaisent beaucoup.) Parle-moi de ces désastreuses histoires d'amour.

— Eh bien, il y a eu Jimmy, le fils de l'un des capitaines de bateaux de pêche du port de Seaview. Mais il avait dix ans cet été-là, et je n'en avais que huit.

— Alors, tu aimes les hommes plus vieux que toi ? Et depuis ?

Rien. Quelques rendez-vous, des amourettes de vacances qui se terminaient dans l'indifférence mutuelle, rien de plus. Il n'y avait pas de garçons à l'école pour filles de Miss Porter, pas de garçons à Smith non plus, et seulement quelques-uns au cours des étés à Seaview, mais je les connais déjà tous et aucun ne m'intéresse vraiment.

— Oh, je ne sais pas, réponds-je en sirotant mon café. Rien de particulier.

Dorothy arrive avec nos assiettes brûlantes. Elle les dispose avec des gestes rapides : les toasts et le beurre, un pot de confiture de fraises. Elle remplit à nouveau nos tasses. Le sirop d'érable coule paresseusement le long du tas de pancakes de Nick. Il finit enfin par me lâcher la main et ses doigts se referment sur ses couverts.

— Tout va bien ? demande Dorothy.

— Parfait. Merci.

Nick ne me regarde plus, il dévore le contenu de son assiette d'un regard affamé.

— Merci, dit-il à Dorothy.

Puis il tourne vers moi un regard hésitant.

— Mange !

Nick engloutit son assiette. Il doit vraiment être affamé. Efficace, peut-être, est le mot qui convient mieux. Ses pancakes disparaissent en moins de temps qu'il n'en faut pour le dire, et les œufs subissent rapidement le même sort. Je le regarde faire, partagée entre l'admiration et la surprise, et je remarque à peine le goût de ma nourriture.

— Excuse-moi, dit-il. Ce n'était pas très civilisé de ma part, je crois... mais avec tout ce qui s'est passé hier soir et le peu de sommeil dont j'ai pu bénéficier cette nuit, j'avais une faim de loup.

Je regarde ses épaules larges, son torse solide. Il est comme un moteur ronronnant au point mort et qui consommerait énormément d'énergie, même sans rien faire.

— Ne t'excuse pas.

— La nourriture est délicieuse, dit-il. Tu viens ici souvent, je suppose ?

— J'aime venir étudier ici. Ils me laissent travailler pendant des heures sans me faire la moindre remarque. Dorothy remplit ma tasse autant de fois que je le veux et m'apporte une part de tarte. Il faut que tu goûtes leurs tartes.

— Un jour, j'espère, dit-il en prenant sa tasse de café. À ton tour, maintenant.

— Mon tour ?

— Dis-moi pourquoi tu es ici. Pourquoi tu es descendue au lieu de me faire jeter dehors par la mère supérieure.

Il a les yeux brillants, j'adore leur couleur, chaude comme le caramel, ou de la lave en fusion, avec des traces de vert autour du marron. *Je suis heureux,* m'a-t-il dit plus tôt, et il en a l'air.

Dois-je lui dire la vérité ?

Budgie me dirait de ne pas le faire. Budgie me dirait de ne pas montrer mes cartes, de l'obliger à faire tous les efforts. Je devrais être mystérieuse, distante. Le faire douter de lui.

— C'était juste avant que tu te casses la jambe, dis-je. Tu étais à côté de Graham et vous regardiez la foule. Tu étais… je ne sais pas comment dire… tu avais l'air d'un pirate, tu n'avais peur de rien. Tu étais différent de tous les autres, on aurait dit qu'un feu couvait en toi.

Il me regarde en souriant et c'est incroyable comme ce sourire transforme son visage, adoucit tous ses angles, ceux de sa mâchoire, de son menton et de ses pommettes. Quelques mèches de cheveux bouclent sur son front et j'ai soudain envie de les entortiller autour de mes doigts.

— Un pirate, hein ? C'est ça qui plaît aux filles de nos jours, les pirates ?

— Non, ce n'est pas le bon mot. Tu étais déterminé.

— Ah, mais tu as dit que j'avais l'air d'un pirate ! C'est la première chose que tu as dite, c'était ta première réaction, la plus spontanée.

Il est tout excité, plus du tout animé d'un feu intérieur, plus du tout un pirate.

Je décide de changer de sujet.

— À quoi pensais-tu à ce moment-là ?

— Je ne sais pas. À la prochaine stratégie, sûrement. Pendant un match, c'est comme si tout le reste disparaissait dans le brouillard. Le brouillard de la bataille, la joie du combat.

Il hausse les épaules et fait la moue, comme si ça n'avait aucune importance.

— Mais tu joues si bien.

— L'entraînement, répond-il avec un nouveau haussement d'épaules.

— Ta passe, pour l'essai, juste avant de te blesser. Je ne connais rien au football, mais…

— J'ai eu de la chance, rien de plus. C'est celui qui a attrapé le ballon qui a fait tout le boulot.

— Tu n'es pas trop contrarié de t'être cassé la jambe ?

— Si. C'est ma dernière saison. C'était vraiment bête, parce que j'aurais dû m'en douter… Mais c'est le jeu, tu vois. (Il lève la tête.) Un instant, tu fais marquer un essai, le suivant, tu peux te retrouver dans une chaise roulante pour le reste de ta vie. De toute façon, je suis beaucoup moins contrarié aujourd'hui qu'hier.

Nous finissons notre petit déjeuner. Nick insiste pour payer l'addition et il laisse un généreux pourboire à Dorothy. Lorsque nous ressortons dans l'air frais et humide, je serre bien mon col autour de mon cou. Il y a plus de monde dans la rue à présent, plus de voitures sur la route ; c'est un dimanche comme les autres. Nick est grand et le froid ne semble pas l'affecter sous son manteau en laine foncée. Quand il se tourne vers moi, il est à nouveau sérieux, presque hésitant.

— Et maintenant ? demande-t-il.

— Quand dois-tu rentrer ?

Il regarde sa montre.

— Il y a une demi-heure. Pour une réunion avec l'équipe de football, mais je ne pense pas qu'ils m'attendent. De toute façon, Pendleton me couvrira. Il dira que j'étais trop shooté par les médicaments ou un truc comme ça, dit-il en tapotant le bout de sa béquille contre son plâtre.

— Tu devrais quand même rentrer. Tu dois être épuisé.

— Est-ce que tu veux que je parte ?

Son souffle devient buée dans l'air froid et le petit nuage reste un temps suspendu.

— Non, mais tu devrais rentrer quand même.

Il me tend le bras, machinalement, puis se souvient qu'il a des béquilles.

— Alors je te raccompagne au moins jusqu'à ta chambre.

Nous roulons en silence, comme à l'aller, incapables de mettre des mots sur ce que nous ressentons. Mais c'est un silence facile cette fois-ci, sans gêne, et quand nous nous arrêtons à un feu rouge, Nick me prend la main et la serre.

Il se gare en face du campus. Comme moi, il ne veut pas que nous soyons épiés par toutes les filles.

— Est-ce que tu as mal ? dis-je en montrant sa jambe.

— Ça va. J'ai pris de l'aspirine.

— Comment fais-tu pour l'embrayage ?

— Très doucement. Pas un mot au docteur, d'accord ?

— Tu es fou, tu n'aurais pas dû venir. J'espère que tu vas vite te remettre.

— Ce n'est rien.

Le silence s'installe à nouveau entre nous, seulement perturbé par le moteur de la voiture qui ronronne sous nos jambes. Nick tripote les clés de voiture, comme s'il hésitait à couper le contact.

— C'est horrible, dit-il en regardant droit devant lui. Il y a tant de choses à dire. Je veux tout savoir de toi.

— Et moi de toi, ajouté-je d'une petite voix, un peu fragile.

— C'est vrai, Lily ? (Il se retourne pour me regarder.) Vraiment ? Tu ne dis pas ça pour me faire plaisir ?

Mon cœur bat trop vite, trop fort. Je ressens tant de choses, toutes les pensées se bousculent dans ma tête à une vitesse folle.

— Je n'arrive pas à croire que tu sois là, dis-je en secouant la tête pour m'éclaircir les idées. J'espérais avoir la chance de te revoir samedi prochain. Budgie a dit que je pourrais te rendre ta veste à ce moment-là, que ce serait une bonne excuse pour y retourner.

— Budgie..., répète-t-il en secouant la tête, lui aussi, et en prenant mes mains dans les siennes. Pourquoi es-tu amie avec elle ? Vous ne pourriez pas être plus différentes.

— Nos familles passent leurs étés ensemble. Je la connais depuis que je suis toute petite.

— Tout s'explique. Ne l'écoute pas, Lily, d'accord ? Ne fais pas ce qu'elle te dit. Sois toi-même. Reste fidèle à toi-même.

— D'accord.

Il lâche une de mes mains pour caresser mes cheveux.

— Lily, je veux te revoir. Me le permets-tu ?

— Bien sûr.

— Quand ?

J'éclate de rire.

— Demain ?

— Parfait, répond-il, du tac au tac.

Je ris encore. La caféine court dans mes veines, m'excite et me fait tourner la tête, ou peut-être est-ce simplement cela, la vision de Nick, de plus en plus beau à chaque seconde qui passe, qui me regarde avec une sincérité désarmante. Comment ai-je pu penser une seule seconde que Graham Pendleton était plus beau que lui ?

— Ne sois pas ridicule. Comment vas-tu devenir architecte si tu ne vas pas en cours ?

— Je ne vais pas devenir architecte.

— Si, Nick. Il le faut. Promets-le-moi, Nick.

Il caresse encore mes cheveux, puis ma joue.

— Mon Dieu, Lily. Oui, je te le promets. Je pourrais te promettre n'importe quoi.

Nous restons assis là, à nous regarder, à nous imprégner l'un de l'autre. J'appuie la tête contre le siège, contre la veste de Nick posée dessus.

— Je ne sais pas quoi dire, dit-il. Je ne veux pas m'en aller.

— Je ne veux pas que tu partes.

— J'ai l'impression d'être Christophe Colomb, que je viens d'apercevoir enfin la terre et qu'il faut que je retourne immédiatement en Espagne.

— Christophe Colomb était italien, dis-je.

— Ah, tu veux jouer à ça ? répond-il avec un sourire malicieux.

— Et le New Hampshire est bien plus près que l'Espagne. Et tu as une jolie voiture de sport au lieu d'une vieille caravelle qui prend l'eau.

— Eh bien, c'est la dernière fois que je te dirai quelque chose de romantique, madame Je-sais-tout.

— Oh non, ne fais pas ça. (Et c'est mon tour de lui caresser la joue, les cheveux ; je suis comme enivrée par ce sentiment de liberté à l'idée de pouvoir le toucher.) Excuse-moi, mais si je ne ris pas maintenant, je crois que je pourrais pleurer.

— Ça ne me dérange pas. J'aimerais savoir à quoi tu ressembles quand tu pleures. Non pas que j'aie envie de te voir pleurer, s'empresse-t-il d'ajouter, ou de te voir triste. C'est juste… Tu vois ce que je veux dire ?

— Je suis horrible quand je pleure. Toute gonflée et rouge.

— Alors je ferai tout mon possible pour ne jamais te faire pleurer.

Son regard, quand il me dit ça, est si lourd de sens, si déterminé. J'ai l'impression de m'ouvrir en deux devant lui, déchirée en plein milieu, dans une longue ligne irrégulière.

— C'est grotesque. Budgie, elle, pleure de façon très élégante. Quelques larmes qui coulent sur ses joues, comme Garbo…

— Je ne veux plus entendre parler d'elle. Je vais me mettre à pleurer comme un bébé, moi aussi, dans un instant. Un mot de plus à son sujet me ferait mourir d'épuisement, ou tout simplement d'ennui.

— Excuse-moi.

— Ne t'excuse pas. Ça en valait la peine.

Il détourne la tête et presse ses lèvres contre le bout de mes doigts. Ce simple contact me fait l'effet d'une décharge électrique qui me parcourt tout le corps.

— Je viendrai samedi avec Budgie, dis-je.

— C'est bien. Je serai sur le banc de touche avec mes béquilles. Nous irons dîner au restaurant ensuite, comme hier.

— Mais Budgie et Graham seront avec nous.

— Alors je viendrai dimanche matin, après la réunion de l'équipe de foot. Je pourrai passer la journée ici avec toi, si tu veux. Et je t'écrirai, dit-il en souriant. Pour te faire part de mes intentions envers toi.

— Tes intentions m'ont l'air tout à fait respectables pour l'instant.

— Tu dois m'écrire aussi. Pour me parler de toi. Je veux savoir ce que tu aimes lire, si tu joues au tennis. Quelle question ! Bien sûr que tu joues au tennis. Je veux connaître l'histoire de ta vie. Je veux savoir pourquoi tes cheveux bouclent comme ils le font, autour de ton oreille, oui, comme ça et pas dans l'autre sens.

Il penche la tête vers moi.

— Je voudrais…

— Quoi ? dis-je dans un souffle.

— Rien, répond-il en se redressant. Nous avons tout le temps, pas la peine de nous presser. J'étais tellement paniqué ce matin en conduisant. J'ai besoin de me rappeler que l'urgence est passée.

Le moteur tourne encore, toussote et continue de ronronner. Comme un chaperon qui nous rappellerait discrètement sa présence.

— Je t'accompagne à l'intérieur, dit Nick en me caressant le visage une dernière fois.

Nous marchons lentement, les béquilles de Nick nous servent d'excuse pour faire durer au maximum les dernières minutes que nous allons passer ensemble.

— Je déteste l'idée de te laisser, dit-il, et en même temps, je ne me suis jamais senti aussi bien. Tu ne ressens pas la même chose ?

— Oui. Comme quand on est enfant et que No... que les vacances d'été arrivent.

— Tu allais dire Noël.

— Oui, je...

Je m'interromps, confuse.

Il rit doucement. Nous approchons de l'allée qui mène à ma résidence universitaire.

— Ma mère décore un sapin tous les ans. Nous allons à la messe ensemble.

— Oh. Eh bien, Noël alors ! Et les vacances d'été. Les deux en même temps.

Après avoir tourné dans l'allée, nous nous arrêtons sous les branches d'un grand chêne centenaire dont les feuilles flamboyantes ne sont pas encore tombées. Nick regarde les rangées de fenêtres du bâtiment qui s'élève devant nous.

Je me sens devenir toute légère. J'ai déjà été embrassée avant, mais je n'ai jamais reçu un baiser qui voulait dire quelque chose.

Nick se penche vers moi, et le rebord de sa casquette en laine heurte mon front. Il éclate de rire, la retire et se penche de nouveau vers moi.

Ses lèvres sont douces. Il les presse contre les miennes pendant une ou deux secondes, juste assez longtemps pour que je discerne le sirop d'érable dans son haleine.

— Conduis prudemment, dis-je, mais ma voix n'est qu'un murmure car j'ai la gorge serrée.

Il remet sa casquette.

— Ne t'inquiète pas. Je t'écrirai ce soir.

— Et repose-toi.

— Je dormirai comme un bébé.

Il me prend la main, y dépose un baiser et cale ses béquilles sous ses bras.

— À samedi, alors.

— À samedi.

Nous restons là, à nous regarder.

— Vas-y la première, dit Nick.

Je monte les marches et entre dans la chaleur de la salle commune. Dehors, Nick avance péniblement le long de l'allée qui le ramènera à son élégante Packard, puis dans le New Hampshire. Ses grandes mains refermées sur le volant, son regard couleur caramel fixé sur la route devant lui. J'espère que ses trois tasses de café suffiront à le maintenir éveillé.

Nick Greenwald. Nicholson Greenwald.

Nick.

Je traverse le salon et gravis l'escalier en bois usé jusqu'à ma petite chambre au deuxième étage. La porte est entrouverte. Je la pousse et trouve Budgie Byrne, toujours en chemise de nuit, avec sa robe de chambre en cachemire nouée autour de sa taille fine. Elle est allongée sur mon lit étroit, à côté de la fenêtre.

— Mais qui voilà ? dit-elle en souriant et en balançant son pied en l'air. J'ai l'impression que quelqu'un a fait des bêtises.

6

SEAVIEW, RHODE ISLAND

Mai 1938

Personne ne savait précisément quand la première maison avait été construite à Seaview, mais j'avais assisté à de nombreuses disputes à ce sujet sur la véranda du club, disputes qui se terminaient parfois bien après minuit. C'est le propre des habitants de la Nouvelle-Angleterre : tous prétendent descendre directement des Pères fondateurs du pays.

Quoi qu'il en soit, celui qui a, le premier, décidé de s'installer à Seaview a fait un excellent choix. La terre s'étendait en une longue courbe bordant le Rhode Island comme un long doigt fuselé, protégé au bout par des affleurements rocheux et une batterie de pierre abandonnée dont le dernier coup avait été tiré au cours de la guerre de Sécession. D'un côté de cette bande de terre se trouvait l'océan Atlantique, plat et immense, et de l'autre la baie de Seaview le long de laquelle la plupart des propriétaires avaient fait construire des pontons qui ressemblaient à une rangée de cure-dents sur l'eau calme. Génération après génération, nous, les enfants, avions appris à nager, à ramer et à naviguer dans la baie de Seaview, à jouer dans les vagues et à construire des châteaux de sable sur la large plage jaune ceignant l'océan.

En toute modestie (et les habitants de Nouvelle-Angleterre sont comme ça, aussi), la famille Dane avait tout autant de raisons que les autres de prétendre au titre de famille fondatrice. Notre maison se trouvait tout au bout de l'isthme, la dernière des quarante-trois cottages à bardeaux, juste à côté de la vieille batterie et avec sa propre petite crique creusée dans les rochers. D'après le titre de propriété qui se trouvait dans la bibliothèque de papa, Jonathan Dane avait pris possession du terrain en 1697, bien avant la formation de l'Association de Seaview et la construction du Seaview Beach Club, cent soixante-dix ans plus tard.

J'avais toujours trouvé que nous avions le meilleur emplacement de la baie. Si je voulais de la compagnie, il me suffisait de sortir de la maison et tourner sur la gauche, le long de la rangée de maisons ; j'étais certaine de rencontrer rapidement un visage familier. Si je voulais être seule, je tournais à droite pour me rendre sur la crique, chose que je faisais presque tous les matins. La fenêtre de ma chambre était orientée à l'est et les vieux volets de bois laissaient passer les premiers rayons de soleil d'été. J'enfilais ma robe de chambre, attrapais ma serviette et plongeais nue dans l'océan à l'abri des regards.

Le plaisir que m'apportaient ces baignades matinales variait en fonction de la saison. Au mois de septembre, l'eau avait été chauffée par le soleil tout l'été, me donnant l'impression de tremper dans un bain chaud et salé. En mai, seulement un mois après les froides pluies d'avril, comme ce matin-là, le lendemain du soir où Budgie et Nick nous avaient ramenées du club en voiture, la mer était si froide que cela équivalait à une forme de torture médiévale.

Pire encore, Budgie m'attendait, assise sur les rochers, quand j'émergeai de ma baignade transie de froid.

— Salut, dit-elle. Tu veux ta serviette ?

Je fis aussitôt demi-tour pour me jeter dans l'océan Atlantique.

— Que fais-tu ici ?

— Nick s'est levé aux aurores pour retourner en ville. Je n'avais pas envie de me recoucher, alors je me suis dit que je te trouverais là. Si je ne suis pas maligne… ! Tu n'as pas froid ?

Les vagues tapaient contre ma poitrine nue. Froid ? Je ne sentais plus rien, j'essayais d'effacer de mon cerveau l'image de Nick au lit avec Budgie, de Nick debout à l'aube et Budgie se levant pour l'accompagner, arrangeant ses cheveux et sa cravate avant de l'embrasser et de lui souhaiter bonne route.

— C'est vivifiant, dis-je.

Elle attrapa ma serviette et la secoua.

— Ne sois pas pudique. Nous avons partagé la même chambre à l'université, je te rappelle.

Budgie se leva, ôta son chapeau, son pull rayé bleu et blanc et sa chemise. Étonnée, j'observais son corps se dévoiler à moi, exposant sa pâleur au matin frais. Elle portait une combinaison de soie couleur pêche, ornée de dentelle, sans gaine ni bas. Alors qu'elle s'apprêtait à la retirer, je me retournai vivement vers l'océan et les vagues formant de longues lignes blanches à l'horizon.

Budgie riait derrière moi.

— Chaud devant ! cria-t-elle, et je tournai la tête juste à temps pour voir son long corps mince fendre l'eau comme une lame.

Elle en émergea un instant plus tard en poussant des cris aigus.

— Oh, mon Dieu ! C'est horrible !

— Tu vas t'y habituer.

Budgie pencha la tête en arrière pour tremper ses cheveux dans l'eau et ils ressortirent noirs et brillants, collés contre son crâne. Ses cheveux mouillés soulignaient la symétrie de ses traits et les angles de son visage, ainsi que la largeur incroyable de ses yeux à la Betty Boop qui offraient une telle innocence à ses traits durs. Elle avait toujours été mince, mais sa minceur confinait désormais à une sorte d'élégance squelettique. À côté d'elle, je me sentais ronde et trop pleine, mes contours étaient flous.

— Comment fais-tu pour t'infliger une telle torture chaque matin ? demanda-t-elle en souriant et en remuant ses bras dans l'eau.

Ses seins flottaient à la surface comme de petits abricots.

— Tu ne te souviens pas ? dis-je. Tu venais te baigner avec moi quand nous étions petites.

— Pas tous les matins. Seulement quand je ne supportais plus d'être chez moi et que j'avais l'impression que j'allais devenir folle. Faisons la course !

Sans prévenir, elle se jeta dans l'eau et se mit à nager le crawl en direction de l'autre bout de la crique, ses longs bras tendus plongeant dans les vagues et ses pieds roses battant la surface de l'eau.

J'hésitai, comme hypnotisée par les mouvements réguliers de ses membres, avant de me lancer à sa poursuite.

Malgré la rapidité de ses mouvements et toute l'eau qu'elle propulsait autour d'elle, Budgie n'avançait pas très vite. En moins d'une minute, je l'avais rattrapée et rapidement dépassée ; quelques instants plus tard, j'avais atteint l'autre bout de la crique et posé une main contre un rocher pour repartir dans l'autre sens.

Une fois revenue à notre point de départ, Budgie n'était plus derrière moi. Je la cherchai du regard et la vis courir sur les rochers contre lesquels j'avais pris appui pour faire demi-tour, puis traverser la courte étendue de sable où ma serviette était posée sur un caillou. Pendant une seconde ou deux, sa silhouette se détacha contre la roche grise de la batterie abandonnée tandis que le soleil, à peine levé, illuminait ses membres osseux.

Puis son corps disparut sous la serviette. Elle se frotta vigoureusement de la tête aux pieds, avant de finir par ses cheveux et de me tendre ma serviette.

— À ton tour, dit-elle en la secouant pour faire tomber le sable.

Je n'avais pas le choix. Mes pieds trouvèrent le sol rocheux et je sortis de l'eau, consciente à chaque instant des parties de mon corps que j'exposais peu à peu à la fraîcheur de l'air et aux regards de Budgie.

— Eh bien, dit-elle en me tendant ma serviette. Tu es bien conservée, tout bien considéré. Bien sûr, l'eau froide, ça aide.

Je détournai vite le regard, mais il était impossible de ne pas remarquer ses tétons pointés, ni l'absence choquante de tout poil entre ses jambes.

Elle dut saisir mon expression horrifiée, car elle baissa la tête et éclata de rire.

— Oh, ça ! C'est une habitude que j'ai prise en Amérique du Sud, il y a deux ans. Tout le monde s'épile là-bas, tout le corps. Tu as entendu parler de l'épilation au sucre, j'espère ?

— Oui.

— Tu n'imagines pas la douleur ! Mais les hommes adorent, ces pauvres choux, ajouta-t-elle en éclatant à nouveau de rire. Tu aurais dû voir la tête de Nick la première fois.

La serviette était mouillée et j'essayai de me sécher au mieux, grelottant de froid. Quand je ne parvins plus à masquer mon émotion, je me retournai, trouvai ma robe de chambre et l'enfilai rapidement.

— Tu as vraiment un corps de femme, Lily, avec ta taille de guêpe, tes hanches et ta poitrine. Comme nos mères dans leurs corsets, avant la guerre. Tu t'en souviens ?

Derrière moi, Budgie renfilait aussi ses vêtements. J'entendais le frottement du tissu sur sa peau, son souffle et ses soupirs quand elle repassait ses bras et ses jambes dans leurs trous respectifs.

— Je m'en souviens.

— Je ne comprends pas pourquoi ce n'est plus à la mode. Mais c'est comme ça. Les goûts des hommes, ça ne s'explique pas. Allongeons-nous dans le sable, comme nous le faisions avant.

Elle sauta du rocher sur lequel elle se tenait pour atterrir dans le sable avec un bruit sourd.

Elle avait l'air étrangement seule, allongée ainsi avec les lèvres bleues, transie de froid, du sable collé dans ses cheveux sombres et les os saillants sous sa peau pâle, si bien que, pour des raisons que je ne m'explique pas, j'allai m'allonger non loin d'elle et sans prononcer le moindre mot, nous avons regardé le ciel qui s'éclaircissait peu à peu. Quelques petits nuages fins comme des bandes de dentelle parsemaient le ciel, teintés d'or, exactement comme quand nous étions enfants.

Budgie brisa le silence la première.

— Ça ne te dérange pas que je parle de Nick, n'est-ce pas ? Après toutes ces années ?

— Non, bien sûr que non. C'était il y a longtemps. C'est ton mari maintenant.

— J'ai encore du mal à y croire, dit-elle en riant doucement. Mme Nicholson Greenwald. Je n'y aurais jamais cru.

— Moi non plus.

— Oh, tu te souviens de ce que je disais, c'est ça ? Qu'est-ce que j'étais bête de penser que ce genre de chose pouvait avoir de l'importance. Bien sûr, c'est casse-pieds, quand ces vieilles sorcières nous traitent comme elles l'ont fait hier soir au club. J'avais oublié que les gens étaient encore si rétrogrades.

Je pressais mes doigts engourdis contre mon cou pour les réchauffer.

— Tu lis la presse, Budgie ?

Elle fit un geste agacé de la main.

— Oh, c'est juste ce vieux fou d'Hitler. Franchement, qui peut le prendre au sérieux avec cette moustache ? Je veux dire, ici, à Seaview. Que les gens refusent de s'asseoir à la même table que nous pour dîner. (Elle se tourna pour me faire face.) Mais tu ne ferais pas ça, n'est-ce pas, Lily ?

— Non, bien sûr que non. Tu sais bien que je n'y ai jamais accordé la moindre importance.

Elle éclata de rire.

— Bien sûr que non. Ma gentille petite Lily, toi et ton cœur généreux. Je te revois encore assise dans le stade avec ton air obstiné. Je peux compter sur toi, pas vrai, Lily ? Tu viendras nous rendre visite à la maison et dîner avec nous au club ? Pour les faire enrager ?

— Cela ne devrait pas avoir d'importance. Tu ne devrais pas y faire attention.

Si tu l'aimais vraiment.

— Dit la courageuse et généreuse Lily. Mais tu ne sais pas ce que c'est, toi, de te faire claquer la porte au nez.

Elle parlait d'une petite voix et se remit à nouveau sur le dos.

Je tournai la tête pour la regarder. Elle gardait les yeux braqués droit devant elle, sur les nuages et le ciel, sans cligner.

— Est-ce réellement arrivé ? demandai-je.

— Nick a l'habitude, évidemment, alors il ne dit rien. Mais, moi, j'étais toujours invitée partout avant... (Elle se retourna encore vers moi et me prit la main dans le sable.) Viens déjeuner avec moi aujourd'hui. S'il te plaît. Ou jouer au tennis, ou quelque chose. Je me sens si seule quand Nick n'est pas là.

— Quand doit-il revenir ?

— Ce week-end. Il est seulement venu pour m'aider à m'installer. Ce n'est pas facile pour lui de prendre des vacances, même en été. Tout le monde au travail dépend de lui pour la moindre décision. Il travaille trop, c'est barbare. (Ses yeux immenses se fixèrent sur moi.) S'il te plaît, Lily, viens me voir.

Je me levai et tapai ma robe de chambre pour ôter le sable collé dans le dos.

— Très bien. Je viendrai pour le déjeuner, ça te va ? Je devrai venir avec Kiki, si ça ne te fait rien. Mère et tante Julie sont incapables de s'en occuper correctement.

Budgie se leva d'un bond et me sauta au cou.

— Oh, je savais que tu accepterais, ma chérie. Je l'ai dit à Nick, que l'on pourrait compter sur toi. (Elle recula et m'embrassa sur la joue.) Allez, je dois filer. Les ouvriers ne vont pas tarder. La maison est une vraie ruine, tout est à refaire. J'espère que ma bonne a réussi à allumer la cuisinière.

Elle me prit le bras et nous remontâmes en trébuchant sur le sable et les rochers. Le soleil illuminait le toit gris de notre cottage à la fois de ses rayons jaune et rose. Budgie se tourna vers moi pour m'embrasser encore une fois.

— C'était un tel plaisir de te revoir hier soir, ma chérie. Nick et moi en avons parlé jusqu'à la maison. Comme au bon vieux temps. Tu t'en souviens ?

— Je m'en souviens.

À mon tour, je l'embrassai sur la joue. Sa peau était douce comme du satin, et tout aussi fine.

***

Même enfant, je n'entrais pas dans la maison de Budgie : elle ne m'y invitait jamais. Nous restions dehors, à jouer au tennis ou dans l'eau. Le peu de temps que nous passions à l'intérieur, c'était toujours chez moi, dans la cuisine ou dans ma chambre à l'étage, mais seulement quand il pleuvait trop pour jouer dehors.

À midi, Kiki et moi remontions Neck Lane, main dans la main. Si je reconnus la maison de Budgie, c'est seulement parce qu'elle se trouvait à côté de celle des Palmer, à mi-hauteur de la baie de Seaview. Pendant des années, j'avais détourné les yeux en passant devant, comme si c'était une horrible cicatrice qui défigurait notre sanctuaire. Je me tenais devant la maison à présent et observais l'allée étroite, envahie de mauvaises herbes, qui menait à la porte d'entrée de Budgie dont la peinture était écaillée. Deux camions étaient garés dehors, sur les portes desquels on pouvait lire *L. H. Menzies, Travaux d'entretien général* ; l'air résonnait de cris et de coups de marteau. Toutes les portes et les fenêtres étaient grandes ouvertes, et la voix familière de Budgie s'élevait au-dessus de toutes les autres, impérieuse.

La maison des Greenwald, me répétai-je. Elle leur appartenait à tous les deux désormais.

— Qu'est-ce que tu attends, Lily ? demanda Kiki en me tirant par la main.

— Rien. Allons-y.

Arrivées à la porte entrouverte, je frappai, et la charnière émit un long grincement.

La tête de Budgie apparut à une fenêtre de l'étage. Ses cheveux étaient retenus par un foulard à pois rouges incongru.

— Entrez ! C'est ouvert ! cria-t-elle.

Kiki entra la première dans la maison et plissa le nez d'un air de dégoût.

— Ça sent drôlement le renfermé.

— C'est parce que personne n'est venu dans la maison depuis des années, dis-je.

Budgie descendait l'escalier en bondissant, ôtant son foulard. Ses petites boucles, une fois libérées de leur carcan, se replacèrent parfaitement.

— Oh, des années et des années ! Nous étions ruinés, vois-tu, Koko…

— Kiki.

— Kiki. Je suis vraiment désolée. Nous avons tout perdu en Bourse. Qui veut de la limonade ? Ou quelque chose de plus corsé ? Mme Ridge vient de rentrer du marché, juste à temps, heureusement. (Budgie se retourna et fit un geste de la main vers une porte sur la droite.) Là, c'est le salon. Il est complètement moisi, enfin, c'est ce qu'ils m'ont dit. Tu te souviens du salon, n'est-ce pas, Lily ?

— Pas du tout. Je n'ai aucun souvenir de la maison. Je crois que je n'y suis entrée qu'une ou deux fois.

Vue de dehors, la maison des Byrne était relativement imposante, haute de deux étages, avec de larges baies vitrées au rez-de-chaussée et des pignons au dernier étage. À l'intérieur, on avait plutôt l'impression d'être dans une grange avec cette odeur caractéristique de poussière. Les pièces étaient grandes et spacieuses, les murs couverts de peinture écaillée et de papier peint à fleurs qui se décollait. Sur la gauche, une porte entrouverte révélait une salle à manger où tout était recouvert d'une épaisse couche de poussière et dont le lustre, très bas, menaçait de tomber.

— Oh, regarde, dit Kiki en se penchant contre la rambarde de l'escalier. Je crois qu'une famille de souris habite là-dessous.

— J'ai commandé des meubles, dit Budgie, mais ils n'arriveront que le mois prochain, quand nous aurons eu le temps de tout refaire. Je voudrais casser un mur ou deux et enlever toutes ces fichues portes partout, ainsi que ces vieilles moulures, et tout peindre en blanc lumineux.

Elle fit un grand geste avec ses bras, de droite à gauche, en nous entraînant à sa suite vers l'arrière de la maison.

— Cela représente beaucoup de travail, dis-je en arrachant une toile d'araignée dans un coin de l'entrée.

— Ils sont en train d'embaucher une véritable armée d'ouvriers pour que les travaux soient terminés au plus vite. Je leur ai dit que le coût n'avait aucune importance. Nick et moi dormons dans la chambre d'amis pendant qu'ils arrangent la nôtre. C'est ce qu'il y a de plus urgent. Je veux une salle de bains moderne, bien sûr. Suivez-moi dehors, je pensais que nous pourrions manger sur la terrasse. On voit les voiliers sur la baie de Seaview et, depuis que je suis revenue, cette vision me rend extrêmement nostalgique.

Budgie, Kiki et moi passâmes par une grande double porte à l'arrière de la maison. Celle-ci menait à la terrasse, pavée de solide pierre bleue de Nouvelle-Angleterre et parfaitement intacte, malgré les années de négligence ; seules quelques touffes d'herbe avaient poussé entre les dalles. Le soleil rayonnait dans le ciel et faisait scintiller l'eau de la baie comme si elle était vivante. Un petit voilier s'apprêtait à s'élancer, non loin de là, attendant un bon coup de vent.

— C'était bien de la limonade que vous vouliez? demanda Budgie en traversant la terrasse à grandes enjambées en direction d'une table et de quatre chaises sous un grand parasol vert, composant une image idyllique.

Une carafe de limonade glacée était posée sur un plateau, entourée de verres hauts, ainsi qu'une bouteille de gin, un paquet de cigarettes Parliament et un fin briquet doré.

— Auriez-vous du *ginger ale*? demanda Kiki.

— Elle prendra de la limonade, merci, dis-je. Et moi aussi.

Budgie versa la limonade, ajouta une généreuse rasade de gin à son verre et leva la bouteille au-dessus du mien d'un air interrogateur. Je hochai la tête et lui montrai, d'un signe de la main, que je n'en voulais qu'une petite goutte, mais Budgie éclata de rire et m'en versa presque autant qu'à elle. Mme Ridge, sa bonne, nous apporta des sandwiches sur une vieille assiette bleu et blanc qui avait connu des jours meilleurs.

Budgie retira ses chaussures et posa ses pieds sur la chaise vide tout en grignotant son sandwich. Ses orteils étaient roses et délicats, leurs ongles rouge vif. Elle observait la baie d'un regard distant, comme si elle essayait de discerner des détails sur la rive d'en face.

— Alors, Lily, donne-moi des nouvelles de tout le monde, dit-elle. Notre vieux groupe. Des potins ? En dehors des miens, bien entendu.

— Pas vraiment. Je ne suis pas très à la page. De toute manière, je crois que tout le monde est marié maintenant.

— Oui, même moi ! s'exclama-t-elle en riant et en remuant ses orteils écarlates.

Kiki se leva. Elle avait terminé son sandwich, et son verre de limonade était vide.

— Lily, puis-je aller marcher sur le ponton ?

— Oh, chérie, il est très vieux. Il doit y avoir des planches qui ne tiennent pas très bien…

— Pas de problème, m'interrompit Budgie avec un geste de la main. J'y suis allée hier soir. Tu es une jeune fille raisonnable, n'est-ce pas, Kiki ?

— Oui, madame Greenwald.

Kiki se tenait là, avec son air innocent et ses mains jointes dans le dos, ses cheveux bien coiffés et retenus par un ruban blanc.

— Très bien, dis-je. Mais fais attention, et reste bien là où je peux te voir.

— Quelle enfant adorable, dit Budgie en regardant Kiki s'éloigner en sautillant sur ce qu'il restait de la pelouse. Comme tu as de la chance.

Kiki marchait vers le ponton avec une docilité inhabituelle, consciente sans doute que nos regards ne la quittaient pas. Je lui avais mis sa plus jolie robe ou presque, une robe marinière avec un col bleu marine à nœud, et ses chaussures vernies. Ses cheveux bruns attachés en queue-de-cheval avec un ruban tombaient en cascade dans son dos. Elle ressemblait à une petite fille modèle.

— Je sais.

Du pouce, je traçais des cercles dans la condensation sur mon verre. J'avais envie de me confier à Budgie, de lui raconter comme nous avions craint l'arrivée de Kiki, et comment l'idée qu'elle apparaisse ainsi dans nos vies, sans un père pour l'éduquer, nous avait semblé à l'époque une terrible malchance. Mais je n'en dis rien. Je ne dis pas à Budgie que Kiki nous avait sauvés, qu'elle m'avait sortie d'un désespoir si profond que je croyais ne jamais pouvoir m'en relever. Que je ne pouvais plus imaginer ma vie sans Kiki ; qu'elle était devenue un rayon de soleil dans ma nuit froide et désolée. Non, je n'en dis rien. J'attendis que Budgie brise le silence. S'il y avait bien une chose que Budgie détestait plus que tout, c'était le silence.

— Cela me donnerait presque envie d'avoir un enfant, un jour, dit-elle.

— Eh bien, tu es mariée maintenant. Je suis sûre que cela t'arrivera bientôt.

— Qui sait ? Peut-être très bientôt. (Elle plaça une main sur son ventre.) Tu imagines, Lily Dane ? Moi, mère !

Elle éclata de rire et remua les doigts de pied.

— Je suis sûre que tu seras une mère formidable.

— Imagine, ta Kiki pourrait venir garder le bébé. (Elle claqua des doigts.) Une baby-sitter, c'est ce qu'on dit, n'est-ce pas ? Toutes les filles font ça pour gagner de l'argent de poche de nos jours.

Ma Kiki était arrivée au ponton et resta plantée là, un moment, à regarder l'eau, puis elle s'assit pour retirer ses chaussettes et ses chaussures. Elle se tourna vers moi pour me faire coucou, et, même si elle était à cent mètres de moi, je voyais son large sourire.

— Je devrais la rappeler, dis-je. Nous allons devoir nous en aller. Mme Hubert... (Je réfléchis rapidement.) Mme Hubert veut que nous nous réunissions cet après-midi pour parler de la fête du 4 juillet. Nous devons choisir un thème qui convienne à tout le monde.

Budgie but une longue gorgée et attrapa son paquet de Parliament.

— Le thème n'est-il pas évident ? Tu en veux une ?

Je pris la cigarette qu'elle me tendait et l'allumai.

— Nous aimons mettre en avant différents aspects du patriotisme chaque année. L'année dernière, c'était « Magnifique Amérique », qui a eu beaucoup de succès. Tout le monde avait suspendu des photos de différents endroits dans le pays, et une fois nous avions fait « Stars and stripes forever », c'était plus simple, comme tu peux l'imaginer, et...

— Lily, dit Budgie en soufflant un long nuage de fumée, non, mais écoute-toi.

Je pris le pichet de limonade pour me resservir. Tous les glaçons avaient fondu et il était presque vide. Je versai ce qu'il restait dans mon verre, pour éviter le regard de Budgie. Cette fois, lorsqu'elle approcha la bouteille de gin de mon verre, je le recouvris de ma main pour refuser.

— Tu t'es enterrée, dit-elle avec un haussement d'épaules. J'ai toujours su que c'était ce qu'il t'arriverait si personne ne te tirait vers l'avant.

— Ce n'est pas vrai. Je ne me suis pas enterrée du tout.

— Que d'erreurs nous avons commises cet hiver-là. Je n'aurais pas dû t'abandonner comme ça. Je ne me le suis jamais pardonné.

— Tu ne pouvais pas faire autrement. Tu avais tes propres soucis.

Je fis tomber la cendre de ma cigarette. Il ne restait plus qu'un sandwich au jambon sur l'assiette, le mien. Je le pris. Le jambon était tranché finement et le pain bien beurré.

Tu t'es enterrée. Je pensais à mon bureau chez moi à New York et son tiroir du bas fermé à clé contenant un épais paquet de lettres, bien caché tout au fond, retenu par un gros élastique ; sur leurs enveloppes, l'adresse d'une boîte postale sur la 73e Rue tapée à la machine. *Chère Mademoiselle Dane, Nous vous remercions pour le manuscrit que vous nous avez soumis il y a trois mois. Nous l'avons lu avec intérêt, mais regrettons de vous informer que* Peregrine Press *ne peut l'accepter pour le moment… Chère Mademoiselle Dane, Bien que votre talent littéraire démontre un potentiel considérable,* The Metropolitan *se voit dans l'impossibilité de publier cette histoire dans notre magazine…*

Budgie se pencha vers moi et couvrit ma main de la sienne.

— Je te promets que je vais me racheter cet été. Je vais m'assurer que tu passes le meilleur été de ta vie. Je vais inviter tous les bons partis que je connais pour te les présenter. Je suis sûre que Nick aura quelques amis à te présenter.

— Non, s'il te plaît, je préfère que tu t'en abstiennes.

Je ne pus m'empêcher de baisser les yeux pour observer les pierres brillantes ornant ses doigts. De près, elles étaient encore plus grosses que je ne le pensais, soulignant la finesse des longs doigts de Budgie. Celle du milieu était plus grosse que les autres, mais pas de beaucoup.

— C'est vulgaire, hein ? demanda-t-elle. (Elle éclata de rire et leva sa main qu'elle tourna d'un sens et de l'autre, les coins de sa bouche relevés en un sourire satisfait.) La première, il me l'a donnée pour rire, juste un diamant de peut-être deux carats tout au plus. Je l'ai rapportée à la boutique et j'ai choisi celle-ci à la place. Qu'en penses-tu ?

— Elle est magnifique.

Elle éclata encore de rire.

— Oh, Lily, c'est bon, tu n'as pas à mentir. J'imagine bien ce que tu dois en penser, cette bague n'est pas du tout ton style. Je te connais, ne l'oublie pas. Toi qui passes encore chaque fichu été à Seaview et qui n'as pas dû te racheter une paire de chaussures depuis 1935. Je parie que tu désapprouves. Tu dois te dire : « Cette Budgie… »

— Je…

Budgie se redressa et se retourna soudain, comme si on venait de lui taper sur l'épaule, je fis de même et vis une femme d'une cinquantaine d'années traverser la terrasse dans notre direction, son uniforme noir et blanc se découpant nettement sous le soleil.

— Bonjour, madame Ridge, dit Budgie. Qu'y a-t-il ?

— On vous demande au téléphone, madame. C'est M. Greenwald.

Budgie laissa tomber sa cigarette dans le cendrier, plia sa serviette en un long triangle à côté de son assiette et se leva.

— Tu m'excuses un moment, ma chérie ?

Dans le vide laissé par l'absence de Budgie, mes pensées se suspendirent. Il faisait bon sur la terrasse et j'avais l'impression que la chaleur du soleil de la mi-journée m'enveloppait comme si j'étais une chenille dans un cocon. Je tirai une dernière bouffée de ma cigarette, les effets du gin commençaient tout juste à se faire sentir. Une mouche volait paresseusement au-dessus de mon sandwich, qui était resté entier sur mon assiette, tandis que, dans la maison, Budgie était au téléphone avec Nick. Je l'imaginais enroulant le fil du téléphone autour de son doigt, souriant comme les jeunes mariées le font en pensant à leur nouveau mari. À un peu plus de deux cents kilomètres de là, à New York, Nick était assis à son bureau et lui répondait.

Soudain, cette idée me fut insupportable.

Sur le ponton, Kiki se trempait les pieds dans l'eau. Son ruban blanc était en train de se défaire et lui tombait sur la joue. J'écrasai ma cigarette et me levai pour aller la rejoindre, accélérant à chaque pas, jusqu'à finir par me mettre à courir. Deux mouettes sur un pilotis poussèrent des cris et s'élancèrent dans les airs au-dessus de moi.

— Qu'y a-t-il ? demanda Kiki en regardant par-dessus son épaule.

— Il est l'heure de partir, ma puce. Mme Greenwald est très occupée et j'ai rendez-vous avec Mme Hubert, dis-je en lui tendant la main.

— D'accord, répondit-elle à contrecœur.

Elle prit ma main et se leva. Sa main était toute chaude et elle sentait la mer et le bois.

Nous étions de retour sur la terrasse quand Budgie sortit par la double porte.

— Vous ne partez pas, j'espère ? demanda-t-elle.

— Il le faut. Merci pour le déjeuner. Cela m'a fait plaisir de rattraper le temps perdu.

— Mais nous ne l'avons pas fait, pas vraiment. Nous commencions tout juste à parler des choses intéressantes. J'ai dit à Nick de ne pas nous interrompre.

— Avez-vous pu discuter ?

— Pas du tout. Ces fichues lignes communes, à la campagne… On ne peut rien dire d'important. Je suis sûre que la moitié de Seaview écoutait notre conversation. (Elle nous ouvrit la porte.) Alors, allons-y.

Nous traversâmes encore une fois la maison, dans la poussière, le bruit des marteaux et l'odeur de renfermé que dissipait peu à peu la brise océane. Kiki sautillait le long de l'allée, ses chaussures et chaussettes à la main, et traversa le chemin vers la plage.

— Mais Nick est vraiment adorable, dit Budgie en croisant les bras et en observant Kiki. Il m'appelle tout le temps. Il est triste de me savoir seule ici.

— C'est gentil de sa part.

— Nous allons devoir te trouver quelqu'un, Lily. D'ailleurs, c'est mon projet de l'été. J'ai eu une idée géniale en parlant à Nick à l'instant.

— Tu ne devrais pas te soucier de ça, vraiment. Je n'ai pas le temps pour ce genre de choses.

— Tout le monde a le temps pour l'amour, chérie ! s'exclama-t-elle en m'embrassant. Attends un peu, Lily Dane. Attends un peu et tu verras ce que je te prépare.

Je me contentai de lui rendre son baiser, de lui dire au revoir et de la remercier encore une fois pour le déjeuner. Puis, je suivis Kiki de l'autre côté de la route, où j'enlevai moi aussi mes chaussures pour enfoncer mes orteils dans le sable de la plage. Kiki sautait déjà dans les vagues. Le soleil tapait très fort et je regrettai de ne pas avoir pris mon chapeau. Pourquoi n'avais-je pas pris mon chapeau pour me protéger du soleil ?

Je mis ma main devant mes yeux et restai là, à regarder Kiki. La voix de Budgie résonnait dans mes oreilles.

Nick est vraiment adorable... Il m'appelle tout le temps.

Nick était levé à l'aube.

Ses longs doigts caressant son ventre : *Qui sait ? Peut-être pas longtemps du tout. Tu imagines, Lily Dane ?*

Les hommes adorent ça... Tu aurais dû voir la tête de Nick la première fois.

Très lentement, je laissai retomber ma main.

Nick et moi dormons dans la chambre d'amis jusqu'à ce qu'ils aient terminé de refaire la nôtre.

Je levai la tête et fermai les yeux pour laisser le soleil me chauffer le visage, c'était très agréable, chaud et langoureux. Comme l'été.

Pourquoi pas ? pensai-je. Pourquoi ne pas avoir un rendez-vous galant ou deux ? Et si je laissais tante Julie me couper les cheveux et me mettre du rouge à lèvres ? Pourquoi ne pas remonter l'ourlet de mes jupes de quelques centimètres et laisser quelqu'un m'embrasser à nouveau ? Pourquoi ne pas embrasser quelqu'un d'autre et, dans les baisers, tout oublier ?

Imagine. Ta Kiki pourrait venir garder le bébé.

Kiki allait avoir six ans. Elle rentrerait à l'école à l'automne. Pendant des années, ses besoins avaient consumé ma vie, avaient consumé, Dieu merci, tout mon amour et toute mon énergie, mais, dans les mois et les années à venir, elle aurait de moins en moins besoin de moi. Le monde lui ouvrirait les bras, petit à petit, et les miens seraient de plus en plus vides.

Et je voulais être embrassée de nouveau. Je voulais me souvenir de ce que cela faisait quand un homme me tenait dans ses bras, quand il baissait la tête vers moi, et qu'il me disait que j'étais faite pour lui. Je voulais sentir ses mains et ses lèvres chaudes sur ma peau. Je voulais m'allonger à côté de lui, écouter le bruit de son souffle, et savoir qu'il m'appartenait.

Pourquoi ne pas embrasser, encore, et, dans les baisers, oublier, et, dans l'oubli, pardonner ?

Je regardais le ciel à travers mes paupières, laissais ma peau et mes os absorber la chaleur du mois de mai. Et, quand enfin, j'eus assez chaud, je marchai jusqu'au bord de l'eau et rejoignis Kiki, qui sautillait et riait dans l'écume.

7

SMITH COLLEGE, MASSACHUSETTS

Mi-décembre 1931

Nick et moi sommes allongés l'un contre l'autre sur la banquette de sa Packard, et nous sommes en train de parler des vacances de Noël.

— Tu te rends compte ? dit-il. Nous serons à moins de deux kilomètres l'un de l'autre. Nous pourrons nous voir tous les jours, sortir dîner dehors, avoir un peu de temps rien que tous les deux. Quel cadeau aimerais-tu ?

— Tu n'as pas besoin de m'acheter quoi que ce soit.

— Quelque chose de doux ? Quelque chose de brillant ?

Son souffle me réchauffe le haut de la tête ; il a passé son bras autour de ma taille et de mes épaules. Sous ma joue, le revers de son manteau est doux comme du cachemire.

— Rien. Rien que toi.

— Mais tu m'as déjà, dit-il en m'embrassant les cheveux. Ça ne fait rien. Je sais déjà ce que je veux t'offrir, Lilybird[1].

---

1. Lilybird : surnom commun pour le prénom Lily, ne fait référence à rien de concret et signifie, littéralement, « oiseau de lys ».

— Qu'est-ce que c'est?
— Tu devras attendre la surprise.
— Mmm.
Je ferme les yeux. J'ai sommeil, et la chaleur du corps de Nick combinée à l'heure tardive ne fait rien pour arranger cela. Il aurait dû repartir depuis longtemps, et pourtant, nous sommes toujours là, incapables de nous séparer. Il est arrivé à onze heures ce matin, comme pratiquement tous les dimanches, et nous nous sommes promenés dans le froid glacial avant d'aller déjeuner au *diner* sous le regard envieux de Dorothy. Une autre promenade, puis une visite au musée, où nous nous sommes embrassés en cachette dans une salle déserte. Dîner avec Budgie et un ou deux amis, puis un film au cinéma, et nous voilà sur la banquette en cuir de la petite voiture de sport de Nick, parce que c'est le seul endroit où nous pouvons être seuls sans geler sur place en ce mois de décembre glacial, et où Nick Greenwald, comme toujours, se comporte en parfait gentleman. Pas un bouton de mon manteau n'a été défait, pas un centimètre de ma jupe n'a été remonté le long de mes bas de soie.
— Nick, tu devrais y aller. Les routes vont être gelées. Tu rentreras très tard, à minuit passé.
Mon souffle se transforme en buée dans l'air. La température a baissé toute la journée et l'odeur de la neige pèse lourdement dans l'air.
— Je sais, dit-il sans bouger.
Je tourne mon visage vers le sien. J'aime ses baisers, tendres et profonds, et parfois ses lèvres glissent le long de ma mâchoire, de mon cou, jusqu'au creux de ma nuque, et je sens son souffle

plus chaud contre ma peau et ses doigts appuyer contre les couches épaisses de mes vêtements.

Mais rien de plus.

« Tu n'es pas Budgie Byrne, m'a-t-il dit, quelques semaines plus tôt. Tu es trop bien pour les banquettes arrière et les rendez-vous clandestins. Tu es *sacrée*, Lily.

— Être un peu moins sacrée ne me dérangerait pas.

— Quand le moment sera venu, Lily. Quand tout sera parfait. Tu verras. »

Cette semaine, je ne veux plus attendre. Je passe mes bras autour de son cou et je l'embrasse, profondément, longuement, langoureusement. Sa bouche est chaude et sucrée, elle a le goût de la petite tablette de chocolat Hershey que nous avons partagée au cinéma. Je pense à Claudette Colbert et à Fredric March s'embrassant à l'écran, et à la façon dont la main de Nick a serré la mienne dans le noir, et à ce que ce geste a réveillé au plus profond de moi, une sorte de douleur décadente, comme aucune autre sensation au monde.

Je caresse la peau douce de sa nuque, les petits cheveux raides qui poussent juste au-dessus. Son odeur est délicieuse, chaude et propre.

— Lily, murmure-t-il.

Nous continuons de nous embrasser, encore et encore, brûlant tous les deux dans cette soirée glaciale, et soudain je me rends compte que sa main est sur mon manteau, qu'il est en train de défaire les boutons, un par un, de ses longs doigts habiles.

Mon cœur cogne contre ma poitrine, si fort qu'il doit le sentir.

— Lily, répète-t-il tandis qu'il glisse ses doigts sous mon manteau pour les refermer sur mon sein gauche.

J'ai le souffle coupé, je renverse la tête en arrière et ses lèvres tracent un chemin le long de mon cou. Sans ses gants, sa main devrait être froide, mais pourtant, elle me brûle au travers de mon chemisier de soie et du soutien-gorge en dessous.

Il a un soudain mouvement de recul, comme s'il s'éveillait en sursaut d'une rêverie.

— Oh, mon Dieu, excuse-moi.

— Ne t'arrête pas.

Je l'attire contre moi. Déjà, ma poitrine est gelée, nue, privée des caresses chaudes de Nick.

Il referme maladroitement mon manteau. Sa poitrine se soulève, comme s'il était essoufflé.

— J'ai perdu la tête.

— C'est moi.

— Oui. Tu es irrésistible. (Il place ses mains de chaque côté de mon visage, m'embrasse sur le nez et pose son front contre le mien.) Mais c'est à moi de te résister. Regarde comme tu es belle, comme tu es innocente.

— Et tu ne l'es pas ?

J'ai déjà tenté de lui soutirer cette information, mais il refuse de me la donner, comme si ces détails pouvaient en quelque sorte contaminer la pureté de notre histoire d'amour naissante. Je pense qu'il a déjà connu des femmes. D'après ce que j'ai compris, grâce à des indices et des allusions, il y en a eu une, l'été dernier, quand il était en Europe avec ses parents. Une femme à qui il a peut-être fait l'amour, ou peut-être pas. Je n'en sais rien. Et je n'y connais rien. Je ne connais pas les étapes menant à l'acte sexuel. Combien existe-t-il d'étapes entre la main de Nick sur ma poitrine et coucher avec lui ? Quelle est l'étendue du territoire entre les deux ?

Il me caresse les cheveux.

— Mes pensées ne sont pas innocentes, en tout cas.

— Les miennes non plus.

Nick cesse soudain de me caresser les cheveux et se recule pour mieux me regarder.

— Mon Dieu. (Il pousse un soupir.) Lily, Lily. Ce n'est… Ce n'est… *pas facile.*

— Je sais.

— Tu le sais, vraiment ? J'en ai tellement envie, Lily. Ne crois pas que je n'en aie pas envie. C'est la seule chose à laquelle je pense, à chaque minute… Ces pensées me torturent. Être avec toi, tous les deux, seuls, avec tout le temps devant nous. Imagine, Lily.

— Je l'imagine, dis-je en pressant ma main contre son cœur et je me demande ce que ce serait sans le pull en laine, et la veste, et la chemise ; rien que Nick.

— Mais pas ici, pour l'amour du ciel. Tu es trop importante, trop précieuse, trop…

— Sacrée ?

Ce mot me laisse un goût amer, plat, ennuyeux.

— Oui, *sacrée*. Si c'est un mot que l'on peut encore utiliser de nos jours. (Il cale ma tête dans le creux de son cou et je sens les battements réguliers de son pouls contre mon front.) Lily, que dirais-tu de rencontrer mes parents ?

Je n'hésite pas longtemps.

— J'adorerais.

— Et pourrais-je, pendant les vacances, rencontrer les tiens ?

J'imagine le visage distrait de mon père, l'air sévère de ma mère. Les paroles de Budgie résonnent dans mon cerveau : *Amuse-toi... Mais ne le ramène pas chez ta mère.*

— Lily, dit Nick doucement, et je me rends compte que je ne lui ai pas répondu.

— Oui. Bien sûr que tu peux les rencontrer.

— Leur as-tu parlé de moi ?

— Pas encore.

Nick ne dit rien.

— Papa est un peu fragile, tu sais, à cause de la guerre. Et mère...

Mère m'interdira de te revoir, quand elle l'apprendra.

— Mère est juste vieux jeu. Je veux dire, ce n'est pas qu'elle soit sectaire... *(Mon Dieu, j'ai l'impression d'entendre Budgie parler...)* mais elle a tendance à ne pas croire en quelque chose tant qu'elle n'a l'a pas vu elle-même. Tu comprends ce que je veux dire ?

— Bien sûr, répond-il froidement.

— Tu sais ce que je ressens. Tu sais que cela n'a aucune importance à mes yeux. J'ai hâte de rencontrer ton père.

— Si tu le dis. Mais cela compte aux yeux des gens que tu aimes.

— Alors ils peuvent aller se faire voir, Nick, dis-je d'une voix forte en me redressant pour lui faire face. Tu m'entends ? Ce sera difficile de leur dire, parce que je sais ce qu'ils en pensent. Sincèrement, Nick, je ne te mentirais pas, je connais leurs défauts. Mais c'est tout. La seule raison pour laquelle je ne leur ai encore rien dit, c'est que j'appréhende cette conversation. Mais j'ai pris ma décision. Je l'ai prise ce premier matin, quand tu as fait tout le trajet de Hanover à Smith avec ta jambe cassée.

Il ne dit rien. La lune n'éclaire que très peu et nous sommes garés le plus loin possible des lampadaires. Le visage de Nick est dans la pénombre, presque invisible et tout aussi impénétrable ; je ne vois que l'éclat de son regard, le dessin de sa pommette.

— Le plus ironique, dit-il, c'est que je ne suis même pas juif. Pas selon la loi, en tout cas. Cela se transmet par la mère.

Je reste assise là, sur ses genoux, sans bouger, à réfléchir, à l'écouter respirer.

— Mais qu'en penses-tu, toi ? Est-ce que tu te sens juif ? Ou chrétien ?

— Oui. Non. Aucun des deux. Je ne sais pas, dit-il à voix basse. Les parents de mon père étaient très pratiquants. Presque orthodoxes, même. Nous allions généralement chez eux pour les fêtes religieuses, quand ils étaient en vie, mais j'étais un gentil à leurs yeux. Ils m'aimaient, bien sûr, mais… il y avait toujours une différence entre moi et mes cousins. Ils portaient la kippa et connaissaient les prières en hébreu, et pas moi.

Je l'écoute avec attention. J'ai presque peur de l'interrompre parce que c'est si rare d'entendre Nick parler de choses personnelles. J'ai peur de dire quoi que ce soit, de commettre un impair et qu'ensuite il ne se confie plus jamais à moi.

— Tu n'aurais pas pu te convertir ? dis-je d'une voix hésitante. Ton père ne veut pas que tu sois… tu sais, comme lui ?

Nick hausse les épaules.

— Mon père n'est pas très pratiquant. Il ne mange pas kasher, par exemple. Il ne m'a même jamais envoyé aux cours d'éducation religieuse. Il ne s'en est jamais soucié.

— Et ta mère ?

— Elle est croyante, je pense. Mais elle n'en parle pas. Même pas à Noël ou à Pâques.

Son ton est redevenu froid, détaché, presque insensible. Il m'a dit tout ce qu'il voulait me dire, mais je ne peux m'empêcher de le pousser encore un peu.

— Alors tu as été pris entre les deux, c'est ça ?

— Plus ou moins.

— Et que voudrais-tu choisir ?

— Je ne sais pas, Lily. Je ne sais pas. Je serai ce que tu veux que je sois. Je serai même le père Noël, si c'est ce que tu veux.

— Ne sois pas méchant, dis-je en me détournant de lui.

— Alors, arrête ton interrogatoire.

— Je ne voulais pas… Je veux juste mieux te connaître.

J'essaie de me dégager de son étreinte, mais Nick resserre son bras autour de ma taille.

— Attends, Lily, dit-il avec un soupir. Excuse-moi. Je ne voulais pas te blesser. C'est un sujet de conversation que je n'aime pas aborder, c'est tout.

— Je m'en étais rendu compte.

— Tu as raison. Tu as raison de m'interroger. Tu as absolument le droit de le faire.

Je ne réponds pas.

Il pose sa main sur mon visage avec une incroyable délicatesse, et, tout doucement, il m'attire contre lui.

— Je suis désolé de devoir te faire vivre tout ça, finit-il par ajouter.

— Tu ne me fais rien vivre de désagréable. Tu m'as tout donné. Écoute, ça n'a aucune importance à mes yeux, Nick. Tu le sais. S'il te plaît, dis-moi que tu le sais.

— Je le sais, dit-il en m'embrassant. Je le sais.

— Nous avons certaines choses à régler, c'est tout. Et les choses s'arrangeront. Les gens commencent à s'ouvrir, à penser de manière plus moderne. Tous les vieux préjugés finiront par disparaître.

— Ma chère Lily, murmure-t-il, as-tu idée de ce qui se passe dans le monde en ce moment ?

— En Europe, oui. Mais pas ici. Ce genre d'extrémisme ne prendrait jamais dans notre pays.

Il me tient dans ses bras en silence.

— Et, de toute façon, mes parents ne sont pas des extrémistes, pas du tout. Ils déplorent tout ça. Ce sont des gens très gentils. Presque des socialistes, en fait. C'est juste que… Ils ont connu la même chose toute leur vie, et…

— Et tu as prévu de faire bouger tout ça.

— Oui. Je le ferai.

J'ai parlé avec fougue, mais cet élan ne dure pas. J'ai soudain l'impression que la conversation a pris un tour dangereux. Après tout, ce n'est pas comme si Nick m'avait déjà demandée en mariage. Il n'a pas dit qu'il m'aimait, non plus, pas de façon claire en tout cas. Pour l'instant, il veut juste que je rencontre ses parents et rencontrer les miens.

— Bien, dit-il. Alors, nous ferons des vagues ensemble. Ils pourront penser ce qu'ils voudront.

— Oui. Qu'ils pensent ce qu'ils veulent, ça m'est égal.

Nous nous embrassons encore un peu, puis Nick déclare à contrecœur qu'il est vraiment l'heure de me raccompagner. Avec douceur, il me soulève de ses genoux, se glisse derrière le volant, et nous traversons le campus sombre jusqu'à ma résidence.

On lui a ôté son plâtre il y a plus de deux semaines, mais Nick marche toujours un peu maladroitement tandis que nous remontons l'allée qui mène à notre chêne centenaire sous lequel nous avons pris l'habitude de nous dire au revoir. Celui-ci a perdu presque toutes ses feuilles et ressemble à un grand squelette complexe. Le froid s'est considérablement accentué et quelques flocons de neige tourbillonnent dans l'air.

— J'ai deux examens cette semaine, et je rentrerai vendredi, dit-il. J'ai ton numéro de téléphone. Tu habites sur Park Avenue et la 70e Rue, c'est ça ?

— Oui, au numéro 725, Park Avenue. Budgie me raccompagnera en voiture samedi.

— Veux-tu que je vienne te voir dimanche ?

J'imagine Nick Greenwald dans l'entrée de l'appartement de mes parents, beau et souriant, ses boucles brunes tombant sur son front, quelques flocons de neige pas encore fondue sur son manteau et le rebord de son chapeau.

— Oui, j'aimerais beaucoup.

Il repousse son chapeau en arrière et se penche pour m'embrasser. Puis, il réajuste mon bonnet, avant de prendre ma main gantée de laine dans la sienne pour l'embrasser, elle aussi.

— À dimanche, alors, Lilybird.

J'entre dans la chaleur de la résidence le cœur léger, après avoir signé le registre, j'échange même une plaisanterie avec la personne de garde à la loge. Mais lorsque je pénètre dans le salon je m'arrête net : Budgie Byrne est affalée sur le sofa, à ses côtés se trouve tante Julie.

— Bonjour, tante Julie.

J'ai l'impression désagréable que mes jambes sont soudain faites de plomb et qu'elles pèsent une tonne. Je reste immobile, clouée sur place. Mon expression me trahit, j'en suis sûre. Rien qu'à voir mon visage, elles doivent deviner tout ce qui vient de se passer au cours de la dernière heure.

Tante Julie se lève.

— Salut, toi.

Elle parle de son ton habituel, un ton chaleureux. Ses cheveux blonds bouclent sous son chapeau cloche gris perle, et elle porte un manteau en cachemire assorti et des gants de conduite en cuir noir. Elle pose la main sur mon épaule et dépose un léger baiser sur chacune de mes joues, m'enveloppant dans l'odeur de son parfum Chanel.

— Te voilà ! Cela fait des heures que je t'attends.

— Excuse-moi. Je ne savais pas que…

— Oh, ce n'est rien. Cette bonne vieille Budgie m'a tenu compagnie, dit-elle en jetant un coup d'œil par-dessus son épaule.

Cette « bonne vieille Budgie » me lance un sourire machiavélique en m'adressant un petit signe de la main.

— C'était gentil de sa part, dis-je à voix basse.

Tante Julie me prend par le bras et me tire vers le canapé.

— Je ne faisais que passer, et je n'ai pas pu résister à l'envie de m'arrêter pour voir ma nièce préférée avant de rentrer à New York.

Que passer ? En rentrant sur New York ? D'où vient-elle, de Montréal ?

— Eh bien, je suis contente de te voir. (Je m'assois sur le sofa et retire mes gants en laine ; ils me grattent et me tiennent trop chaud.) Mais si j'avais su, tu n'aurais pas eu à m'attendre. As-tu retenu une chambre en ville ?

— Oh non, répond-elle en balayant cette présomption d'un revers de la main dédaigneux. Tu me connais, je suis un vieil oiseau de nuit.

— Mme Van der Wahl était en train de me parler de son divorce, dit Budgie en balançant son pied. Elle le raconte de manière si amusante que je commence à me dire que j'aimerais bien me marier moi aussi, juste pour pouvoir divorcer.

— Ce pauvre Peter, dit tante Julie en poussant un soupir compatissant. Quel gentleman. Si seulement nous étions mieux assortis, mais je ne pense pas qu'il existe un homme dans ce monde capable de me supporter plus d'un an ou deux.

— Les êtres humains ne sont pas faits pour la monogamie, de toute façon, dit Budgie. Je suis inscrite à un cours fascinant ce semestre sur la psychologie sexuelle. Le professeur est tout simplement passionnant. J'étais justement en train d'en parler à ta tante, Lily, quand tu es revenue de ton rendez-vous avec Nick.

— Tu t'es bien amusée, ma chérie ? me demande tante Julie en fixant sur moi ses célèbres yeux verts.

— Oui, merci. Nick est un parfait gentleman.

— Budgie, ma chère, dit tante Julie, pourrais-tu nous laisser seules un moment ?

Budgie se lève lentement en prenant le temps d'étirer ses bras graciles vers le plafond.

— Je suis épuisée, de toute façon, dit-elle. Quel week-end ! Je te verrai demain matin, Lily. Bonne nuit, madame Van der Wahl. Et bon retour. Faites un gros bisou à Manhattan de ma part, d'accord ?

Elle nous souffle un baiser à chacune et monte l'escalier sans se presser.

— Alors, dit tante Julie en regardant la silhouette de Budgie disparaître, je veux tout savoir sur ce garçon.

— Tu ne tournes pas autour du pot, dis-moi.

— Tu me connais, je suis directe. Alors ?

— Je ne sais pas quoi dire. (Il fait chaud dans le salon, une chaleur étouffante même. Le radiateur siffle dans un coin de la pièce. Je déboutonne le col de mon manteau, puis le bouton suivant.) Je l'ai rencontré au mois d'octobre, Budgie et moi étions allées voir un match de football à Dartmouth. Nick est le quarterback de l'équipe, enfin il l'était avant de se casser la jambe. Il est très intelligent, gentil et drôle.

— C'est un demi-dieu, je n'en doute pas. Tu sais qui est son père, n'est-ce pas ?

— J'en ai entendu parler. Je sais que mère n'appréciera pas son nom de famille, mais je suis sûre que tu es bien plus ouverte d'esprit qu'elle, réponds-je avec une note de défi.

— Son nom de famille, répète-t-elle avec un petit rire moqueur. Non, tu as raison. Ta mère ne s'en réjouira pas, c'est le moins qu'on puisse dire.

Je sens la colère monter en moi.

— Eh bien, moi, je m'en fiche. Je suis amoureuse de lui. Et il est amoureux de moi.

— Oh, tu es amoureuse de lui ? Comme c'est charmant. Moi aussi, j'ai été amoureuse une fois. C'est un sentiment très plaisant, je le recommanderais à tout le monde.

— Ne plaisante pas. Entre nous deux, c'est sérieux, tante Julie.

— Tu sais, j'étais sérieuse à propos de Peter, avant de l'épouser. Aussi sérieuse que je pouvais l'être, en tout cas. Tu n'aurais pas une cigarette, par hasard ? Ou sont-elles interdites dans les universités de l'élite féminine de notre pays ?

Ses mains, sur ses genoux, tremblent. Elle pose le bras sur le rebord du canapé et se met à tapoter le bout de son index verni de rouge contre le cuir usé.

— Pourquoi es-tu venue, tante Julie ? demandé-je en me levant. Quelqu'un t'a-t-il prévenue que j'entretenais une liaison avec un garçon que tu ne juges pas convenable ? Tu es venue ici comme une grand-mère victorienne pour m'interdire de le revoir ?

— Oh, ça suffit. Assieds-toi. Pour l'amour du ciel, je ne savais pas que tu pouvais être aussi mélodramatique. « Ah, l'amour ! » Il nous pousse vraiment aux excès les plus vulgaires.

Je reste un moment debout, les poings serrés, avant de me laisser tomber sur le canapé.

— Écoute, tu peux faire ce que tu veux, bien sûr. Crois-moi, je sais mieux que personne qu'interdire quelque chose à une jeune fille têtue ne servira qu'à la conforter dans son idée. Je te demande simplement de m'écouter.

— D'accord, réponds-je en croisant les bras.

— Tu sais, bien sûr, que la firme du père de Nick est au bord de la faillite ?

— Faillite ? Que veux-tu dire par faillite ?

— Je veux dire qu'il va tout perdre. Il a réussi à tenir, depuis le krach, mais le château de cartes va s'effondrer, il ne peut plus l'en empêcher. Il est fini, ruiné.

— Qui te l'a dit ?

— Peter, qui, tu le sais, n'est pas connu pour son amour de l'hyperbole ou des ragots.

Elle parle d'un air triomphant, et elle a raison. Peter Van der Wahl est le roi de la discrétion, l'archétype masculin de cette aristocratie new-yorkaise surannée. Je ne suis pas du tout surprise qu'il soit resté en bons termes avec son ex-femme et qu'il continue de la conseiller sur les fréquentations de sa nièce.

Le choc de cette annonce me traverse le corps comme un courant électrique.

— Je me fiche de l'argent de M. Greenwald. Ça ne m'est même jamais venu à l'esprit. De toute manière, Nick n'a pas prévu de travailler pour son père plus tard. Il sera indépendant, un architecte.

— Architecte ? s'exclame tante Julie en éclatant de rire. Oh, les jeunes. C'est charmant. Un architecte ! Vous m'en direz tant ! Et de quoi vivrez-vous, tous les deux ?

— Je ne sais pas. Nous n'en avons pas parlé. Mais je me fiche de son argent. Je préférerais vivre dans un taudis plutôt que d'épouser un homme pour son argent.

— Eh bien, c'est très noble de ta part, ma chérie. Je t'applaudis, vraiment, dit-elle en battant des mains. L'amour te suffit, parfait. Es-tu sûre de n'avoir besoin de rien d'autre ? Cela peut-il remplacer le confort matériel, l'approbation de ta famille et de tes amis, la santé de ton pauvre père… ?

— Tais-toi, dis-je sèchement. C'est très bas de ta part de me faire culpabiliser pour la santé de papa. Il adorera Nick, j'en suis certaine. Il n'est pas aussi obtus que toi.

— Il ne supportera pas un choc pareil.

— Ne sois pas ridicule.

La porte d'entrée s'ouvre et se referme avec fracas. Un groupe de filles envahit la pièce, riant et discutant avec bonne humeur tandis qu'elles retirent leurs chapeaux et capuches. Elles signent le registre chacune leur tour et tante Julie et moi restons assises dans un silence tendu en nous dévisageant, chacune à un bout du canapé. Les mots tendres de Nick se mélangent dans mon esprit. J'ai toujours l'impression de sentir sa main sur ma poitrine, chacun de ses doigts parfaitement dessiné contre mon cœur.

Les filles sont trop excitées pour aller se coucher. Elles s'installent dans le salon autour de nous. L'une d'elles me reconnaît.

— Oh, salut, Lily ! Je croyais que tu étais encore dehors avec Nick.

— Non, il est sur la route pour Hanover.

— Le pauvre ! Pour faire tout ce trajet sur ces routes gelées, il doit vraiment être fou de toi.

Je fais les présentations et nous échangeons quelques courtoisies.

— Il faut que je parte, dit tante Julie en se levant. Je m'étais juste arrêtée pour te dire bonjour.

— Oh, c'est vrai ? dis-je d'un ton faussement déçu et volontairement hypocrite.

— Ça va, cache ta joie, répond-elle en me faisant la bise. Réfléchis bien à ce que je t'ai dit. Tu es sur ton petit nuage pour l'instant, profites-en, parce que les nuages finissent toujours par se dissiper, et que te restera-t-il ensuite ? Toute ta vie à vivre.

— Entre nous, c'est différent. Ce que nous avons est spécial.

— C'est toujours différent, dit-elle, jusqu'au jour où ça devient la même chose que tout le monde. Enfin… J'aurai essayé. Je serai très intéressée de savoir comment tout cela se terminera. Je serai assise au premier rang, crois-moi. Pas la peine de me raccompagner, je connais le chemin.

Et, tout d'un coup, elle a disparu, laissant derrière elle des effluves de son parfum. Alors que je retourne à ma petite chambre et mon lit étroit, je suis surprise de ne pas trouver Budgie allongée là, prête à m'interroger, comme elle le fait tous les dimanches soir. La chambre est vide.

Budgie sait déjà tout ce qu'elle voulait savoir.

8

SEAVIEW, RHODE ISLAND

Le 4 juillet 1938

Depuis plus de cent ans, la fête de l'Indépendance, le 4 juillet, marque le milieu de l'été à Seaview, le début de la fin.

Nous n'avions pas eu un très bel été jusque-là. Après quelques beaux jours à la fin du mois de mai, juin était passé dans une chaleur humide, moite et pluvieuse, et nous avait obligés à rester enfermés pour d'interminables parties de bridge et de mah-jong. Mme Hubert avait même instauré des parties de pantomime fortement alcoolisées au club de Seaview, une mesure désespérée, mais qui remporta un succès mitigé. En cet été 1938, quand juillet arriva enfin, nous étions prêts à faire la fête.

Chaque année, les femmes de l'Association de Seaview passaient de longues semaines à la préparer. Le matin avait lieu un défilé de chars modeste, mais enthousiaste le long de Neck Lane jusqu'à l'ancienne batterie fortifiée, où la famille Dane – selon les traditions ancestrales de Seaview – tirait un coup de canon miniature cérémoniel, sorti spécialement de notre cabane de jardin pour l'occasion. J'avais repris le flambeau quand papa était parti pour le front, j'avais appris à nettoyer et préparer le canon, à l'amorcer et à le charger, ainsi qu'à tirer. Après son retour, j'avais continué discrètement, et sans que personne n'y trouve à redire, le fait avait été entériné.

Le coup de canon marquait le début du pique-nique du 4 juillet qui se tenait sur la plage. Quand j'étais enfant, le pique-nique était un événement plutôt chaotique, les petits couraient dans tous les sens et des pétards éclataient à tout bout de champ, le tout accompagné de poulet frit et de salade de pommes de terre. À présent, les enfants avaient grandi et les adultes qu'ils étaient devenus avaient déserté les plages de Seaview. Le pique-nique avait acquis une sorte de torpeur incurable sans aucun pétard au milieu des cheveux gris et des jupes longues.

— N'est-ce pas reposant ? demanda Mme Hubert, allongée en arrière sur ses coudes, et exposant quelques audacieux centimètres de ses mollets frêles au soleil voilé.

— Reposant ? On se croirait à un enterrement ! déclara tante Julie. Chaque année, c'est de pire en pire. Passe-moi un œuf mimosa, Lily, s'il te plaît. Le paprika leur donne au moins un peu de piquant.

— Il n'en reste plus, tante Julie, répondis-je après avoir regardé dans le panier.

— Bon sang. Une cigarette, alors.

Après lui avoir donné le paquet de cigarettes et le briquet, je me rallongeai sur la couverture. L'air était lourd et chaud.

— Je parie qu'il y aura encore des orages cet après-midi, dis-je.

— Je me demande comment je vais supporter une telle excitation, répondit tante Julie d'un air exaspéré.

Elle dut s'y reprendre à plusieurs fois pour allumer sa cigarette. Un magazine était ouvert sur ses genoux à une page montrant des mannequins de mode.

— Je serais presque tentée d'accepter la proposition de ce vieux Dalrymple d'aller le rejoindre à Monte-Carlo. Il y fait tout aussi chaud, sûrement, mais au moins on s'y amuse. Je... (Une pause élégante, au parfum de fumée de cigarette.) Tiens, mais qui voilà ?

— Qu'y a-t-il ? demandai-je, les yeux fermés.

— Je crois que l'après-midi sera moins ennuyeux que je le redoutais.

Avant que j'aie eu le temps d'ouvrir la bouche, Kiki se jeta sur moi.

— Lily ! Lily ! M. Greenwald est là ! Puis-je aller lui dire bonjour ? S'il te plaît ?

— Alors, Lily ? Qu'en dis-tu ? demanda tante Julie. L'enfant peut-elle aller saluer M. Greenwald ?

Je me tournai vers Mme Hubert, sur qui je pouvais toujours compter pour me soutenir, mais elle s'était endormie sous son chapeau de paille et commençait à ronfler.

— Je ne crois pas que ce soit une bonne idée de les embêter, chérie, s'ils viennent juste d'arriver.

— Mais il nous fait coucou, Lily.

— Oui, Lily, ajouta tante Julie en tirant sur sa cigarette. Il nous fait coucou.

Kiki, allongée sur moi, se redressa sur ses coudes et plongea son regard dans le mien.

— S'il te plaît, Lily. Il est si gentil. Et il fait les plus beaux châteaux de sable que j'aie jamais vus.

Comment pouvais-je refuser ? Nick Greenwald était effectivement très gentil avec Kiki, lorsqu'il était là, ce qui n'était pas souvent. La plupart des maris qui travaillaient à New York prenaient généralement le train pour la côte le mercredi ou le jeudi et retournaient en ville tard dans la soirée du dimanche ; Nick, quant à lui, apparaissait en public rarement avant la fin de la matinée du samedi et ne restait que le temps d'accompagner Budgie dîner au club le samedi soir. On l'apercevait de temps à autre le week-end dans sa maison, habillé de vieux vêtements usés et arpentant sa demeure avec des rouleaux de papier et des marteaux sous le bras, ou alors sur la plage, entre deux orages, assis sur une couverture avec Budgie.

Même si je voyais souvent Budgie au cours de la semaine, je réussissais à les éviter le week-end. Les résidents de Seaview, dans un élan de solidarité tacite, m'assistaient dans cet effort et je commençais même à me demander si Mme Hubert n'avait pas fondé en secret un comité pour l'isolement des juifs. Dès que les Greenwald arrivaient quelque part, j'étais immédiatement invitée à rejoindre une famille ou une autre à sa table, on me proposait de faire une promenade sur la plage, ou on m'entraînait subitement dans le club pour boire un verre et jouer au bridge, où les Greenwald me laissaient tranquille. Lors du dîner du samedi soir, si je tombais sur Nick et Budgie, nous n'avions le temps d'échanger que quelques mots avant que quelqu'un apparaisse soudain pour avoir mon avis sur l'inscription des crêpes Suzette au menu du club (Mme Hubert considérait comme vulgaires tous les desserts flambés), ou que je leur rappelle le nom de ce type qui avait écrit *Le Moulin sur la Floss*[1].

Mais Kiki, elle, se moquait bien de tous ces obstacles et parvenait toujours à sauter par-dessus ou se glisser en dessous. Elle avait aimé Nick depuis l'instant où elle l'avait rencontré, et, lorsque j'avais fini d'observer les limules de Mlle Florence Langley, ou une partie de bridge avec les Palmer, je trouvais invariablement Kiki occupée à construire des châteaux de sable avec l'aide de Nick, ou à jouer au jeu de la ficelle avec ses petites mains serrées dans les énormes mains de Nick, ou gribouillant sur des serviettes en papier, tandis que les autres membres du club les regardaient avec horreur et que Budgie lisait un livre ou un magazine, un cocktail à portée de main, et les surveillait d'un air amusé.

Elle levait la tête en me voyant arriver.

— La voilà, Lily ! Regarde-les, tous les deux. C'est troublant, non ?

Alors, Nick se levait, donnait un petit coup de coude à Kiki et lui disait de me rejoindre ; et Kiki, qui, d'ordinaire, n'obéissait qu'à moi, et seulement de temps en temps, obtempérait dans la seconde.

Et cet après-midi-là, celui du pique-nique du 4 juillet, alors que je regardais les yeux suppliants de Kiki, je sus qu'il me serait impossible de lui refuser ce plaisir et que je serais bien incapable de l'en empêcher, de toute façon.

---

1. Roman écrit par George Eliot, une femme.

— Vas-y, chérie, dis-je. Mais n'oublie pas les bonnes manières, et reviens ici s'ils préfèrent rester seuls.

Kiki déposa un baiser mouillé sur chacune de mes joues.

— Merci, Lily !

Elle partit en sautillant, et je me levai, époussetai ma robe et mon visage, et remis mon chapeau, sans jeter un regard en direction des Greenwald et à la charmante petite famille qu'ils constituaient. Je n'en avais pas besoin ; de toute façon, je me l'imaginais aisément. Un silence envahit soudain la plage, car l'Association de Seaview observait sans mot dire le couple avec une désapprobation palpable.

L'ombre du parasol commençait à tourner avec le soleil ; je l'ajustai pour protéger Mme Hubert et me rassis, en plein soleil. Vers le sud-ouest, haut au-dessus de la côte en face, une rangée de cumulonimbus se formait dans le ciel.

— Qu'en penses-tu ? dis-je. Ne crois-tu pas que nous devrions commencer à ranger ?

— Ranger ? (Tante Julie tourna la page de son magazine, sa cigarette élégamment pendue entre ses doigts.) Ne vois-tu pas que la fête vient juste de commencer ?

— Que veux-tu dire ? demandai-je en regardant la plage morne autour de moi.

— Je veux dire, petite innocente, que ta Budgie a plus d'un tour dans son sac, et sa nouvelle surprise se dirige droit vers toi, répondit-elle en écrasant sa cigarette dans le sable avant de se recoiffer rapidement. De quoi ai-je l'air ?

Une ombre apparut soudain sur mes jambes.

— Lily Dane ! Ça alors !

Je mis ma main devant mes yeux et levai la tête pour voir le visage souriant et rayonnant de Graham Pendleton.

— Graham ! m'écriai-je en me levant d'un bond.

Il prit ma main tendue dans les siennes.

— Budgie m'a dit que tu serais là, mais je n'osais même pas espérer te revoir. Mon Dieu, combien d'années cela fait-il ? Cinq ans ? Six ans ?

— Presque sept.

Je n'arrivais pas à arrêter de sourire, et il riait presque, ses yeux bleus plissés, sa bouche ouverte. Il était le même qu'avant, peut-être un peu plus buriné, le corps un peu plus sculpté ; mais il était toujours aussi beau. Ses cheveux, blondis par le soleil malgré le mauvais temps, tombaient paresseusement sur son front sous son vieux canotier. De façon presque absurde, une soudaine vague de joie m'avait envahie en le voyant, un inexplicable bond en avant de mon âme vers cet être si familier.

— Comment vas-tu, depuis tout ce temps ? demanda-t-il.

— Oh, j'ai été très occupée. Et toi ? J'ai entendu dire que tu jouais au base-ball.

— Oui, tout à fait. (Il lança un regard curieux en direction de tante Julie.) Est-ce que ça ne vous dérangerait pas trop que je me joigne à vous un petit moment ?

— Faites, répondit tante Julie, lui tendant sa main manucurée de rouge sans même prendre la peine de se lever. Je suis Julie Van der Wahl, la vieille tante décrépite de Lily.

Graham se pencha en avant pour déposer un délicat baiser sur le dos de sa main.

— Je n'en crois pas un mot.

— C'est pourtant vrai, dis-je. Elle est très vieille, et divorcée, et elle papillonne d'un scandale à l'autre, collectionnant les amants pour mieux s'en débarrasser. Si j'ai un conseil à te donner, évite-la comme la peste.

Graham se laissa tomber sur la serviette entre nous, en faisant bien attention de ne pas trop s'approcher du corps endormi de Mme Hubert.

— Je ne sais pas. D'après ta description, elle est tout à fait mon genre.

— Ce jeune homme me plaît, Lily, dit tante Julie. Offre-lui une cigarette.

— Veux-tu une cigarette, Graham ?

— Merci, j'ai les miennes, répondit-il en riant. Ça ne te dérange pas ?

— Pas du tout.

Je jetai un coup d'œil par-dessus mon épaule à Kiki, qui donnait des instructions précises à Nick sur la construction des douves autour de son château de sable. À l'abri de grandes lunettes de soleil rondes, Budgie lisait un roman et ne semblait pas prêter la moindre attention aux regards tournés vers elle. Je me retournai, vers l'océan et Graham Pendleton.

— D'ailleurs, je crois que je vais faire de même.

Il sortit ses cigarettes de la poche de sa chemise et m'en tendit une, qu'il alluma avec son briquet alors qu'elle était juste entre mes lèvres, que j'avais enduites d'un rouge à lèvres tout neuf, portant le scandaleux nom de *Daredevil*[1] de la marque Dorothy Gray.

1. *Daredevil* : casse-cou.

— Merci, dis-je en soufflant un long ruban de fumée.

— De rien. J'ai vu ta mère au club, elle jouait au bridge. Je ne crois pas qu'elle m'ait reconnu.

— La mère de Lily ne reconnaît jamais personne quand elle joue au bridge, dit tante Julie.

— Eh bien, elle m'a dit où je pouvais te trouver en tout cas. Je n'arrive pas à croire que rien n'ait changé ici. Regarde, les mêmes rochers sur lesquels j'ai échoué le vieux voilier, dit-il en montrant du doigt l'affleurement minéral derrière la jetée qui protégeait les bronzeurs de Seaview des regards des vacanciers sur la plage publique, un peu plus loin. J'essayais d'impressionner ma passagère en m'approchant de trop près.

— Je m'en souviens. Budgie n'avait pas été vraiment subjuguée.

Graham éclata de rire.

— Non, c'est le moins qu'on puisse dire.

— Je vois qu'elle ne t'en a pas tenu rigueur. Elle t'a même invité ici.

— Budgie ? Oh, non, ce n'est pas elle qui m'a invité à Seaview. Je suis en visite chez mes cousins. Tu te souviens des Palmer ? Quand ils ont su que j'étais cloué au lit, encore une fois, à cause de mon épaule de malheur, ils m'ont proposé de venir en vacances chez eux, répondit-il en se frottant l'épaule droite.

— Ah, les Palmer ! Bien sûr. C'est bête, mais je pensais que…

Graham éclata à nouveau de rire.

— Ce serait un peu bizarre, tu ne penses pas ? Mais j'ai appelé Nick et Budgie pour leur dire que j'avais prévu de venir. Je me suis dit que ce serait une bonne chose de les voir. Tous les deux, dit-il en regardant la surface absolument plane et immobile de l'océan. Ça m'a fait un sacré choc, je peux te le dire. Nick et Budgie… Je ne les aurais jamais imaginés ensemble.

— Le cœur a ses raisons, dit tante Julie.

— Ils ont l'air très heureux ensemble, dis-je. Mais parle-moi du base-ball, je veux tout savoir. Je crois même avoir entendu dire récemment…

— Je suis lanceur de relève pour les Yankees en ce moment, répondit Graham en époussetant le sable sur sa chemise.

— Les Yankees ! C'est une très bonne équipe, il me semble.

— Très bonne, confirma tante Julie. Vous plaisez-vous parmi eux ?

— Oui, ça va, répondit Graham. Mon père s'est fait à l'idée, au moins, c'est déjà ça. Il appartient à la génération des sportifs gentlemen et a du mal à comprendre que l'on puisse en faire une profession. (Il tapa la cendre de sa cigarette.) Mais je lui ai dit que j'étais bien plus heureux à jouer au base-ball que si je devais rester assis derrière un bureau toute la journée à additionner des chiffres dans un livre de comptes.

— J'imagine que le fait d'être excellent joueur a dû considérablement vous aider, dit tante Julie.

— C'est vrai ? demandai-je en regardant Graham. Es-tu si bon ?

Il avait toujours été un véritable athlète, bien sûr, mais je ne m'étais jamais intéressée au sport, et certainement pas après l'université. Mis à part Babe Ruth et ce type grossier que tante Julie fréquentait parfois en cachette – Cobb quelque chose, ou quelque chose Cobb –, je ne connaissais le nom d'aucun joueur.

— Oh, je ne sais pas, répondit Graham avec modestie.

— C'est le meilleur lanceur de relève de l'histoire du base-ball, dit tante Julie. Une légende vivante. D'après ce que j'ai compris, vous avez même une marque de cigarettes à votre nom, n'est-ce pas, monsieur Pendleton ?

— S'il vous plaît, appelez-moi Graham. De toute façon, elles ne sont vraiment pas bonnes. Je ne vous conseille pas de les goûter.

— C'est génial ! dis-je. Je veux tout savoir. Qu'est-ce qu'un lanceur de relève ?

— Cela veut dire que je monte sur le terrain quand le lanceur partant a terminé de jouer, répondit-il en m'adressant un sourire indulgent.

— Le lanceur partant ?

— Celui qui commence le match, Lily. Il lance jusqu'à ce qu'il soit fatigué ou qu'il fasse perdre trop de points à son équipe.

— Ah, d'accord ! Alors, espères-tu devenir lanceur partant un jour ?

— Non, non, dit-il avec le même air indulgent. Je suis heureux à mon poste pour l'instant. J'aime bien la pression. À la vie à la mort, être le héros du jour, le chevalier blanc arrivant sur son fidèle destrier pour sauver la mise, et tout ça.

Je traçai des petits cercles dans le sable en essayant de trouver une autre question à lui poser.

— Est-ce que tu joues toujours au football ?

— Je crois que Joe me tuerait s'il me voyait jouer au football.

— Joe ?

— Joe McCarthy. Le directeur sportif. Mon patron. (Graham écrasa sa cigarette dans le sable.) Mais assez parlé de moi. Parle-moi de toi, Lily. Je me suis toujours attendu à de grandes choses de ta part.

— Oh, tu sais, je passe pas mal de temps à m'occuper de ma petite sœur. (Je cherchai Kiki du regard, mais elle était partie avec Nick et ils avaient laissé Budgie seule avec son roman, ses orteils rouges enfoncés dans le sable juste au-delà de l'ombre protectrice du parasol.) Elle doit être en train de chercher des coquillages avec Nick.

— Ah oui, répondit Graham. La célèbre Kiki.

— Tristement célèbre, plutôt, dit tante Julie.

— Malheureusement, elle a l'air de tenir de sa tante, dis-je. Attends une minute que je la cherche.

Je me levai d'un bond et couvris mes yeux pour observer la plage. Des gouttes de sueur me coulaient dans le dos, dans l'espace entre le creux de ma colonne vertébrale et le coton pâle de ma robe. Je portai à mes lèvres ce qu'il restait de ma cigarette d'une main tremblante. Graham apparut à côté de moi.

— Est-ce que cela leur arrive souvent de disparaître comme ça ? demanda-t-il.

— Oui. Je crois qu'elle s'est prise de béguin pour lui, parce que c'est le seul adulte qui la prenne au sérieux ici, à part moi.

— Et ça ne dérange pas Budgie ? demanda Graham à voix basse.

— Non. Je crois qu'elle pense que c'est comme un entraînement pour Nick.

— Elle n'est pas enceinte, quand même ? s'exclama-t-il avec surprise.

— Pas encore. Du moins, elle ne m'en a rien dit. Mais ils veulent absolument avoir des enfants. Ce n'est qu'une question de temps pour eux.

Graham ne répondit pas, mais se contenta de secouer la tête et porta la main au rebord de son chapeau.

— Sacré Nick, murmura-t-il. Oh, regarde ! Les voilà !

Je suivis son regard et je vis, au loin, leurs deux têtes brunes baissées selon le même angle. Nick avait l'air encore plus grand que d'habitude à côté d'elle.

— Ils cherchent des coquillages, je pense. J'espère qu'elle ne l'embête pas trop.

— Je ne crois pas. Il a l'air content, je trouve, dit Graham.

Il laissa sa main retomber et elle frôla la mienne. Ce ne fut qu'à ce moment-là que je me rendis compte qu'il se tenait tout près de moi et que je pris conscience de son corps musclé à quelques centimètres du mien, vêtu d'une simple chemisette blanche sans veste. Il sentait la cigarette et le linge propre, avec de légers effluves de transpiration virile. L'air autour de nous était immobile dans la chaleur de ce mois de juillet.

— Eh, les chéris, vous prenez tout le soleil, dit tante Julie.

Graham éclata de rire et retira son chapeau d'un grand geste.

— Je vous demande pardon, madame Van der Wahl.

— Mes amis m'appellent Julie.

— Tu peux l'appeler tante Julie si tu veux, dis-je. Elle adore qu'on l'appelle comme ça.

Tante Julie tendit la jambe et enfonça ses orteils dans le sable, comme l'avait fait Budgie.

— Graham, tu n'as pas intérêt, je te préviens. Le dernier homme qui s'y est essayé y a laissé sa peau.

Graham lui adressa un salut quasi militaire.

— Alors ce sera Julie, m'dame.

— Et pas de m'dame non plus ! Certainement pas quand tu me regardes comme ça en scintillant des yeux. Je suis à peu près sûre que c'est interdit par les règles de l'Association de Seaview de scintiller du regard comme tu le fais.

Graham tourna vers moi toute la force de son scintillement dix mille watts. Il était assez éblouissant, tante Julie avait raison.

— Lily, Dieu sait que je préférerais rester, mais ma cousine Emily me tuerait si j'étais en retard pour la partie de bridge. Tu viens au bal ce soir, j'espère ?

La cigarette me brûla les doigts. Je laissai tomber le mégot dans le sable et croisai les bras.

— Bien sûr. Nous avons passé des semaines à l'organiser.

— J'en suis certain, répondit-il avec son sourire étincelant qui dévoilait une double rangée de dents bien blanches.

On aurait dit qu'il sortait tout droit d'une publicité pour le dentifrice Pepsodent. Tout son visage, aux traits d'une parfaite symétrie, bien bronzé, irradiait la bonne santé et la bonne humeur.

— Mais ton carnet de bal n'est pas encore plein ? Tu garderas bien une danse pour ton vieux copain Graham, j'espère ?

— Absolument.

Il me fit une bise et remit son chapeau.

— Parfait. Je te verrai tout à l'heure, alors. Julie ? C'était un plaisir de vous rencontrer. Je vous réserverai ma dernière danse, ajouta-t-il avec un clin d'œil bleu ciel.

Il prit la direction du club, remontant la dune, ses muscles tendus par l'effort.

— Eh bien ! s'exclama tante Julie.

Son magazine glissa de ses genoux sans qu'elle le remarque. À côté d'elle, la forme endormie de Mme Hubert poussa un ronflement sonore et se réveilla en sursaut. Elle leva la tête et regarda autour d'elle, d'un air confus.

— Est-ce que quelqu'un a fumé ? demanda-t-elle, le nez plissé avec dégoût.

— Nous tous, j'en ai bien peur, répondis-je en commençant à ranger les affaires du pique-nique dans le panier.

— Des clous de cercueil, dit Mme Hubert. (Elle secouait la tête, mais s'interrompit soudain et m'observa de près, puis tante Julie, et à nouveau moi.) Dites-moi, mesdames, aurais-je raté quelque chose ?

Tante Julie prit une autre cigarette de son paquet et la plaça entre ses lèvres.

— Oh que oui.

***

L'orchestre était à pleurer, le chanteur encore pire, mais tout le monde s'en fichait ; c'était la même chose tous les ans, et l'alternative était de dépenser plus d'argent pour payer de meilleurs musiciens.

Tout le monde, bien sûr, sauf tante Julie.

— À quoi aurons-nous droit la prochaine fois ? Du jazz ? se plaignait-elle en finissant son cocktail au champagne pour se consoler. Qui peut danser sur cette musique ? Lily, tu aurais dû mettre un rouge à lèvres plus foncé. Qu'est-il arrivé à celui que je t'ai envoyé ?

— Kiki l'a pris pour maquiller ses poupées.

— Cette enfant... Je vais me chercher un autre verre. Je ne te demande pas si tu en veux un autre étant donné que tu as dû boire deux gorgées en tout et pour tout dans la soirée.

Elle partit aussi brusquement qu'elle m'avait parlé, ne laissant derrière elle qu'un léger parfum de *Chanel n° 5*.

Je bus une gorgée de mon cocktail et balayai la véranda du regard. Le soleil n'avait pas encore commencé à se coucher et, dans la lumière de la fin d'après-midi, tout le monde était beau, même les vieilles dames, leurs robes scintillant subtilement, les rides aplanies et la peau ramollie. Les hommes portaient des blazers blancs et des nœuds papillon bleu-blanc-rouge (selon les consignes de Mme Hubert, afin de coller au thème de la fête) et le résultat était assez impressionnant, dans le tourbillon de la musique de Gershwin, l'odeur de la pommade à cheveux et les bulles des cocktails au champagne. Les Palmer venaient d'arriver et l'on pouvait apercevoir la tête blonde de Graham Pendleton parmi eux. Son rire s'entendait de l'autre bout de la pièce malgré le brouhaha des conversations.

Comme s'il avait senti mon regard sur lui, Graham tourna la tête et je perdis soudain mon audace et fuis vers l'autre bout de la véranda. Le dos tourné à la salle, je levai mon verre vers l'horizon et observai l'océan au travers du verre. Les voiliers gîtaient derrière les bulles du célèbre cocktail au champagne du Seaview Club, une recette secrète qui avait été enfermée dans un coffre à la banque au début de la Prohibition. Heureusement, Mme Hubert avait gardé la clé et l'avait récupérée quand l'amendement avait été abrogé.

Je finis mon verre. Après tout, pourquoi gâcher un bon mousseux ?

Deux mains couvrirent soudain mes yeux, l'une tenant une cigarette et l'autre un verre à cocktail glacé.

— Devine qui c'est ? murmura Budgie.

— Quelqu'un qui fume des Parliament et qui porte beaucoup trop de parfum ? (Je posai mon verre sur la rambarde.) Il ne peut s'agir que de Budgie Greenwald.

— Oh, mince ! Tu es bien trop futée, toi ! (Elle me tourna vers elle.) Et regarde-toi ! Mais où as-tu trouvé cette robe ? Elle devrait être interdite par la loi.

— Tante Julie m'a emmenée faire du shopping à Newport la semaine dernière. Elle te plaît ?

— Si elle me plaît ? Je l'adore ! Je la porterais bien moi-même si seulement j'avais de la poitrine. (L'haleine de Budgie sentait très fort le gin et elle portait un rouge à lèvres rouge sang.) Quelle tristesse... Je n'ai pas vu autant de personnes âgées depuis... depuis cet après-midi au pique-nique, en fait ! Oh, voilà cette fichue Mme Hubert, elle vient te sauver de ma mauvaise influence, j'imagine. Vite !

Elle me prit le bras et m'entraîna sur la piste de danse bondée. L'orchestre avait entamé un fox-trot endiablé. Budgie me prit la main et me fit tournoyer sur moi-même jusqu'à ce que je sois face à elle.

— Dansons, chérie. Si c'est un scandale qu'ils veulent, alors nous allons leur en offrir un !

J'éclatai de rire et passai mon bras autour de sa taille. Nous nous mîmes à danser maladroitement, car la cigarette de Budgie brûlait entre nos mains entrelacées et son gin m'éclaboussait l'épaule. Ses boucles brunes sautillaient en rythme.

— Tout le monde nous observe, murmura-t-elle à mon oreille. Imagine la tête qu'ils feraient s'ils apprenaient que j'ai passé huit mois en Amérique du Sud à ne coucher qu'avec des femmes.

Le fox-trot se termina et l'orchestre entama une valse. Budgie me fit tournoyer jusqu'à l'autre côté de la véranda, où nous nous écroulâmes, hors d'haleine et prises de fou rire, contre la rambarde.

— Oh, Lily, je ne m'étais pas autant amusée depuis des années. Allons à Newport la semaine prochaine, rien que nous deux, quand tous les hommes seront partis. Je connais tous les clubs les plus scandaleux du coin.

Je pris sa cigarette d'entre ses doigts, tirai une longue bouffée, et la lui rendis.

— Je ne peux pas laisser Kiki.

— Mais si. Ta mère peut bien la garder pour une fois, ou la bonne. J'enverrai Mme Ridge s'il le faut. Qui s'occupe d'elle ce soir ?

— Mère. Elle déteste danser.

— Eh bien, tu vois ! Elle survivra jusqu'à demain matin, j'en suis sûre. (Budgie écrasa sa cigarette et la lança dans le sable.) Au fait, tu ne m'as pas dit si ma petite surprise de cet après-midi t'avait plu.

— Quelle surprise ?

Elle me donna un petit coup de la pointe de son pied et se pencha en arrière contre la rambarde de la véranda. Son corps était drapé de soie rouge sang, assortie à son rouge à lèvres.

— Lily… Crois-tu vraiment que toute l'Association de Seaview ne vous a pas vus tout à l'heure flirtant effrontément sur la plage ?

— Graham ? Mais il a dit qu'il avait été invité par les Palmer !

— Évidemment qu'il est chez les Palmer, chérie. Il n'allait quand même pas rester chez nous, avec Nick parti toute la semaine à New York. Tu imagines le scandale ! (Elle rit et finit son verre avant de le jeter par-dessus son épaule dans le sable.) Mais, à ton avis, qui a appelé Emily Palmer pour lui dire de l'inviter ?

— Toi ?

— Bien sûr. Elle me devait une faveur. N'est-il pas devenu délicieux ? Je veux que vous passiez un merveilleux été, et je veux que tu me racontes tout dans les moindres détails le lendemain matin, tu m'entends ? (Elle se retourna pour me faire face, posa les deux mains sur la rambarde, comme pour m'empêcher de m'échapper, et parla dans mon oreille.) Chaque petit détail. Ne te retourne pas, mais il arrive. Je vais m'éclipser sur la plage et vous laisser tous les deux.

Budgie m'embrassa et partit dans un nuage rouge sang. Dès qu'elle eut disparu, Graham Pendleton arriva dans son blazer blanc et son nœud papillon bleu-blanc-rouge de rigueur. Il me tendit un cocktail au champagne.

— On dirait que tu as besoin d'un verre, dit-il.

— Merci, répondis-je en faisant tinter mon verre contre le sien. Santé.

Graham sortit un mouchoir de la poche de sa veste.

— Attends. Elle t'a laissé une trace de rouge à lèvres.

Je commençai à boire mon verre et il essuya ma joue entre deux gorgées. Le temps qu'il termine, mon verre était vide. Je le posai sur la rambarde et il me sourit de nouveau.

— Ralentis. On a toute la nuit devant nous. Une cigarette ?

— De ta marque ?

— Grand Dieu, non !

— Dans ce cas, volontiers.

Je plaçai la cigarette entre mes lèvres et le laissai l'allumer. Ses larges phalanges me chatouillèrent le menton. Il alluma la sienne et nous nous retournâmes vers la plage et restâmes là, à regarder le roulis incessant de l'océan. La marée montait et atteignait presque la ligne d'algues sèches et de débris de la précédente marée haute. Il n'y avait aucun signe de Budgie.

— Très belle robe.

— Merci.

Il se pencha pour faire tomber la cendre de sa cigarette dans le sable.

— Tu sais, Lily Dane, tu es un drôle d'oiseau. La plupart du temps, tu as l'air sereine et réservée, et puis, une fois de temps en temps, tu nous sors une robe comme ça ! Et moi je reste là, à me gratter la tête et à essayer de comprendre qui tu es vraiment.

— Ah oui ? Et depuis combien de temps me regardes-tu ? demandai-je en éclatant de rire.

— Cinq bonnes minutes, je dirais.

Je me tournai vers lui, une hanche appuyée contre la rambarde, le sang courant agréablement dans mon corps.

— Dis-moi une chose, Graham, que s'est-il passé entre Budgie et toi il y a toutes ces années ? Nous pensions tous que vous alliez vous marier, avoir des enfants et vivre heureux jusqu'à la fin de vos jours.

— Quoi ? Épouser Budgie ? répondit-il en secouant la tête. Non, ça n'a jamais été prévu au programme. On s'amusait, c'est tout.

— Ça avait l'air sérieux, pour moi. Tu te souviens du Grand Canyon ?

— Lily, tout a l'air sérieux avec toi. Ça fait partie de ton charme.

Graham se redressa et se tourna vers moi, plaçant une main sur la rambarde à un ou deux centimètres de ma hanche. Il était si près de moi tout d'un coup, que je dus vraiment lever la tête pour le regarder dans les yeux. Une boucle de fumée passa devant son visage.

— Oui, on parlait du futur, mais je vais te dire comment ça marche, chère Lily, au cas où tu ne le saurais pas. Quand deux jeunes gens insouciants qui ne sont pas mariés – disons Graham Pendleton et Budgie Byrne, pour prendre un exemple au hasard – commencent à avoir des rapports sexuels, ils parlent d'amour, ils parlent de l'avenir, parfois sérieusement, parfois non. Ils doivent le faire, parce que, autrement, ils seraient obligés d'admettre qu'ils sont juste en train de s'envoyer en l'air sur la banquette arrière d'une automobile et de se donner un peu de satisfaction mutuelle. Est-ce suffisamment clair pour toi ?

Il parlait à voix basse d'un ton convivial, le tout sur fond de musique douce et du bruit de l'océan. Son regard se fixa sur le mien, il attendait ma réaction, comme s'il n'était pas complètement certain que je savais comment on faisait les bébés.

Je portai la cigarette à mes lèvres en soutenant son regard.

— Alors, c'était juste ça ? Vous vous envoyiez en l'air sur la banquette arrière de la voiture de Budgie ? C'est tout ?

— Elle était contente. Et moi, j'étais foutrement content aussi. Tu veux entendre les détails sordides, c'est ça ? Écoute, le courant est bien passé entre nous quand on s'est rencontrés pendant l'été. On s'est encore mieux entendus au cours de l'automne. On s'amusait, rien de mal à ça. Vers Noël, soudain, elle se met à parler mariage, et pas seulement pour rigoler, comme on le faisait avant. Tout d'un coup, elle veut une bague et un mariage au printemps. (Il s'interrompit pour fumer et ôter un petit bout de tabac de sa lèvre inférieure.) Puis j'entends dire que son père a des ennuis, qu'il est sur le point de tout perdre, comme tout le monde avant lui. Je lui ai dit que je voyais clair dans son petit jeu Nous nous sommes séparés.

— C'est la version courte de l'histoire.

— C'est tout ce que tu as besoin de savoir. Mais elle s'en est remise, comme tu peux le constater.

Je suivis la direction de son regard et vis Budgie, qui était réapparue comme par magie dans les bras de son mari sur la piste de danse, un verre à la main. Les autres danseurs se tenaient à bonne distance du couple. Les boucles brunes de Nick et le dos de son blazer blanc étaient tournés vers moi, et je ne voyais que le haut des yeux ronds de Budgie dépasser au-dessus de l'épaule de Nick. Elle me fit un clin d'œil et rejeta la tête en arrière pour boire une longue gorgée de son cocktail. Sa bague attrapa la lumière et scintilla de mille feux.

Je me tournai de nouveau vers Graham. Il m'observait avec une expression curieuse, un demi-sourire aux lèvres.

— Est-ce que ça t'embête ? demanda-t-il.

— Pas du tout. Au moins, ils ne sont pas en train de s'envoyer en l'air sur la banquette arrière de la voiture.

— La voiture de Greenwald n'a pas de banquette arrière, dit-il en jetant son mégot sur la plage.

— Et la tienne ?

Graham prit ma cigarette et l'écrasa. Il porta ma main à ses lèvres et embrassa ma paume de ses lèvres chaudes.

— Eh bien, oui. Une grande banquette, avec une assise bien rembourrée et très confortable. Mais tu n'es pas le genre de fille qu'un type prend à l'arrière de sa voiture, pas vrai ?

Le soleil commençait à se coucher. Les yeux de Graham étaient plus gris que bleus et m'enveloppaient d'un sérieux que je n'y avais jamais vu auparavant. Le champagne m'était monté à la tête et fourmillait joyeusement dans mon cerveau.

— Oh, c'est vrai ? Et que veux-tu dire exactement par là ?

Graham replaça tendrement une mèche de cheveux derrière mon oreille et tira doucement sur mon lobe d'oreille.

— Je ne sais pas ce que je veux dire par là. Je n'ai pas tout à fait les idées claires pour l'instant. Mais je sais une chose : si tu ne m'accordes pas une danse ce soir, je crois que je deviendrai fou.

Je m'écartai de la rambarde et me redressai. Je me retrouvai d'un seul coup tout contre son torse.

— Nous allons donc devoir y remédier.

Graham m'entraîna sur la piste de danse et nous passâmes devant tante Julie avec son deuxième cocktail à la main, devant Budgie avec son troisième ou quatrième (j'avais perdu le compte) ; devant Nick Greenwald qui nous observait avec ses yeux de lynx, sa grande main passée autour de la taille de sa femme enveloppée de soie rouge, et sa bouche portant les traces de son rouge à lèvres.

9

725, PARK AVENUE, NEW YORK

Décembre 1931

Je vois avec soulagement que papa est dans un de ses bons jours. Il est déjà levé et en train de petit-déjeuner dans la salle à manger quand j'émerge enfin en ce dimanche matin, dans ma chemise de nuit, les yeux encore gonflés d'un rêve angoissant dont je me souviens à moitié.

— Bonjour, mon ange, dit-il en levant la tête avec un sourire aux lèvres tandis que j'embrasse son crâne dégarni.

— Bonjour, papa. (Je passe un bras autour de ses épaules.) Je voulais te dire bonne nuit en rentrant hier soir, mais il était très tard. Mère et toi étiez déjà couchés. Je ne voulais pas vous déranger.

— Tu peux me réveiller quand tu veux, dit-il en serrant ma main dans la sienne. Assieds-toi. Mange quelque chose.

Je me laisse tomber sur la chaise à sa droite. La lumière aqueuse de l'hiver inonde la pièce et la table qui est déjà mise pour trois personnes, avec du beurre et de la confiture en abondance, une carafe de jus d'orange au milieu.

— Où est mère ? dis-je.

— Oh, toujours au lit. C'est moi le lève-tôt ce matin. Tu as fait bonne route depuis l'université hier soir ?

— Périlleuse. Tu connais Budgie.

La porte de la cuisine s'ouvre et Marelda, notre bonne, entre, une grande cafetière à la main. Son tablier d'un blanc immaculé m'éblouit quand elle arrive dans la lumière et me fait mal aux yeux.

— Bonjour, Marelda. Oh, Dieu merci, du café !

— Bonjour, Miss Lily, répond-elle en me versant une tasse. Comment ça va à l'université ?

— Très bien, Marelda. Très très bien.

— Et les garçons ? demande-t-elle avec un petit clin d'œil.

Je jette un coup d'œil à papa qui est plongé dans les immenses pages du *New York Times*, et je rends son clin d'œil à Marelda.

— Peut-être. On ne sait jamais.

— C'est bien, Miss Lily. C'est bien.

Papa lit le *New York Times*, les sourcils froncés de concentration. Il a un beau profil, droit et ferme, son col blanc bien amidonné, et ses cheveux blonds commencent juste à se teinter de reflets poivre et sel sur les tempes. Quand on le voit comme ça, on est loin de se douter que quelque chose ne va pas. On remarquerait peut-être que sa main tremble légèrement quand il tient le journal. S'il tournait la tête, on serait probablement surpris par le fait que ses yeux bleu clair fuient constamment votre regard, comme s'il ne supportait pas l'idée d'entrer réellement en contact avec vous. Mais c'est tout. Aujourd'hui, il est dans l'un de ses bons jours.

— Papa, dis-je, as-tu entendu parler de la firme Greenwald & Company ?

— Qu'y a-t-il, mon ange ?

— Greenwald & Company. Tu en as entendu parler ?

— Bien sûr. Quelqu'un de bien, ce Greenwald. Il s'occupe d'obligations d'entreprises, c'est ça ? Il a très bien réussi dans la vie, d'après ce que je sais.

Il replie le journal en faisant très attention de ne pas le froisser.

— On m'a dit qu'ils avaient eu des ennuis ces derniers temps.

— Eh bien, tout le monde en a eu, Lily.

— Non, je veux dire... Plus que d'habitude. C'est... (J'hésite, je choisis bien mes mots.) C'est une affaire saine, non ?

Papa hausse les épaules. Je vois, malgré sa veste, qu'elles sont encore très maigres ; il n'a pas repris assez de poids depuis sa pneumonie de l'hiver dernier. C'était la troisième, et cela empire à chaque fois. Même si papa ne parle jamais de la guerre, je sais, par Peter Van der Wahl, qu'il a été gazé lors de la bataille de bois Belleau, qu'il n'avait pas pu mettre son masque à temps, qu'il était trop occupé à aider l'un de ses hommes à accrocher le sien, alors, bien sûr, vos poumons ne sont plus les mêmes après cela.

— Je n'ai rien entendu à ce sujet, ma puce. Pourquoi me poses-tu cette question ?

J'ouvre la bouche, mais la referme immédiatement et bois une gorgée de café à la place, que j'ai bien du mal à avaler.

— Non, non. Pour rien.

Le téléphone sonne, une fois, deux fois. J'entends le murmure de la voix de Marelda de l'autre côté du mur.

Je me sers un verre de jus d'orange, la carafe tremble dans ma main.

La porte du salon s'ouvre.

— Mademoiselle Lily, on vous demande au téléphone. C'est...

— Merci, Marelda. J'arrive.

Mère déteste le téléphone, et le nôtre est caché dans un coin entre le salon et le bureau, avec seulement un banc en bois dur sur lequel s'asseoir. Néanmoins, il a l'avantage d'offrir une certaine intimité acoustique, ce qui m'arrange bien.

— Bonjour, Lilybird, dit Nick avec bonne humeur, de sa voix chaude et pleine d'enthousiasme qui fait automatiquement disparaître tous mes doutes.

— Bonjour. Où es-tu ?

— À la maison. Tu as fait bonne route hier soir ?

— Horrible. Budgie a failli nous tuer au moins trois fois.

— Cette Budgie... J'aurais dû te ramener moi-même. Est-ce que tu vas bien ?

Je m'adosse contre le mur et ferme les yeux pour me concentrer sur le son de sa voix.

— Oui, bien sûr. Tu me manques.

— Et à moi, atrocement. Je désespère. Je suis en train de regarder le parc et je me demande si je peux voir ton immeuble de l'autre côté.

— Ça m'étonnerait. Il est au milieu du pâté de maisons.

— Retrouvons-nous quelque part. Tu es habillée ?

— Pas encore, réponds-je en regardant ma robe de chambre. Nous sommes en train de prendre le petit déjeuner.

— Alors, dépêche-toi de te préparer. Je te retrouve à mi-chemin, d'accord ? Vers le hangar à bateaux, si tu veux bien.

— Oh oui, oui. Parfait.

— Mais dépêche-toi, d'accord ? Tu n'as pas besoin de te faire belle pour moi. Viens, c'est tout.

Je me fais belle de toute façon, juste un petit peu : un trait de rouge à lèvres, un peu de poudre, mon plus joli chapeau. Je traverse rapidement le salon et m'éclipse en murmurant que j'ai une course à faire. Dehors, l'air frais me fait un bien fou.

Quand Nick me voit arriver, il ouvre grands les bras et je me jette sur lui avec une telle force qu'il manque tomber à la renverse. Il éclate de rire et me serre contre lui, comme si cela faisait des mois que nous ne nous étions pas vus.

— Ma chérie.

— En chair et en os.

Il me serre encore plus fort dans ses bras et me fait tourner.

— C'est merveilleux de te voir ici. Je n'arrive pas à croire que nous avons partagé cette ville pendant des années sans même le savoir.

— Pas vraiment, en réalité. J'étais à l'école, puis à l'université pendant l'année scolaire, et à Seaview tous les étés. Parfois, j'ai l'impression de ne pas connaître Manhattan du tout.

Je n'ai pas relevé la tête, encore blottie contre lui. Bizarrement, j'ai presque peur de croiser son regard.

— Moi non plus, en fait. Mais nous sommes ici aujourd'hui. Où veux-tu aller ?

Nous nous promenons dans les allées du parc pendant un long moment, nous marchons lentement et restons dans les limites du parc, comme par un accord tacite. Il me donne le bras tandis que nous marchons et je trouve enfin le courage de le regarder. Il est encore plus beau que dans mon souvenir, il sourit et son souffle se transforme en petits nuages de buée dans l'air glacial.

— New York te va bien, dis-je.

— Tu me vas bien. Écoute, Lily, j'ai tant de choses à te dire. Ces derniers jours, j'ai fait plein de projets. Sur la route entre le New Hampshire et New York, tout m'est apparu clairement. J'ai pris ma décision, je suis déterminé cette fois.

— Quelle décision ?

— Ce que tu disais le premier matin. Sur le fait de réaliser ses rêves, répond-il en serrant mon bras un peu plus fort contre lui. Il y a tant de choses pour lesquelles je voudrais te remercier.

— Mais je n'ai rien fait.

— Au contraire, tu as tout fait ! Dis-moi, quels sont tes projets pour le 31 décembre ?

— Je ne sais pas, réponds-je, soudain très excitée. Nous restons généralement à la maison.

— Viens chez nous. Nous faisons une fête tous les ans, avec des masques, du caviar, des fontaines de champagne, le summum de la vulgarité quoi ! Tu pourras rencontrer mes parents.

— Mais ils ne me verront pas si je porte un masque !

Nick murmure à mon oreille :

— Nous ferons tomber les masques à minuit. Juste avant que je t'embrasse.

Il flirte avec moi. J'adore flirter avec Nick.

— Vraiment ? Et pourquoi ? Pour t'assurer que tu embrasses la bonne ?

Un groupe de jeunes hommes approche, ils parlent et rient fort. L'un d'entre eux s'amuse à lancer et rattraper un ballon de football entre ses mains, rougies par le vent froid de décembre.

— Je ne pourrai jamais me tromper. Je reconnaîtrai toujours un de tes baisers quelles que soient les circonstances.

— Oh, vraiment, Casanova ? Tu veux me pousser contre un arbre pour me le prouver ?

— Je n'ai pas besoin de te pousser contre un arbre, répond Nick.

Il me prend dans ses bras, me soulève et m'embrasse là, en plein milieu de cette allée de Central Park, le centre de gravité de New York, sa bouche chaude contre ma peau froide. Quelqu'un nous siffle et, soudain, le ballon rebondit contre le dos de Nick.

— Novices, murmure-t-il contre mes lèvres.

Il ramasse le ballon et le renvoie avec la force d'un lance-torpilles. Un instant plus tard résonne un *Aïe !* sonore.

Nick me soulève à nouveau dans ses bras et reprend là où il s'était interrompu et, quand il en a terminé, j'ai chaud et la délicieuse impression que tout mon corps vibre.

— Et voilà ce que j'appelle le summum de la vulgarité, dis-je en essuyant les traces de mon rouge à lèvres sur son visage.

Nous marchons quelques minutes, main dans la main ; l'intimité nous enveloppe comme un brouillard dense. Nos pas résonnent sur les trottoirs gelés ; les bancs verts s'égrènent en rangées silencieuses.

— Nous avons donc décidé où et quand tu allais rencontrer mes parents, dit-il. Et les tiens ?

— Je suis certaine… certaine qu'ils aimeraient beaucoup te rencontrer.

— Tu ne leur as encore rien dit, n'est-ce pas ?

— Mère n'était pas levée ce matin.

Et tandis que je prononce ces mots, je me rends soudain compte de leur étrangeté. Mère ne fait jamais la grasse matinée. Elle peut rester des heures dans sa chambre à écrire des lettres et faire des listes, mais elle se lève toujours à l'aube.

— Je vois.

— Ne dis pas ça. Elle n'était pas levée, Nick. Que voulais-tu que je fasse ?

— Bien sûr. Je comprends. Nous avons tout le temps.

— Nous pouvons aller chez moi tout de suite.

— Ce n'est pas nécessaire.

— Non, vraiment. Allons-y immédiatement. Je vais te le prouver, je vais te montrer…

— Lily, dit-il. (Il me saisit par les bras et me force à m'arrêter pour l'écouter.) Ce n'est pas nécessaire. Tu n'as rien à me prouver.

Mais je vois bien qu'il a les traits tirés, le visage tendu, comme si chacun de ses muscles, détendus un instant plus tôt à la joie de me voir, s'était soudain contracté. Sa fierté dessine de longues lignes sur son front.

Hésitante, je touche le côté de sa bouche du bout de ma moufle en laine.

— Nick, s'il te plaît, viens à la maison avec moi. Je veux que tu rencontres mes parents. Je veux qu'ils te connaissent, qu'ils voient à quel point tu es merveilleux. S'il te plaît, viens.

Il pousse un long soupir, et la chaleur de son souffle réchauffe mes doigts.

— D'accord, dit-il.

Mais il a toujours la même expression tendue et le visage fermé.

Nous sortons du parc au niveau de la 66e Rue et remontons en silence la Cinquième Avenue avant de redescendre la 70e Rue. Le bras de Nick est rigide sous le mien, comme s'il souhaitait le retirer mais n'osait pas le faire. J'ai l'impression de le sentir grandir à côté de moi, gagner en hauteur et en largeur; si je croisais son regard, je sais qu'il serait étroit et fulminant.

Je comprends soudain qu'il part au combat, et le désespoir m'envahit.

Je le force à s'arrêter devant l'entrée de l'immeuble.

— Tu es en colère. Ne sois pas en colère.

— Je ne suis pas en colère contre toi. C'est tout le reste, tout ça…

— Arrête, dis-je d'une voix suppliante en prenant son visage entre mes mains. S'il te plaît. Si tu es en colère, ce sera un désastre. Nick, regarde-moi.

Il m'obéit.

— C'est moi, ta Lily. Je suis de ton côté. Je serai toujours de ton côté, Nick.

Nous restons là, comme un roc, tandis qu'un flux constant de passants va et vient autour de nous. Quelqu'un nous bouscule, pousse un juron, et lève la tête pour se retrouver face à Nick qui le toise de toute sa hauteur, impressionnante, et l'homme repart d'un pas pressé.

— Je sais, dit-il en m'embrassant le front. Je sais.

Notre immeuble n'est pas le plus chic de Park Avenue, loin s'en faut, mais j'aime son côté vieillot et délabré, ses ascenseurs lents et hésitants et les portiers qui ne parlent que par monosyllabes. L'un d'eux appuie sur le bouton d'appel pour nous. En silence, Nick et moi regardons la flèche au-dessus de l'ascenseur s'abaisser lentement, s'arrêter à chaque étage, et il apparaît enfin dans un grincement assourdissant.

— Tu es prête à risquer ta vie dans cette machine ? demande Nick sèchement tandis que le portier ferme la grille derrière nous.

Malgré ma bravoure de tout à l'heure, j'ai l'estomac noué. Que dira papa ? Je n'en ai aucune idée. Il connaît le père de Nick, il l'apprécie, mais c'est une chose de serrer la main d'un homme et de reconnaître ses qualités, c'en est une autre de le considérer comme le futur beau-père de sa fille unique. Mais papa est gentil et tolérant. Je sais au fond de moi qu'il aimera Nick, qu'il est trop bien élevé pour laisser paraître la moindre trace de déception dans le choix que j'aurai fait, du moins en public.

En revanche, mère…

Je serre les poings dans mes moufles. Elle ne sera peut-être pas à la maison. Elle est peut-être toujours au lit. Elle est peut-être malade, la grippe, je ne sais pas…

Mère n'acceptera jamais Nick. Jamais de la vie. Ses yeux vont s'écarquiller avant de se rétrécir. Elle se comportera avec une courtoisie glacialement insupportable, proposera à Nick un café ou un thé, le suppliera d'accepter une part du gâteau au citron de Marelda. Elle lui posera des questions sur ses parents, ses amis, ses études, et chaque réponse sera étudiée dans le but de découvrir un défaut rédhibitoire. Elle fera référence, en passant, à la généalogie de la famille Dane, mentionnera, au détour de la conversation, son nom de jeune fille prestigieux. À la fin, elle aura fait comprendre à Nick sans l'ombre d'un doute que nous ne sommes pas faits pour être ensemble, que lui et moi ne ferons jamais partie du même monde, que je suis aussi loin de son milieu que l'orbite du Soleil l'est de celle de la Lune.

Elle secouera la tête en fermant la porte derrière lui et se tournera vers moi pour dire : « Quel charmant jeune homme ! C'est vraiment trop dommage ce qui est arrivé à son père, sinon je l'aurais bien vu avec toi. »

L'ascenseur monte par petites secousses, passe le huitième étage, puis le neuvième. Nick attend patiemment à côté de moi et observe chaque numéro s'allumer à son tour. Sa manche effleure la mienne. Dans l'étroitesse de la cabine, je sens la laine de son manteau, son savon, son haleine.

J'ai vingt et un ans et presque terminé mes études. Je n'ai plus besoin de l'approbation de mes parents. Si c'est Nick que je veux, je peux l'avoir.

L'ascenseur arrive au douzième étage, pousse un long soupir, et s'immobilise. Les portes coulissent. Nick tend le bras et ouvre la grille.

— Je me tiendrai bien, je te le promets, dit-il.

— Ne t'inquiète pas. Ils vont t'adorer.

Je fouille dans mon sac à main à la recherche de ma clé, retire une moufle et fouille encore un peu avant qu'elle ne me tombe dans la main.

— Je l'ai, dis-je.

— Salut, Lily !

La petite voix aiguë me fait sursauter.

— Oh, salut, Maisie. Tu sors faire un tour ?

Dans notre immeuble, il y a deux appartements par étage, et Maisie, ses parents et ses deux grands frères, dont je n'arrive jamais à retenir les prénoms, occupent l'autre. Du haut de ses dix ans, elle nous regarde, Nick et moi, avec de grands yeux.

— Est-ce que c'est ton *petit ami,* Lily ? demande-t-elle, visiblement impressionnée.

— Je… Eh bien, euh…

— Tout à fait, Maisie, répond Nick en lui tendant la main. Nick Greenwald. Est-ce ton appartement ? ajoute-t-il en indiquant la porte entrouverte des Laidlaw d'un signe de tête.

Elle lui serre la main.

— Oui. Nous sortons faire des courses de Noël dès que maman aura trouvé son sac à main. Avez-vous été à Bergdorf dernièrement ?

— Non, pas encore.

— Ils ont un grand sapin et un train dans la vitrine, et le train est plein de jouets et il tourne et tourne au pied du sapin, dit-elle en faisant des cercles de sa main. Qu'allez-vous offrir à Lily pour Noël ?

Nick éclate de rire.

— C'est une surprise.

La porte des Laidlaw s'ouvre soudain en grand et Mme Laidlaw, l'air stressé, fait irruption dans le couloir, vêtue d'un modeste manteau en laine marron, sac à main au bras, et parfume le petit couloir de l'odeur de la poudre qu'elle vient de s'appliquer.

— Maisie ! Te voilà. Oh, bonjour, Lily. De retour de l'université ?

— Oui, hier. Comment allez-vous, madame Laidlaw ?

— Oh, tu sais comment c'est à cette période de l'année. Toujours mille choses à faire.

Du coin de l'œil, elle remarque la présence de Nick.

— Madame Laidlaw, je vous présente mon ami, Nick Greenwald.

— C'est le *petit ami* de Lily, dit Maisie d'un air important.

— Madame Laidlaw, répète Nick en lui tendant la main à son tour. C'est un plaisir de vous rencontrer.

Mme Laidlaw ouvre de grands yeux et sa bouche forme un O rouge vif. Sans réagir, elle laisse Nick lui serrer la main mollement.

— Je… Oui. Un plaisir… Greenwald, avez-vous dit ?

— Nick Greenwald, répond Nick en laissant retomber sa main le long de son corps.

Mme Laidlaw me regarde, regarde Nick, puis moi de nouveau. Elle agrippe l'anse de son sac à main très fermement.

— Eh bien, c'était… C'était un plaisir de vous rencontrer. Je…

L'ascenseur tressaute, comme si quelqu'un venait de l'appeler d'un autre étage. Nick se précipite pour bloquer la porte avec son bras.

— Vous descendez, c'est ça ?

— Oui, merci. Maisie ?

Mme Laidlaw entraîne sa fille dans l'ascenseur et appuie sur le bouton. Nick tire la grille et les portes se referment sur le visage pâle de ma voisine.

— Eh bien, dit Nick d'un ton sarcastique, on peut dire que ça s'est bien passé.

Je serre toujours la clé dans ma main droite.

— Je crois simplement qu'elle était surprise de me voir avec un homme à mon bras, c'est tout.

— Sûrement.

Nick reste derrière moi sans rien dire pendant que je tourne la clé dans la serrure et ouvre la porte de notre appartement.

— Mère ! Papa ! dis-je d'une voix forte. Je suis rentrée. Entre, dis-je à Nick.

Marelda apparaît dans le hall d'entrée.

— Oh, Marelda. Où sont mes parents ? J'ai un ami à leur présenter.

— Mademoiselle Lily. Votre père est dans son bureau, et votre mère…

Mais papa arrive à cet instant, un livre sous le bras.

— Ah, Lily, te voilà. Je pensais bien t'avoir entendue.

Il parle d'une voix tremblante et je vois tout de suite qu'il est nerveux. La stabilité relative de ce matin l'a désertée. Il a l'air désespéré.

— Oh, papa, dis-je en allant vers lui pour toucher sa main tremblante. Papa, comment te sens-tu ? Où est mère ?

— Je me sens bien, mon ange.

Il semble se ressaisir. Je voudrais le prendre dans mes bras, le tenir contre moi pour le calmer et le rassurer, mais je n'ose pas.

— Tu viens de rater ta mère. Elle s'est habillée et elle est sortie. Des courses de Noël de dernière minute, sans doute.

— Ah, tu la connais ! réponds-je avec un petit rire. Tout doit toujours être parfait.

— Mais je vois que tu nous as amené un visiteur, dit-il d'un ton faussement enjoué.

Je m'écarte de papa en lui serrant la main une dernière fois.

— Papa, je te présente Nick. Nick Greenwald. C'est un de mes amis. Je l'ai rencontré cet automne, il étudie à Dartmouth.

Nick fait un pas en avant et lui tend la main.

— Monsieur Dane, c'est un véritable honneur de faire votre connaissance. Lily parle de vous très souvent, elle vous aime tant.

Le corps de papa devient rigide. Il regarde Nick et tourne vers moi un regard désespéré. Par réflexe, il lève la main et accepte le salut de Nick.

— Greenwald, répète-t-il. Nick Greenwald.

— Oui, monsieur. Vous connaissez peut-être mon père, Robert Greenwald.

Nick s'exprime avec un mélange d'assurance et de respect et ne trahit pas la moindre hésitation. Je me tourne vers lui et mon cœur s'emplit de fierté. Il se tient dans notre hall d'entrée, exactement comme je l'ai imaginé, grand, droit et beau. Il a son chapeau dans sa main gauche tandis que sa main droite laisse échapper celle de mon père qui retombe lentement. Ses lèvres sourient, et personne d'autre que Lily Dane, qui le connaît si parfaitement, ne pourrait détecter la tension sur les commissures de sa bouche.

Et, pendant un moment, un magnifique instant fugace, je pense : « Tout va bien se passer, papa va l'adorer, comment ne pourrait-il pas l'adorer ? »

— Oui, je connais Robert Greenwald, murmure mon père.

Il tourne ses yeux inquiets vers moi.

— Est-ce ce dont tu voulais me parler ce matin ? Greenwald & Company ?

Prise de court, j'hésite.

— Euh… Je… Je… Oui, je crois…

— Est-il… ? Je ne comprends pas…

Les lèvres de papa bougent encore, mais aucun son n'en sort. Il place une main dans son dos, puis la ramène devant lui, la porte à son front, la frotte dans ses cheveux grisonnants, comme s'il cherchait ses lunettes sur son front.

— Cet homme, Greenwald… s'est-il insinué auprès de toi ?

Nick fait un pas en avant.

— Monsieur.

Papa lève la main pour l'empêcher d'avancer.

— Non. Ce n'est pas possible. Pas ma fille.

— Papa, s'il te plaît, dis-je d'une voix suppliante. (Je me place entre eux deux et prends mon père par les épaules.) Papa, tu es bouleversé. Allons nous asseoir. Je vais appeler Marelda, elle va t'apporter du thé et une part de gâteau…

— Je ne veux pas de thé !

Il me regarde, puis détourne le visage. De petites gouttes de sueur apparaissent au-dessus de sa lèvre supérieure.

— Je veux… Je ne comprends pas. Pourquoi lui, chérie ? Ma puce, pourquoi ?

— Viens t'asseoir. Tu ne te sens pas bien, tu n'as pas les idées claires. Marelda !

Par-dessus mon épaule, je vois Nick, qui nous regarde avec un mélange d'étonnement et de colère.

— Ce n'est pas toi, dis-je. Je te jure que ce n'est pas toi. Il est juste dans un mauvais moment. Cela lui arrive tout le temps. S'il te plaît, Nick.

Nick se précipite vers nous.

— S'il vous plaît, monsieur. Laissez-moi vous aider. Vous avez besoin de vous asseoir.

— Non !

Papa me repousse avec une telle force que je trébuche en arrière et manque de tomber.

— Je n'ai pas besoin de m'asseoir. Je n'ai pas besoin de thé. J'ai besoin qu'on me laisse en paix. Pourquoi ne pouvez-vous pas me laisser en paix, bon sang ?

Nick me rattrape par les épaules.

— Lily ! Attention !

— Papa, s'il te plaît…

La voix de mon père résonne dans l'air comme un coup de fouet.

— Ôtez vos mains de ma fille, monsieur !

— Papa !

Nick me tourne doucement vers lui.

— Lily, ça va ?

— Je vais bien. Papa…

Papa pointe Nick du doigt. Son visage brûle de détermination. Quand il parle, je ne reconnais même pas sa voix, je ne l'ai jamais entendu comme ça : décisif, impérieux. Je me dis qu'il devait parler ainsi au bois Belleau, avant que les Allemands envoient leur gaz moutarde dans la boue de l'autre côté de la tranchée.

— Jeune homme, *je vous ai demandé d'ôter… vos mains… de… ma… fille.*

Nick se tient immobile, rigide. Il penche légèrement la tête vers moi.

— Lily ? demande-t-il.

— Nick, je t'en prie, dis-je dans un murmure, d'une voix tremblante.

Nick laisse tomber sa main.

— À présent, monsieur, ajoute papa plus calmement, je vous demande de bien vouloir faire demi-tour et de laisser cette famille en paix.

— Papa, non ! Arrête, Nick. Ne pars pas. Il ne le pense pas. Papa, dis que tu ne le penses pas. Tu es un homme bon, je le sais, tu ne lui as même pas laissé une chance…

— Lily, je crois qu'il vaut mieux que je parte. N'est-ce pas, monsieur ?

— Je vous en serais reconnaissant, monsieur Greenwald.

— Papa ! Papa, ne dis pas ça. Je l'aime, ne fais pas ça !

Mes mots se coincent dans ma gorge. Mère, l'animosité de mère, j'aurais pu la comprendre. Mais mon père ? Mon gentil et bon papa, dans l'adoration duquel j'ai baigné toute mon enfance ? Je ne me suis jamais sentie aussi trahie.

Marelda apparaît à la porte du salon. Elle nous observe tous les trois d'un air effrayé et disparaît aussitôt.

Papa me regarde. Ses cheveux sont tout décoiffés, ses lèvres sont mouillées, roses et tremblantes.

— N'as-tu donc aucune dignité, Lily ? N'as-tu aucune compassion ?

— Votre fille, monsieur, a plus de dignité dans son petit doigt que toutes les autres filles réunies, dit Nick en mettant son chapeau. Bonne journée, monsieur Dane. J'espère vous revoir un jour, dans de meilleures conditions. Bonne journée, Lily, et joyeux Noël.

— Nick, non ! Ne t'en va pas !

Je lui tends la main.

— Lilybird, dit-il à voix basse.

— Lily, dit mon père.

Le hall d'entrée tangue autour de moi, les lithographies d'Audubon joliment encadrées, les appliques métalliques lumineuses, la porte d'entrée et sa poignée de cuivre lustrée…

— Nick, je t'appellerai, je…

— Tu ne téléphoneras pas à ce jeune homme, Lily. Pas de cette maison.

— Lily, il vaut mieux que je parte, dit Nick en se tournant vers la porte.

— Tu sais comment me joindre, dis-je, au comble du désespoir.

— Il ne fera rien de la sorte, dit papa. Je l'interdis.

Nick tourne la tête en arrière. Son visage est dur et déterminé, sa mâchoire carrée au-dessus de la laine sombre de son écharpe.

— Monsieur Dane, avec tout le respect que je vous dois, votre fille a vingt et un ans, elle est assez grande pour se conduire comme bon lui semble. Lily, chérie, je te trouverai, ne t'inquiète pas.

Il sort et ferme la porte derrière lui. Je décide de le suivre quand survient soudain la voix de Marelda.

— Monsieur Dane ! Oh, mademoiselle Lily !

Je me retourne juste à temps pour rattraper mon père qui tombe au sol, pleurant à chaudes larmes.

10

SEAVIEW, RHODE ISLAND

Juillet 1938

Mme Hubert m'arrêta alors que je m'apprêtais à sortir pour rejoindre Budgie.

— Ah, madame Hubert, je croyais que vous deviez rendre visite à ma mère, dis-je.

Je pressai mes lèvres l'une contre l'autre pour tenter de masquer la couleur vive de mon rouge à lèvres et serrai contre moi mon cardigan afin qu'elle ne voie pas le décolleté en dessous.

— Oui, j'étais sur le point de m'en aller, répondit-elle en regardant par la fenêtre Budgie qui m'attendait dans sa voiture dans l'allée et appliquait une épaisse couche de rouge sur ses lèvres en se regardant dans le rétroviseur. Tu vas quelque part avec Mme Greenwald, on dirait.

Je me redressai et relevai le menton pour me donner de la contenance.

— Nous allons dîner à Newport, toutes les deux.

— Penses-tu vraiment que cela soit convenable ?

Je détournai les yeux, pris mon chapeau sur le portemanteau de l'entrée et le posai sur ma tête. Le visage de Mme Hubert se reflétait dans le miroir, au-dessus de mon épaule.

— Je ne vois pas ce que vous voulez dire. Budgie et moi sommes de vieilles amies.

— Lily, enfin…

Elle secoua la tête. Elle portait une longue jupe blanche, de vieilles chaussures de cuir et un grand chapeau de paille, la même tenue qu'elle avait portée tout l'été, et l'été précédent aussi. Mme Hubert changeait de la même manière que changeait Seaview : elle devenait plus grise, plus ridée, mais la tapisserie ne variait pas.

— Tu te laissais entraîner par cette fille quand tu étais enfant, et tu continues aujourd'hui.

— Je ne me laisse pas entraîner. Je sais parfaitement ce qu'elle est.

— Vraiment ? J'en doute. Je ne peux pas lui en vouloir, évidemment, avec le père qu'elle a eu et Dieu seul sait ce qui se passait chez eux, une fois les portes fermées. Regarde-moi, Lily Dane, pour l'amour du ciel.

Je me tournai vers elle. Le hall d'entrée, qui faisait face à l'est, n'était pas exposé au soleil direct, et des nuages noirs arrivaient déjà par l'ouest, annonçant un orage. Le visage de Mme Hubert était sombre, fatigué et gris, et les deux rides profondes de chaque côté de sa bouche formaient comme des parenthèses.

— Tu te rends quand même compte qu'elle joue à un jeu, j'espère ? dit-elle.

— Elle ne sait pas faire autrement, répondis-je.

— Et tu arrives à le lui pardonner ? Tu arrives à lui pardonner d'avoir épousé ce Greenwald, de l'avoir fait entrer dans notre univers, comme un… comme un…

Elle hésita et ne parvint pas à terminer sa phrase.

— Comme un juif, madame Hubert ? Est-ce ce que vous vouliez dire ?

— Bien sûr que non.

Avant de continuer, je fis attention de ne pas élever la voix, car Kiki était dans la cuisine avec notre bonne en train de dîner et je ne voulais pas qu'elle surprenne la moindre bribe de notre conversation.

— Si, murmurai-je sèchement. C'est ce que vous pensez tous. Comment Budgie Byrne a-t-elle pu l'amener parmi nous ? Comment Lily Dane peut-elle laisser sa petite sœur jouer avec ce sale juif de Greenwald ?

Dehors, Budgie klaxonna et cria quelque chose que je ne parvins pas à distinguer.

— Eh bien, répondit Mme Hubert, la sage et moderne Lily a décidé de nous faire tous évoluer dans le vingtième siècle, qu'on le veuille ou non. Du rouge à lèvres et des juifs pour tout le monde ! Comme c'est charmant. Et cette expérience a tellement bien fonctionné pour toi auparavant.

— Lily, appela Kiki de l'arrière de la maison. Mme Greenwald a klaxonné.

— Comment osez-vous ? murmurai-je.

J'étais surprise moi-même, je ne me pensais pas capable de dire quoi que ce soit dans ce moment-là. Je m'étais transformée en statue de sel, et mes oreilles bourdonnaient. Le parfum d'eau de rose de Mme Hubert me donnait la nausée.

Elle me tendit la main.

— Excuse-moi, Lily. J'ai eu tort.

— Oui, vous avez eu tort.

— Je suis une vieille femme mal élevée. Tout le monde sait que tu n'étais responsable de rien de ce qui est arrivé.

— Je crois, madame Hubert…, dis-je d'une voix tremblante, je crois que je vais y aller, si cela ne vous dérange pas.

Je me tournai vers la porte, mais ma paume était si humide qu'elle glissa deux fois sur la poignée. Je dus m'y prendre à deux mains pour parvenir à l'ouvrir.

— Lily Dane, dit Mme Hubert, tu as le don de parier sur le mauvais cheval.

Je restai immobile, sur le seuil de la porte, à regarder la voiture de Budgie et Budgie elle-même, qui me faisait signe de la main avec un grand sourire.

— Madame Hubert, dis-je sans me retourner, c'est peut-être la faute des organisateurs de la course, et non du cheval.

***

Les premières grosses gouttes explosèrent sur le pare-brise à l'instant précis où Budgie quittait la route pour s'engager sur le parking. Le temps de garer la voiture, la pluie tombait à verse, comme si on avait renversé un seau immense dans le ciel. J'avais du mal à distinguer la petite bicoque de bois dans un tel déluge.

— Je croyais que nous devions aller à Newport ? dis-je.

Budgie entrouvrit sa vitre et laissa tomber son mégot dehors.

— Si je t'avais dit que nous allions dans une taverne sur le bord de la route, tu aurais refusé. Tu comptes passer la soirée dans la voiture ou tu viens avec moi ?

Elle mit son cardigan sur sa tête pour couvrir ses cheveux, ouvrit la portière de la voiture et courut vers l'entrée de la taverne sans un regard en arrière.

Je restai dans la voiture le temps de terminer ma cigarette. La pluie formait un rideau de l'autre côté de la vitre, et la chaleur de l'intérieur de la voiture devenait moite, lourde et enfumée.

— Oh et zut ! dis-je à haute voix.

Je suivis l'exemple de Budgie et, cardigan sur la tête, je me précipitai dehors. Il ne me fallut que quelques secondes pour atteindre la porte d'entrée, mais j'étais déjà trempée de la tête aux pieds. Budgie l'était aussi, mais sa beauté était saisissante. Ses petites boucles brunes brillaient dans la lumière tamisée et sa peau pâle semblait couverte de gouttes de rosée et contrastait avec son rouge à lèvres vif.

— Secoue la tête, comme ça, dit-elle et j'obtempérai, projetant des petites gouttes dans tous les sens. Voilà, c'est mieux !

L'endroit n'était pas grand. La majeure partie de la salle était prise par un long bar d'un côté, derrière lequel se tenait un serveur portant un veston noir et une chemise blanche. Le reste de la pièce était occupé par quelques petites tables rondes en bois usé. Le sol était foncé, taché et sentait la bière, la sueur et la cigarette. Un petit groupe jouait du mauvais jazz dans un coin, et, au fur et à mesure, je prenais conscience de tous les regards braqués sur nous : des yeux d'hommes, pour la plupart, des regards durs et calculateurs, et d'autres amusés. Des hommes en bleu de travail, des hommes dans des costumes tape-à-l'œil et bon marché, et même quelques hommes dans des costumes de flanelle bien coupés comme j'en avais connu toute ma vie.

Des femmes aussi. Une ou deux poules avec des hommes, un groupe de trois filles ricanant à côté du bar vêtues de robes à fleurs de mauvais goût ; une femme aux cheveux bleus enroulée dans un cardigan en cachemire fuchsia, recroquevillée sur son verre comme si c'était un brasier dans une tempête de neige.

Mais aucune de ces femmes ne ressemblait à Budgie, dont les vêtements élégants et glamour couvraient son corps élégant et glamour, et dont les grands yeux bleus aux reflets argentés examinaient ce qui l'entourait avec l'irrésistible mystère d'une innocence intentionnelle, d'une fragilité sauvage. Les hommes l'observaient et voulaient percer à jour son mystère, ou la sauver d'elle-même, tout comme moi. Tout comme, peut-être, Nick Greenwald ; mais pas Graham Pendleton.

Il régnait une chaleur moite dans la taverne. Je retirai mon cardigan et le posai sur le dossier de ma chaise, comme Budgie.

La serveuse arriva, elle devait avoir une vingtaine d'années, tout au plus, mais il était clair que la vie ne l'avait pas épargnée. Elle était très maquillée, mais ses yeux étaient vitreux, son regard vide.

— Vous voulez quoi ? demanda-t-elle.

— Deux martinis, très secs, avec des olives. Non, en fait, quatre, ajouta Budgie avec un clin d'œil. Ça vous évitera de revenir tout de suite.

La fille nous lança un regard qui voulait dire que les martinis n'étaient faits que d'une seule manière, et que c'était comme ça, à prendre ou à laisser, et elle retourna vers le bar.

Budgie sortit son paquet de cigarettes de son sac à main et m'en alluma une sans même me demander mon avis.

— Tiens, ça va mieux comme ça, non ? dit-elle en soufflant un long nuage de fumée. Je me sens déjà plus à l'aise. Non mais tu entends cette musique ? Le saxophoniste est nul, mais le trompettiste est divin. Un génie.

J'observai le groupe, et le trompettiste était effectivement divin, un Noir à la peau couleur caramel avec des pommettes saillantes et des yeux en amande. Quant à ses talents de musicien, j'étais mal placée pour en juger. Je n'écoutais pas de jazz, je n'en avais entendu que rarement, à la radio ou chez quelqu'un. J'aimais bien le son de sa trompette, mélancolique et nébuleux. Les yeux doux du musicien avaient reconnu l'admiration dans ceux de Budgie, et il jouait pour elle à présent. À la fin du morceau, il rangea sa trompette et se dirigea vers nous.

La taverne commençait à se remplir, de corps, de fumée et de rires. Budgie proposa un verre au trompettiste, il accepta et retourna une chaise sur laquelle il s'assit à califourchon, les coudes posés sur le dossier arrondi.

— Lily, ici présente, ne connaît pas grand-chose au jazz, dit Budgie.

— Je peux lui apprendre, répondit-il en souriant. Ce que vous avez entendu vous a plu ?

— Beaucoup, répondis-je en buvant une gorgée de mon martini, qui se révéla chaud et pas sec du tout.

— Le jazz, mademoiselle Lily, est le fils bâtard de la musique, héritier des vieux negro spirituals, que son père bien convenable a refusé de reconnaître.

La serveuse déposa en chemin un verre de whiskey devant lui, sans même prendre le temps de ralentir.

— Merci, lui lança le trompettiste par-dessus son épaule. Mais qu'est-ce qui amène deux jeunes femmes de bonne famille comme vous de l'autre côté de la rivière ce soir ?

— Juste besoin de musique, répondit Budgie. Du jazz, pour me souvenir que je suis vivante.

Le trompettiste éclata de rire.

— C'est le pouvoir du jazz. Ce gentleman est-il avec vous ?

Je sursautai soudain et mon cœur se mit à battre très vite.

Mais la silhouette qui approchait n'était pas celle d'un Nicholson Greenwald réprobateur, venu arracher sa femme des griffes du jazz et la perdition. C'était Graham, tout sourire, qui posa une main sur chacune de nos épaules.

— Je vous ai trouvées, dit-il en déposant une bise, d'abord sur ma joue, puis celle de Budgie, avant de s'asseoir à côté de moi.

— Budgie Greenwald, ajouta-t-il, tu dois avoir un très mauvais sens de l'orientation pour m'avoir donné des indications pareilles.

Budgie répondit à mon regard accusateur par un clin d'œil et un haussement d'épaules impuissant.

— Je ne me souviens jamais des numéros. Mais tu nous as trouvées, c'est ce qui compte, non ?

— Je n'étais pas prêt d'abandonner. Un nouvel ami ? demanda-t-il en regardant le trompettiste.

— C'est… (Budgie hésita en riant.) Je ne sais même pas comment vous vous appelez.

Le musicien sourit et lui tendit la main.

— Basil White, trompettiste de jazz.

Budgie lui serra la main.

— Budgie Greenwald, femme au foyer qui s'ennuie. Et voici mon amie, Lily, qui s'ennuie aussi alors qu'elle n'est même pas mariée, et Graham Pendleton, qui ne s'ennuie jamais.

— Mais qui ennuie les autres, répondit Graham en serrant la main de Basil White.

— Vous ne seriez pas le lanceur de relève des Yankees ? demanda le trompettiste, dont le visage venait de s'illuminer.

— Coupable.

— C'est pas vrai ! C'est un honneur de vous rencontrer, monsieur. Ce sauvetage contre les Tigers, c'était le plus beau match que j'ai vu de l'année ! Comment va votre épaule ?

— Un peu mieux, répondit Graham en la frottant. L'opération s'est bien passée. Je devrais recommencer à m'entraîner gentiment d'ici une semaine ou deux.

— Laissez-moi vous offrir un verre.

Basil White se tourna vers le bar et fit un signe de la main au barman.

— Que fais-tu ici ? murmurai-je à Graham.

— Oh, je voulais juste m'assurer que vous ne faisiez pas trop de bêtises sans moi.

Il posa son bras sur le dos de ma chaise et tripota une mèche de mes cheveux.

— Tu es toute mouillée.

— On a été prises sous l'averse.

— C'est dommage, dit-il.

Mais il n'avait pas l'air désolé du tout. Je surpris son regard, qui s'était arrêté au décolleté de ma robe.

Je tirai une bouffée de ma cigarette et avalai la fin de mon martini.

— Je vois que la soirée commence bien, dit Graham.

La serveuse lui apporta un verre de scotch, sans glaçons, et nous trinquâmes avec mon deuxième martini.

— Santé. À la pluie et au jazz.

Nous passâmes la soirée à fumer et à boire, à parler de jazz, de base-ball et du mauvais temps, et quand Basil White retourna à sa trompette, Graham en était à son troisième verre de scotch et j'avais la tête qui tournait un peu à cause du gin et de la fumée de cigarette.

— On danse ? demanda Graham en écrasant son mégot.

Je lançai un regard à Budgie. Elle nous fit un petit signe de la main. Elle ne portait pas sa bague de fiançailles, seulement son alliance en or.

— Allez-y, les enfants. Je vais rester là à admirer le paysage.

Graham se leva et me prit la main, m'invitant à le suivre vers la foule mouvante réunie à côté du bar, composée de couples qui bougeaient en rythme. Les corps étaient serrés les uns contre les autres, irradiant chaleur et sueur. Ma paume gauche était collée à celle de Graham, la droite enroulée autour de sa nuque. Sa main était pressée contre mon dos.

— Je ne connais pas cette danse, criai-je à l'oreille de Graham.

— Moi non plus, répondit-il.

Nous nous mîmes à danser du mieux que nous le pouvions, guidés par les collisions avec les autres corps autour de nous, nos hanches se rapprochant de plus en plus et, bientôt, je ne pus plus ignorer chaque centimètre du corps musclé de Graham collé contre le mien. Nous étions tous les deux trempés de sueur. Je pensais à Nick et Budgie, collés l'un contre l'autre sur la véranda, le soir du bal du 4 juillet, bougeant à l'unisson, et la bouche de Nick tachée du rouge à lèvres de sa femme. Je ne pouvais pas non plus m'empêcher d'imaginer la suite, Nick la ramenant ensuite chez eux ce soir-là, l'aidant à se déshabiller et se coucher dans son lit. Qui aurait pu résister à Budgie, dans sa robe en soie rouge sang ? Nick avait certainement couché avec elle, avait forcément trouvé refuge entre les jambes soyeuses de sa femme. Qu'avait dit Graham déjà ? S'envoyer en l'air pour un peu de satisfaction mutuelle en cette chaude nuit du 4 juillet.

— Sortons prendre l'air, dit Graham.

Je hochai la tête. Il nous commanda deux autres verres au bar et m'entraîna à sa suite jusqu'à l'extérieur. Nous contournâmes le bâtiment, jusqu'à l'arrière de la taverne, de l'autre côté du parking et de la porte d'entrée. La pluie s'était arrêtée, mais quelques gouttes tombaient encore des gouttières. L'air était chaud et lourd, il sentait les feuilles mouillées et les gaz d'échappement.

Un banc en bois, dont la peinture bleue s'écaillait, était appuyé contre le mur. Graham s'assit, posa nos deux verres et me prit sur ses genoux.

— Lily Dane, murmura-t-il en secouant la tête avant d'absorber la moitié de son whiskey. Que fait une fille comme toi dans un endroit comme celui-ci ?

— Je ne sais pas. Je t'embrasse, je suppose, répondis-je en attirant son visage vers le mien.

Sa bouche sentait l'alcool et me faisait encore plus tourner la tête, et son bras gauche s'enroula autour de mon dos, tandis que sa main droite tenait toujours son verre. Nous nous embrassâmes pendant un long moment, un peu plus profondément avec chaque baiser, et il finit par rejeter la tête en arrière pour étudier mon visage de son regard flou.

— Ça alors, dit-il.

— Ça alors, répétai-je.

Je me levai pour le chevaucher. Graham posa son verre et se mit à défaire les boutons dans le dos de ma robe, jusqu'à ma taille. Je tendis les bras vers l'avant et il la fit glisser le long de mes épaules et la laissa tomber dans une mare de crêpe de chine humide autour de ma gaine. En dessous, je ne portais qu'un simple soutien-gorge en soie ivoire, sans même un peu de dentelle pour l'embellir.

— C'est mieux comme ça, dit-il. Très pratique, très Lily.

Hésitant, il glissa ses doigts sous mon soutien-gorge. Comme je n'objectai pas, ses mains expérimentées caressèrent mon dos et défirent les petits crochets.

— Ça alors, répéta-t-il.

Il s'appuya contre le mur en bois, le banc bascula un peu vers l'arrière, et il laissa tomber mon soutien-gorge à côté de lui. Le soleil se couchait derrière les épais nuages noirs, et le visage de Graham s'était adouci avec les débuts de l'ivresse. Ses yeux s'étaient étrécis et observaient ma poitrine sans en manquer un détail.

— Je ne pensais pas que cela arriverait avant des semaines.

— Mais tu pensais que cela arriverait.

— Un homme a bien le droit d'espérer.

Il prit son verre de whiskey et en fit couler quelques gouttes le long de la courbe de mon sein droit, puis il baissa la tête et lécha le liquide alcoolisé.

— C'est bon. Du whiskey et Lily. Très bon.

Il fit la même chose sur mon autre sein, mais cette fois il laissa l'alcool couler jusqu'à mon téton avant de l'attraper de sa langue chaude. Il posa son verre.

J'avais fermé les yeux. Je flottais et me laissais porter par un nuage chaud et humide. Quelque part dans le brouillard de mon esprit, Nick et Budgie copulaient, encore et encore, leurs corps flous collés l'un contre l'autre, sa bouche tachée de son rouge à lèvres. Les doigts de Graham caressaient le bout de mes seins, puis ses mains les recouvrirent, grandes et puissantes, et les pressèrent doucement. Je cambrai le dos.

— Alors, Lily, dit-il en m'embrassant le cou. Que fait-on, maintenant ?

— J'ai bien peur d'être saoule, répondis-je.

— Moi aussi. L'ivresse me fait oublier mes bonnes manières.

J'ouvris les yeux. Nous nous embrassâmes encore, plus longtemps cette fois. Je passai les bras autour de son cou. Il reprit son verre et le termina d'une traite, interrompant à peine notre baiser, et continua de jouer avec ma poitrine. Ses mains étaient dures contre ma peau, dures et lissées par les balles de base-ball, les battes et les verres de whiskey.

— Je pense que nous ferions mieux d'arrêter maintenant, dit-il.

— Tu as raison.

— Je n'ai pas apporté de caoutchouc.

— Alors nous devons absolument arrêter.

Graham poussa un soupir et commença son deuxième verre.

— D'accord, dit-il.

Il me remit mon soutien-gorge, accrochant les agrafes avec une dextérité surprenante, comme s'il avait fait ça toute sa vie, et je rajustai ma robe. Graham me retourna et la reboutonna dans le dos. Mon cœur tambourinait dans ma poitrine ; mes mains tremblaient. Une froide sobriété était en train de me gagner et mon visage s'empourpra de honte.

— Hé, dit-il en prenant mon menton. Qu'y a-t-il ?

— Rien.

— Pas de regrets, j'espère ?

Je ne répondis pas.

Graham déposa un baiser au bout de mon nez, prit ma main et l'embrassa aussi.

— Dis-moi une chose, Lily. C'était quand la dernière fois que tu as embrassé un homme ?

— Il y a six ans et demi, à peu près.

Graham poussa un juron.

— Vraiment ?

— Vraiment.

Il posa ses mains sur mes genoux et les fit glisser sous l'ourlet de ma robe, jusqu'en haut de mes bas.

— Alors je dirais qu'il était temps, pas toi ?

Je ne répondis pas. Je pensais aux baisers de Graham au goût de whiskey, à ses mains chaudes sur ma peau, différents et pourtant similaires aux baisers et aux mains que j'avais connus auparavant. Je ressentais un mélange de désir, de honte et d'impatience. Le visage de Nick m'apparut dans un flash, fermé et plein de reproche, accusateur aussi. Je n'avais qu'une envie : m'enfuir, partir en rampant ; mais les mains de Graham me maintenaient sur place, à cheval sur ses genoux.

— Lily, je crois que nous avons deux options, dit Graham. La première, nous allons continuer cette conversation très intéressante dans ta chambre, par exemple, ou dans tout autre lieu qui nous offrira suffisamment d'intimité et de confort pour la poursuivre jusqu'à sa conclusion naturelle. Nous pourrons peut-être même recommencer, et peut-être même en faire une habitude.

— Un peu de satisfaction mutuelle, dis-je. Et quelle est la deuxième option ?

Graham but une longue gorgée avant de répondre.

— Nous recommençons de zéro. Pas de bars, pas de jazz, pas d'alcool, pas de bisous sous le cou. Juste un type qui ferait la cour à une jolie fille.

Une goutte de pluie tomba sur ma tête, suivie d'une autre. Un grondement sourd résonna dans le ciel.

— Il recommence à pleuvoir, dis-je.

— Quoi ? demanda Graham. Aucune des deux ?

— Je ne sais pas. Que veux-tu dire par *faire la cour* ?

— Très bonne question, dit-il en buvant une autre gorgée. Je vais te raconter une petite histoire, Lily. Quand j'ai appelé Budgie, avant de venir à Seaview, elle m'a dit que tu serais là. Elle m'a demandé de venir te voir, de te faire passer un peu de bon temps.

— Et qu'as-tu répondu ?

— Je lui ai dit bien sûr, pourquoi pas ? Lily est une jolie fille, elle est gentille. C'est pour ça que je suis venu te voir sur la plage la semaine dernière. Pour me faire une idée, voir si tu t'étais laissée aller… Mais le plus drôle, Lily Dane, c'est que… (Il hésita encore et but du whiskey.) Le plus drôle, c'est que, quand je t'ai vue assise dans le sable, avec le soleil sur tes cheveux et ta petite fille qui te faisait un câlin, je me suis dit… J'ai pensé…

— Qu'as-tu pensé ?

Le regard de Graham avait perdu sa bonne humeur. Il avait l'air sincère, fatigué, un peu perdu. Ses longs doigts pianotaient contre mes cuisses et il secoua la tête.

— Je ne sais pas. Je ne sais pas à quoi je pensais. Ne m'écoute pas. Oublions ce qui s'est passé, d'accord ? Reprenons du début, toi et moi.

Il retira ses mains de sous ma robe et me donna une petite tape sur les fesses, puis il termina son verre.

— C'est d'accord, dis-je en me levant.

J'arrangeai les plis de ma robe. Il pleuvait de plus en plus. J'entendais les gouttes tomber sur les feuilles des arbres alentour.

— Nous allons être trempés, dis-je.

— Non, pas si nous nous dépêchons.

Graham se leva et me prit la main, et nous nous mîmes à courir et passâmes la porte juste avant que l'averse ne s'abatte de toutes ses forces.

Le nuage de jazz et de fumée nous enveloppa. Un homme costaud nous bouscula, il portait un costume marron bon marché et trop large pour lui. Il me lança un regard, puis se tourna vers Graham.

— Dites, vous ne seriez pas le lanceur de relève pour les Yankees ? Pendleton, c'est ça ?

— C'est ça, répondit Graham. (Il lâcha ma main pour la lui tendre.) Graham Pendleton.

— Fiston, je suis fan des Red Sox, répondit l'homme.

Et il donna un coup de poing à Graham en plein visage.

***

Je tapotai ma pièce de cinq *cents* contre la coque du téléphone et les regardai tous les deux, Budgie et Graham, assis sur le banc dans le bureau du patron. Graham pressait un steak dégoulinant de sang contre sa mâchoire, les yeux mi-clos. Budgie, pressée contre lui, chantonnait, les joues rouges, visiblement saoule. Je ne pouvais pas appeler les Palmer, c'était certain. Tante Julie, peut-être ?

Mais mère l'entendrait sortir et démarrer la voiture. Elle poserait des questions.

J'insérai la pièce dans la fente et composai le numéro de la maison des Greenwald. On était jeudi, Nick était toujours à New York. Mme Ridge savait conduire, elle pourrait prendre l'autre voiture et venir nous chercher. Il y aurait suffisamment de place pour nous tous dans la Oldsmobile.

Le téléphone sonna deux fois et une voix d'homme répondit.

— Greenwald.

— Nick ? m'exclamai-je.

— Lily ?

— Oh, mon Dieu. Je croyais que tu étais à New York.

— Je suis venu plus tôt. Que se passe-t-il ? Où es-tu ? demanda-t-il d'un ton urgent.

Je pris une profonde inspiration pour me calmer et saisis le combiné des deux mains. J'entendis un clic sur la ligne, puis un autre. Tout le long de la baie de Seaview, nos voisins décrochaient leurs téléphones.

Réfléchis, Lily. Choisis bien tes mots.

— Tout va bien. Je suis avec Budgie. Nous devions sortir dîner à Newport, tu te souviens ?

Il y eut un moment de silence, puis :

— Oui, bien sûr.

— Nous avons eu un petit problème avec la voiture. Juste devant South Kingstown.

Budgie hoqueta fort.

— Mon Dieu, vous n'êtes pas échouées sur le bord de la route au moins ? demanda Nick.

— Non, non. Nous avons trouvé... Je crois que c'est une taverne...

Nick étouffa un juron.

— Je viens vous chercher. Dis-moi où vous êtes.

Je lui donnai l'adresse.

— Ce n'est pas facile à trouver, malheureusement. On ne la voit pas très bien de la route.

— Je vous trouverai, ne t'inquiète pas. Ne bougez pas. Lily, tu vas bien ?

— Oui, nous allons bien.

— Donne-moi une demi-heure.

Il raccrocha. Je posai le combiné et me retournai vers Graham et Budgie.

— Nick a dit qu'il sera là dans une demi-heure.

Budgie émit un petit grognement et blottit son visage contre l'épaule de Graham. Il grogna aussi, tourna la tête et vomit par terre.

Nick arriva trente-cinq minutes plus tard, ses cheveux bruns mouillés et foncés, l'inquiétude se lisait sur son visage. Il ne dit rien lorsqu'il vit Budgie et Graham et l'état dans lequel ils étaient. Nous les soutînmes jusqu'à la voiture et les installâmes sur la banquette arrière de l'Oldsmobile. Les premiers boutons de la robe de Budgie étaient défaits. Nick releva son décolleté et le reboutonna. Il prit le steak des mains de Graham et le lança dans les fourrés.

Nick et moi restâmes silencieux tout le temps que dura le trajet de retour jusqu'à Seaview. Il alluma la radio et nous écoutâmes un homme lire les informations d'une voix forte. Le toit de l'Oldsmobile était haut, mais Nick avait les épaules légèrement voûtées, par habitude. Ses longs membres étaient recroquevillés sur le volant et les pédales. Il sentait la laine mouillée et la cigarette, mais l'odeur de cigarette venait probablement de moi.

À mi-chemin, le long de la côte, Nick parla :

— Peux-tu me dire ce qui s'est passé ?

Je baissai les yeux et regardai mes mains, croisées sur mes genoux.

— Nous devions aller à Newport, pour dîner. C'est ce qu'avait dit Budgie. Mais, en fait, nous nous sommes arrêtées là, sur le chemin.

— C'était son idée ou la tienne ?

J'avais la voix cassée à cause du gin et du tabac.

— La sienne, avouai-je à contrecœur.

— Je ne sais pas pourquoi je t'ai posé la question, c'était évident. Et Graham est venu avec vous ? dit-il en faisant signe de la tête vers la banquette arrière.

— Graham est arrivé plus tard. C'est un fan des Red Sox qui l'a frappé.

Sans crier gare, Nick éclata de rire.

— C'est pas vrai ! Il lui a donné un coup de poing, juste comme ça ?

— Juste comme ça, répondis-je en mimant le coup de poing. Il est tombé K.-O.

— Il avait déjà bu quelques verres, j'imagine.

— Quelques-uns, oui.

— Et Budgie ? Elle a fait la même chose ?

Je tournai la tête vers mon amie, qui ronflait tranquillement contre l'épaule de Graham, ses cheveux ébouriffés collés à sa joue. Une lumière illumina soudain son visage. Son rouge à lèvres débordait partout autour de sa bouche, le rouge vif n'était plus qu'un rose coupable. Je l'avais trouvée, après de longues recherches, dans les toilettes, les joues rouges, souriante et tout échevelée.

« Je crois bien que je suis un peu ivre, Lily, avait-elle dit en se jetant dans mes bras avec un sourire béat. Tu imagines ? »

— Elle a bu quelques verres, répondis-je à Nick. Moi aussi. Des martinis et des cigarettes. Honteux, n'est-ce pas ?

— Ma femme t'entraîne sur le chemin de la débauche, on dirait.

Il avait légèrement insisté sur le mot femme.

— Cela faisait des années que je ne m'étais pas autant amusée, dis-je.

— Vraiment ?

— Six ans et demi.

Les phares éclairèrent un panneau devant nous, indiquant la direction de Seaview. Nick freina doucement pour ne pas secouer les deux endormis à l'arrière.

— C'était différent pour toi, bien sûr, poursuivis-je. Du moins, c'est ce que j'ai entendu. Paris, les femmes, l'argent, pas vrai ? En matière de débauche, je veux dire.

Il ne répondit pas. La route était déserte et Nick relâcha l'embrayage et changea de vitesse de sa main énorme, tournant le volant de l'autre. Il n'y avait pas de lampadaires le long de l'allée de Seaview, et la lune et les étoiles étaient dissimulées derrière les nuages. Je ne voyais rien d'autre que le profil de Nick.

Nous nous arrêtâmes devant la maison des Greenwald.

— Pendleton peut passer la nuit ici, dit Nick. Je ne veux pas réveiller les Palmer.

— D'accord.

Nick sortit de la voiture et extirpa Budgie de la banquette arrière et des bras de Graham. Elle émit un petit bruit de protestation avant de passer les bras autour du cou de son mari.

— Tiens-la, dit Nick. Je vais aider Pendleton. Allez viens, mon frère. On y va.

Je passai le bras de Budgie sur mes épaules.

— Oh, Lily, chérie. Te voilà, dit-elle.

L'odeur de gin dans son haleine faillit me faire tomber à la renverse.

Nous gravîmes les quelques marches avec difficulté. Nick avait pris la précaution d'éteindre la lumière du porche avant de venir nous chercher. Je trouvai la poignée et ouvris la porte, soutenant toujours Budgie. Nick et Graham étaient juste derrière nous, j'entendais distinctement leurs pas lourds et les grognements sourds de Graham.

— En haut de l'escalier, dit Nick. La deuxième porte sur la gauche.

— Aide-moi, Budgie. Je ne peux pas te porter, dis-je.

— Quel dommage, répondit-elle.

Elle se laissa tomber sur la première marche, mit sa tête entre ses genoux et vomit.

— Bon sang, marmonna Nick. Je vais monter avec Pendleton et je reviens la chercher.

Il aida Graham à gravir l'escalier. J'allai dans la cuisine et trouvai un torchon. Je le passai sous l'eau du robinet et nettoyai Budgie du mieux que je pus, puis j'épongeai le parquet. Les derniers effets de mes martinis s'étaient totalement dissipés, j'avais de nouveau l'esprit clair, mais j'étais fatiguée.

Nick me rejoignit.

— Tu n'avais pas à faire ça.

Il prit le torchon et alla dans la cuisine. J'entendis le robinet couler.

Je m'assis à côté de Budgie et pris ses mains dans les miennes.

— Réveille-toi, ma belle.

Elle leva la tête, les yeux à moitié fermés.

— Je ne dois pas être très belle à voir. Pauvre vieux Nick. Il aurait dû… Il aurait…

Sa tête retomba sur sa poitrine.

— Inconsciente ? demanda Nick.

Il dégageait une forte odeur de savon. Il la prit dans ses bras et la porta en haut de l'escalier. J'hésitai un instant, regardant Nick monter jusqu'à leur chambre à l'étage, les jambes et la tête de Budgie dépassant mollement de chaque côté de son dos. Puis je le suivis. Il aurait peut-être besoin d'aide, si elle vomissait de nouveau.

Leur chambre était au fond du couloir. Je suivis Nick dans la pièce. Il y avait deux petits lits, bordés avec soin, dans de beaux draps blancs. J'essayai de ne pas trop les observer. Nick étendit Budgie sur le lit qui était le plus près de la fenêtre.

— Ses vêtements sont trempés, dit-il. Pourrais-tu lui trouver un pyjama ? Dans le tiroir du haut, sur la gauche.

Je me dirigeai vers la commode, sur laquelle étaient posés un miroir, du maquillage, des mouchoirs usés, des boules de coton, des flacons de parfum et des bijoux précieux. Je vis mon visage se refléter, dans la pénombre de la lumière du couloir, j'avais les yeux écarquillés, les traits tirés, quasiment plus de rouge à lèvres et les cheveux ébouriffés. J'ouvris le tiroir du haut et y trouvai une petite pile de pyjamas de soie, pliés soigneusement.

Nick ôta la robe de Budgie. Elle ne portait pas de soutien-gorge. Ses petits seins étaient presque plats sur sa poitrine. Nick enroula ses bas et dégrafa sa gaine. Il prit le haut de pyjama que je lui tendais et le fit glisser au-dessus de sa tête, puis enfila ses bras à l'intérieur. Il souleva ses jambes l'une après l'autre pour les glisser à l'intérieur du pantalon et noua le lien à la taille. Bizarrement, son pyjama n'avait rien d'audacieux, contrairement au reste de sa garde-robe et à ce que j'aurais pu imaginer. Je l'avais toujours vue dormir nue, collée contre le corps de Nick, dans un contraste d'ivoire et d'or.

Il étendit la couverture sur Budgie. Elle gémit et blottit son visage dans son oreiller, sa chevelure sombre contre le coton blanc.

— Tu penses que ça ira ? demandai-je.

— Oui, elle ira bien. Elle aura la gueule de bois demain matin, bien sûr, la pauvre, répondit Nick en arrangeant un peu les draps avant de se tourner vers moi. Merci.

— Je vais y aller, alors, dis-je en me dirigeant vers la porte.

Le parquet grinça derrière moi.

— Je te ramène en voiture.

— Pas la peine. Je n'en ai que pour quelques minutes.

— Mais il fait noir dehors, on ne voit pas à un mètre.

— Je connais le chemin.

Nick me suivit dans l'escalier, m'ouvrit la porte.

— Nick…

— Je viens avec toi, d'accord ? Ne proteste pas, dit-il.

Nous descendîmes l'allée, les maisons d'un côté, l'océan Atlantique de l'autre grondant sourdement. La pluie s'était arrêtée, laissant derrière elle un ciel dégagé avec quelques nuages ici et là, la lune semblait proche. Je humais l'odeur de la mer, sombre et saumâtre, le parfum de l'été.

— Tu avais raison à propos de Paris, dit Nick. J'ai bu et dépensé de l'argent. J'ai séduit et couché avec des femmes. Autant que je le pouvais, au début.

— Formidable. J'espère que tu t'es bien amusé.

— J'essayais de t'oublier. Chaque fois, c'était pour essayer de t'oublier, et chaque fois tu étais là, à me regarder pendant que je fautais, à te moquer de moi.

Je restai silencieuse un moment.

— Et Budgie ? J'imagine que tu as épousé Budgie pour m'oublier ?

— Oui. Pour t'oublier et pour te punir aussi, j'imagine.

— Me punir de quoi ?

— De m'avoir oublié.

Le gravier crissait sous nos pas.

— Je ne t'ai jamais oublié, murmurai-je. Pas un jour, pas une heure. Je ne pouvais pas t'oublier. Tu étais Nick. Personne au monde n'existait à mes yeux, à part toi.

— J'ai tout fichu en l'air. Je le sais à présent. J'étais jeune et bête, je ne voyais pas les choses clairement, je pensais que tu… (Il s'interrompit.) C'est pour ça que je suis revenu, pour te dire, pour t'expliquer du moins, même s'il est trop tard pour…

Je m'arrêtai et me tournai face à lui. Nous étions presque arrivés chez moi, au bout, dans l'espace entre l'avant-dernière maison et la mienne, dans le noir total. Je sentais le souffle de Nick sur ma peau.

— À quoi bon ? Il est trop tard. Tu es marié. Qu'est-ce que cela changerait ? Sais-tu combien cela me torture de vous voir ensemble ? Le sais-tu ? Est-ce que ça aussi, c'est ma punition ? Cherches-tu à enfoncer le couteau dans la plaie pour me faire encore plus souffrir ?

— Ne dis pas ça, Lily. Écoute, il y a autre chose, quelque chose que tu dois savoir…

— J'ai embrassé Graham ce soir, dis-je. Nous sommes sortis, derrière la taverne, et je l'ai embrassé, et je l'ai laissé me déshabiller, dehors, là où n'importe qui aurait pu nous voir. Je l'ai laissé me toucher. J'étais assise sur ses genoux.

Nick respirait en silence dans le noir.

— Quoi d'autre ?

— Rien. Il s'est arrêté. Il a dit qu'il voulait me faire la cour.

— As-tu dit oui ? répondit-il après un moment de silence.

— Pourquoi pas ? Peut-être que, moi aussi, je veux me marier. Peut-être que je veux que quelqu'un m'embrasse, me touche, me fasse l'amour. Peut-être que, moi aussi, je veux fonder ma propre famille. Peut-être que je veux que quelqu'un me déshabille et m'enfile mon pyjama et me mette au lit quand j'ai trop bu.

Nick se remit à marcher. Je le rattrapai.

— Je le mérite, bien sûr, dit-il.

— Oui, et plus encore.

Il s'arrêta devant le chemin qui montait jusqu'au porche de ma maison.

— Veux-tu épouser Graham ?

— Je ne sais pas encore.

Nick restait là, immobile, à me regarder. La lumière de notre porche était allumée, à quelques mètres de là, et dans la lueur floue, son visage était dur et distant. Il marmonna quelque chose que je ne compris pas.

— Qu'as-tu dit ? demandai-je.

— S'il te fait souffrir, je le tuerai.

Une vague, étonnamment grosse, vint s'écraser avec fracas contre les rochers au bout de la crique.

— C'est un peu fort, tu ne trouves pas ? Venant de toi.

— Lilybird..., murmura Nick.

— Bonne nuit, l'interrompis-je.

— Attends, dit-il en saisissant mon bras.

Je me dégageai vivement de son emprise et croisai les bras derrière mon dos.

— Qu'y a-t-il ?

— Merci de m'avoir permis de connaître Kiki. C'est une petite fille incroyable, un véritable trésor.

Mon cœur battait dans la nuit. À un pas ou deux de moi, celui de Nick battait aussi. La poitrine de Nick bougeait, les bras et les jambes et la tête de Nick frappaient l'air de leur énergie vibrante, de son inimitable substance. Six ans et demi après,

Nick était là devant moi, dans la nuit chaude de l'Atlantique.

Je pensais à la bouche de Graham sur la mienne, sa bouche au goût de whiskey. Je pensais aux mains de Graham sur mon corps. Graham et son regard triste et perdu, sur le banc derrière la taverne, contre le mur à la peinture bleue écaillée.

— Tu sais très bien t'y prendre avec elle, répondis-je. Budgie avait raison : tu feras un très bon père, un jour.

Je gravis les quelques marches menant à la maison. Au dernier moment, je me retournai. Nick était toujours là, et les nuages soudain se dissipèrent derrière lui, baignant l'océan de la lumière de la lune.

— Je suis désolée de la façon dont elles vous traitent, dis-je. J'en ai parlé à Mme Hubert. C'est horrible.

— Je n'en attendais pas moins de leur part. Bonne nuit, Lily.

— Bonne nuit.

Nick ne bougea pas. J'entrai dans la maison et montai l'escalier sur la pointe des pieds, sans allumer la lumière. La chambre de Kiki était au fond, à côté de la mienne, la porte entrouverte. Je me glissai à l'intérieur, ouvris légèrement la fenêtre pour faire entrer un peu d'air et vérifiai qu'elle dormait bien. Ses cheveux bruns étaient doux, sa joue chaude. Je déposai un baiser sur son front et allai dans ma chambre enfiler ma chemise de nuit. Marelda avait laissé une carafe d'eau fraîche sur ma table de nuit. Je bus un verre d'eau, allai dans la salle de bains et me brossai les dents pour rafraîchir mon haleine chargée de relents de gin et de fumée de cigarette.

Avant d'aller me coucher, je regardai par la fenêtre qui donnait sur l'allée. Nick était parti, mais j'avais l'impression de voir sa silhouette un peu plus loin, il marchait les mains dans les poches, la tête baissée.

11

725, PARK AVENUE, NEW YORK

31 décembre 1931

L'horloge égrène les minutes qui sonneront vingt-deux heures avec une lenteur insupportable. Discrètement, je jette un œil par-dessus mon livre en direction de papa, assis à côté de la radio dans un fauteuil à dossier haut, en train de lire son journal.

La radio allumée, à faible volume, récite à voix basse, de manière presque réconfortante, la liste des faillites des banques, elle informe de l'augmentation des droits de douane et des règlements de comptes sanglants entre mafieux. Le journal de papa tremblote quand il tourne la page.

Je regarde à nouveau l'horloge. Vingt et une heures trente-cinq.

Je pose mon livre sur mes genoux et bâille sans retenue.

— Vas-tu attendre minuit, papa ?

— Qu'y a-t-il, mon ange ? répond-il en étouffant un bâillement.

— Tu attends minuit ?

— Minuit ? Non, non, je ne pense pas. Et toi ?

— Oh, non. Non, je suis terriblement fatiguée.

— Tu n'as pas de projets pour ce soir ? demande-t-il en tournant une page. Je croyais que toi et Budgie aviez prévu d'aller à une fête.

— Non, non. Budgie et ses amis sont bien trop fêtards pour moi.

Papa pose son journal. Ses lunettes de lecture ont glissé jusqu'au bout de son nez et sont sur le point de tomber.

— C'est dommage. Tu devrais sortir, ma puce. Tu devrais t'amuser.

— Tu me connais, papa.

Je serre ma robe de chambre autour de moi.

— Je me souviens, lorsque j'avais à peu près ton âge, les Van der Wahl avaient organisé une grande fête de Nouvel An dans leur appartement sur la Cinquième Avenue et la 64e Rue. Une bringue du tonnerre, comme on dit, raconte-t-il en riant. C'est là que j'ai rencontré ta mère. Nous avions tout prévu, tu sais. C'est là que je l'ai embrassée pour la première fois, derrière la topiaire dans la salle de bains de la vieille Mme Van der Wahl.

— Petit chenapan.

— Oh, ta mère était une sacrée séductrice en son temps. Pleine d'audace. Mais dès le moment où nous nous sommes rencontrés, nous n'avions d'yeux que l'un pour l'autre.

Mère, une séductrice ?

— Oh, papa, dis-je à voix basse.

— Six mois plus tard, nous étions mariés, et puis nous t'avons eue, dit-il avec un sourire. Et maintenant, regarde-toi, comme tu as grandi. Assise ici avec ton vieux père, au lieu d'être dehors à t'amuser. Ta mère est-elle rentrée ?

— Pas encore.

Papa regarde l'horloge (vingt et une heures quarante deux) et secoue la tête.

— Ce comité ! Je me demande bien pourquoi ils ont besoin d'elle une veille de Nouvel An.

— Mère et ses œuvres de charité, tu la connais : toujours disponible, même une veille de Nouvel An.

Mère a travaillé sans compter tout l'hiver ; je l'ai à peine vue, entre une réunion et l'autre, parfois jusque tard dans la nuit. C'est comme si elle nous avait totalement abandonnés, comme si elle avait échangé notre routine ennuyeuse et familière au profit des orphelins du monde entier.

Mais je n'ai plus besoin de mère. J'ai mes rêves à moi, désormais. J'aimerais juste qu'elle rentre un peu plus tôt de temps en temps, pour s'occuper de papa, qu'elle n'ait pas proposé ses services le soir du Nouvel An.

Je bâille encore et m'étire, je me lève et m'étire de nouveau en tenant le livre haut au-dessus de ma tête.

— Mes yeux se ferment tout seuls, papa. Je crois que je vais aller me coucher. Réveille-moi à minuit.

Papa éclate de rire.

— Oh, je dormirai depuis longtemps ! Je crois même que je vais aller me coucher maintenant. Ça ne rime à rien de rester assis seul ici le soir du Nouvel An, tu ne trouves pas ?

Il se lève et éteint la radio, puis pose le journal sur la table. Pendant un moment, il observe la nature morte devant lui : la radio, le journal et la lampe en porcelaine bleu et blanc ; ces trois éléments qui constituent toutes ses soirées. Sur la cheminée, l'horloge avance, il est vingt et une heures quarante-trois.

J'ai beaucoup de souvenirs de papa avant la guerre, des souvenirs heureux et pleins de vie. Je me souviens de lui comme du soleil, toujours brillant et lumineux, me lançant dans l'eau et me rattrapant, ou me câlinant sur le canapé en me lisant une histoire dans un livre aux couleurs pastel, ma préférée était *Pierre Lapin*.

Aujourd'hui, évidemment, ce genre de choses ne se produit plus. Je lui tiens la main, je lui fais une bise ; s'il est dans un bon jour, je vais même peut-être pouvoir lui passer mon bras autour des épaules.

Je m'approche de lui, en faisant traîner mes pieds lourdement sur le tapis, pour qu'il m'entende venir. Je pose la main sur son épaule et dépose un baiser sur sa joue. Il a les yeux fermés.

— Bonne nuit, papa, dis-je. Bonne année.

— Bonne année, mon ange.

Je lui tapote l'épaule et quitte la pièce, je traverse le long couloir qui mène à ma chambre.

Je ferme la porte et retire ma robe de chambre. Ma robe brille de mille feux en dessous, une magnifique robe à sequins dorés achetée chez Bergdorf la semaine dernière avec Budgie. Je me mets à genoux au pied de mon lit pour extraire les chaussures assorties (des chaussures dorées à talons vertigineux) et les enfile en tremblant.

Je me regarde dans le miroir sur la commode. J'ai les joues roses, les yeux brillants, tout mon visage semble rayonner de joie. Je me mets de la poudre et du rouge à lèvres.

À côté du miroir est posé un flacon de *Shalimar*, offert par papa pour Noël. Je retire le bouchon et en applique quelques gouttes derrière mes oreilles et sur mes poignets. Le parfum embaume l'air autour de moi. Il est trop tard pour changer d'avis. On ne peut pas se coucher en sentant *Shalimar* et rien d'autre.

Mes cheveux sont attachés en petites boucles serrées ; je retire les épingles et secoue la tête pour leur donner plus de volume. De ma boîte à bijoux, je sors un rang de perles, mais lorsque je l'enfile autour de mon cou, le collier me paraît absurde : guindé et trop petite fille à côté des sequins dorés de ma robe. Je le range et ouvre le placard, au fond duquel est suspendu le vieux manteau de vison de mère, qu'elle ne met plus depuis qu'elle en a un plus beau.

Enroulée dans le vison et *Shalimar*, j'entrouvre la porte et jette un coup d'œil dans le couloir. La lumière est allumée dans la chambre de mes parents ; mon père est couché. De mes doigts froids et coupables, j'éteins la lampe de ma chambre, me glisse dans l'ouverture de la porte et traverse le couloir et le salon sur la pointe des pieds, jusqu'à l'entrée de service derrière le garde-manger. Marelda est au lit aussi, dans sa toute petite chambre à côté de la cuisine.

J'ouvre la porte de service et trouve Maisie dans son pyjama à rayures roses, ses longs cheveux bruns tressés dans son dos. Elle étouffe un ours en peluche marron sous son bras.

— Maisie ! dis-je, surprise, m'exclame en serrant le manteau de fourrure contre moi. Que fais-tu ici ? Ne devrais-tu pas être au lit ?

— Marelda me donne souvent des cookies le soir. Est-ce que tu sors ? demande-t-elle en pointant son Teddy vers le vison de mère.

— Euh, oui…

— Tu es belle. Pourquoi utilises-tu la porte de service, Lily ? me questionne Maisie de sa voix aiguë.

Elle pose sur moi ses grands yeux bordés de longs cils épais.

— Juste comme ça.

— Est-ce que tu vas rejoindre ton *petit ami* ?

— Peut-être, réponds-je avec un sourire. Mais va te coucher, Maisie. Marelda est déjà dans sa chambre.

— Pas de cookies ? demande-t-elle d'un air triste.

Son pyjama est tout froissé et taché, comme si elle avait renversé du lait dessus. Elle serre le cou de son vieil ours en peluche.

— Attends une minute, d'accord, ma puce ?

Sans bruit, je retourne dans la cuisine où la boîte à biscuits est toujours pleine. Je prends deux grands cookies que j'emballe dans une serviette en papier et les rapporte à Maisie.

Il fait noir et froid dans l'ascenseur de service ; il est encore plus lent que l'ascenseur principal. Blottie dans le manteau de mère, la fourrure douce comme de la soie contre ma joue, je regarde les étages défiler, un par un, et j'arrive enfin au rez-de-chaussée dans un fracas métallique.

Dehors, Nick m'attend appuyé contre la portière passager de sa Speedster Packard, il porte un manteau et une écharpe en laine épaisse, ses chaussures impeccablement cirées. Il se redresse d'un bond en me voyant.

— Enfin ! s'exclame-t-il et il me prend dans ses bras et me fait virevolter. Je croyais que tu avais changé d'avis et que tu ne viendrais pas.

Je rejette la tête en arrière et éclate de rire. Je ris aux éclats pour la première fois depuis des jours et des jours. Les bras puissants de Nick m'ancrent dans le présent tandis que le monde défile sous mes yeux à une allure folle. Cela fait deux semaines que je ne l'ai pas vu, depuis que papa l'a congédié sans ménagement, et je lui réponds à présent en l'embrassant passionnément.

— Regarde-toi dans la fourrure et les sequins, dit-il en enfouissant son visage dans le creux de mon cou. Tu sens terriblement bon. Tu es trop belle pour moi, Lilybird.

— C'est Budgie qui a choisi la robe, et la fourrure est à ma mère. Ne le dis à personne.

Il me soulève et me dépose sur le siège passager avant de sauter derrière le volant. La capote est baissée, nous exposant tous les deux à la nuit glaciale. Nick met le contact et se penche vers moi.

— Je pourrais te manger toute crue. J'étais en train de perdre la tête. Pourquoi refusais-tu de me voir ?

— Je t'ai dit que je ne pouvais pas. Papa va enfin un peu mieux, mais il a passé deux semaines au lit, il refusait de se lever. Il n'avait pas eu de crise comme celle-ci depuis des années, et mère…

— Ça ne fait rien, dit-il en m'embrassant. Je vais te changer les idées ce soir, Lily. On va rattraper le temps perdu. Mon Dieu, tu es si belle.

Nous démarrons et le moteur vrombit joyeusement.

Au cours des deux semaines qui viennent de s'écouler, je n'ai pensé à personne d'autre que Nick, réfléchi à rien d'autre qu'à ce que j'allais lui dire ce soir. Mais, avec Park Avenue défilant devant nous et le vent froid soufflant sur mon visage, j'ai tout oublié. Le bruit du moteur et le tonnerre du vent rendent toute conversation impossible de toute façon.

Nick crie quelque chose et me prend la main.

— Quoi ?

La voiture ralentit à l'approche d'un feu rouge.

— Allons d'abord à la fête, d'accord ? As-tu ton masque ?

— Oui, réponds-je en tapotant mon sac à main.

— Bien.

Le feu passe au vert et Nick me lâche la main pour redémarrer. Nous tournons à droite sur la 66e Rue pour traverser Central Park. Je me blottis dans le vison de mère et savoure le vent glacial qui cingle mon visage ; je me suis emprisonnée dans l'appartement étouffant de mes parents trop longtemps pour m'occuper de papa, ne m'autorisant que de brèves sorties pour aller faire des courses ou les nécessaires visites à des connaissances du quartier. Je bois de grandes gorgées de l'air glacé à moins cinq degrés. Comment Nick a-t-il pu penser à baisser la capote par ce froid ? J'appuie la tête en arrière sur la banquette et je l'observe tandis qu'il conduit, son profil d'aigle et les immeubles qui défilent derrière lui. Tout mon corps se consume d'amour. Je voudrais m'allonger pour lui, ici, dans la voiture ouverte. Nous arrivons à un autre feu rouge, il se tourne vers moi et me sourit.

— Arrête, dit-il. Sinon, je vais commencer à t'embrasser et nous nous écraserons contre un réverbère.

Nick gare la voiture à l'angle de la rue de l'immeuble de ses parents, sur Central Park West et la 72e Rue.

— Laisse-moi t'aider à enfiler ton masque, dit-il en l'attachant derrière ma tête.

— De quoi ai-je l'air ?

— D'une déesse.

Il m'embrasse, puis recommence, plus longtemps cette fois, il passe ses mains sur ma tête et caresse mes cheveux.

— Je brûle de désir pour toi. Il faut que j'arrête, sinon nous n'arriverons jamais à la fête. À ton tour, attache mon masque.

Ce n'est qu'un petit bout de soie noire, et je tourne la tête de Nick pour nouer les rubans.

— Tu ressembles à un bandit.

— Je suis un bandit. J'ai déjà kidnappé une belle demoiselle ce soir. Allez, viens, Lilybird. Viens rencontrer ma famille de fous.

Nous entendons le bruit de la fête depuis l'ascenseur, que nous partageons avec sept ou huit autres personnes.

— Connaissez-vous les Greenwald ? demande l'un d'entre eux, appuyé tout contre le vison de ma mère.

— Un petit peu, dis-je.
— Ne l'écoutez pas, dit Nick. Elle n'est pas invitée.
— Moi non plus ! répond l'homme gaiement. Il paraît que c'est la plus belle fête de la ville.

L'ascenseur s'arrête au dernier étage, et nous pénétrons dans un hall d'entrée, qui est aussi une explosion de bruit et de lumière, et où se presse une foule compacte dans un nuage de fumée de cigarettes. Et dire que j'avais peur que ma robe soit trop osée, j'ai presque l'impression d'être une nonne à côté des décolletés plongeants et des jupes scintillantes des autres femmes.

— Je vais déposer ton manteau dans ma chambre, dit Nick à mon oreille en faisant glisser la fourrure de mes épaules. Comme ça, tu ne risques pas de le perdre dans la confusion. Ne bouge pas.

Un serveur passe, un plateau de coupes de champagne à la main. J'attrape un verre et le bois rapidement, les bulles me piquent le nez. Je nage dans un océan de masques, certains austères comme celui de Nick, et d'autres décorés de plumes et de bijoux. Un chef-d'œuvre cubiste surprenant semble avoir rendu celui qui le porte pratiquement aveugle, ou peut-être est-il simplement ivre. Aucun des visages ne m'est familier. Je bois une autre gorgée de champagne, encore plus longue que la première, et j'ai l'impression que des ailes viennent de me pousser dans le dos et que je suis sur le point de m'envoler, loin de mes parents et de Park Avenue, de Seaview et de Smith College, de tout ce que j'ai jamais connu.

J'erre du hall d'entrée jusqu'à la salle de réception, avec une cheminée à un bout et des portes-fenêtres à l'autre, donnant probablement sur une terrasse. Au centre s'élève une immense fontaine qui brille d'un jaune pâle sous les lumières, et je me rends compte avec un choc que Nick disait la vérité, que c'est bien une fontaine de champagne qui coule chez les Greenwald, en dépit des lois constitutionnelles qui régissent le pays. Les invités se pressent les uns contre les autres, ils rient encore plus fort, et quelque part, dans une autre pièce, un orchestre joue du Gershwin avec enthousiasme.

Deux bras se glissent autour de ma taille, par-derrière. Un instant, je crois que Nick est revenu, mais les bras sont bien trop minces, et la voix est celle de Budgie.

— Salut, ma belle ! *Quelle surprise*[1] !

— Te voilà ! Oh, regarde-toi.

Elle porte une robe en lamé argenté qui glisse le long de son corps lisse, et un masque argenté assorti. Cela va bien avec ses cheveux bruns, son rouge à lèvres rouge et ses grands yeux bleu argenté bordés de longs cils noirs.

— Non, regarde-toi ! Je t'avais dit que cette robe était parfaite, s'exclame-t-elle en me prenant le bras. Viens avec moi.

— Où est Graham ?

— Oh, il est par là, quelque part. Il m'énervait, alors je lui ai dit d'aller faire un tour. Regarde ! Voilà ton loyal prétendant.

— Te voilà, dit Nick en posant une main sur mon bras. Je croyais t'avoir dit de ne pas bouger. J'avais

1. En français dans le texte.

peur de t'avoir perdue pour de bon. Budgie, content de te voir, ajoute-t-il avec un petit signe de tête.

Budgie se dresse sur la pointe des pieds et l'embrasse sur la joue, juste en dessous de son masque.

— Nick, chéri ! Quelle allure ! Cette fête est fabuleuse, merci de m'avoir invitée.

Il détourne la tête.

— Est-ce que Pendleton est dans le coin ?

— Oui, quelque part, répond-elle en faisant vaguement un geste du bras. Avez-vous mangé tous les deux ?

— J'espérais réussir à convaincre Lily de danser avec moi d'abord, répond Nick.

— Oh, allez-y, ne vous inquiétez pas pour moi. Mais avant, que penses-tu de la robe que j'ai choisie pour Lily ?

— Elle est magnifique.

— Elle est véritablement transformée, n'est-ce pas ? On ne croirait jamais que ma gentille petite souris se cache là-dessous, dit-elle en me pinçant le menton. Amusez-vous bien, tous les deux. Et ne faites pas trop de bêtises.

L'orchestre entame *Embraceable You* et, dès que nous sommes au milieu des autres danseurs, je lâche l'épaule de Nick pour effacer la trace de rouge à lèvres que Budgie a laissée sur sa joue.

— C'est fantastique. Je ne me souviens plus de la dernière fois que j'ai dansé.

— Moi non plus, répond-il avec un sourire.

— Tu es sûr de bien aimer cette robe ? Ce n'est pas un peu trop ?

— Je dirais que c'est le contraire, dit-il en m'observant de son air de pirate.

Nous dansons un peu, mais je vois bien aux petites grimaces de Nick que sa jambe le fait souffrir. Je lui dis que j'ai faim ; il me trouve une chaise vide et me rapporte une assiette du buffet débordant de crevettes, de fraises et de petits toasts de caviar. La musique s'élève autour de nous. Je ne vois Budgie nulle part. Nick me sourit de derrière son masque en soie noire, vide sa coupe de champagne et porte une fraise à mes lèvres. Nous sommes assis à côté d'une immense fenêtre tout au bout de la salle de bal. Tout scintille ici, chaque objet attrape la lumière des lustres et la multiplie à l'infini.

— Je n'arrive pas à croire que tu vives ici, dis-je, penchée vers lui pour qu'il m'entende en dépit du brouhaha des conversations, des rires et de la musique.

— Je n'y vis pas ! répond-il en riant. Pas souvent, en tout cas.

— Ta chambre est-elle aussi luxueuse ?

— Tu aimerais bien le savoir, hein ?

Sous la nappe, je pose une main audacieuse sur son genou.

— J'adorerais le savoir.

En dépit de son masque, je vois que ses yeux marron vert s'écarquillent légèrement, que ses pupilles se dilatent. Il a déjà bu plusieurs coupes de champagne et sa volonté est affaiblie. La mienne, au contraire, est enhardie. Je me sens légère.

— S'il te plaît, Nick ? dis-je d'une voix suppliante. Tu sais à quel point je déteste la foule.

— Moi aussi, dit-il en se levant soudain. Très bien. Suis-moi.

Il me prend la main et nous nous frayons un chemin à travers cette masse de corps pressés les uns contre les autres qui sentent le parfum, la sueur et la cigarette, l'odeur caractéristique d'une fête réussie. Et malgré toutes les couleurs, les lumières et les formes qui assaillent mes sens, je n'ai d'yeux que pour Nick, je ne vois que son dos large, le tissu soyeux de sa queue-de-pie tandis qu'il marche devant moi et scinde la foule sur son passage. Par-dessus la ligne blanche de son col, la peau de sa nuque est rose et propre.

Nous sortons de la salle de bal et traversons la salle de réception où la fontaine de champagne scintille sous les lustres et une superbe femme aux cheveux foncés tend son bras nu pour remplir son verre. Je l'observe, fascinée, tandis que le champagne commence à déborder. Elle éclate de rire et porte la coupe à ses lèvres pour y boire avidement. Elle porte un grand masque blanc couvert de plumes blanches et de diamants, une robe longue blanche, elle aussi, et couverte de brillants qui scintillent de mille feux. Elle est grande et d'une beauté renversante, et quelque chose dans ses mouvements gracieux, quelque chose dans son sourire me rappelle quelque chose de familier, mais le champagne m'est monté à la tête.

Nick me tire à sa suite et je trébuche derrière lui sur mes talons trop hauts qui glissent sur le sol de marbre. Je hâte le pas et, dans mon exubérance, je soulève sa main et embrasse le bout de ses longs doigts. Ma robe tourbillonne autour de mes jambes.

Nick rit et embrasse ma main en retour et, ensemble, nous fuyons la foule dans le hall d'entrée comme des enfants espiègles, le long d'un immense couloir puis nous tournons à droite et, soudain, tout est calme. La musique et les rires ne sont plus qu'un bruit sourd lointain.

Nick sort une clé de sa poche.

— Je ferme toujours ma chambre dans ces cas-là, dit-il en me faisant signe de passer devant lui.

Sa chambre n'est ni grande ni luxueuse. Elle n'est pas plus grande que la mienne. Les murs sont bordés d'étagères remplies de livres sur lesquelles sont posées des maquettes d'architecture à différents stades d'évolution. Deux grandes fenêtres font entrer la lumière jaune et tamisée de la ville. Sur ma droite, deux portes sont entrouvertes, l'une mène à la salle de bains et l'autre est un placard, je pense. Un lit étroit placé contre le mur en face, entre deux étagères, est bordé au carré, avec un gros oreiller et le vison de ma mère posé dessus. Je regarde le lit et je me demande comment le long corps de Nick peut tenir dedans.

Nick, derrière moi, m'enlace et pose son menton sur le haut de ma tête.

— À quoi penses-tu ?

— Je l'aurais reconnue n'importe où, dis-je en me tournant vers lui. Alors, combien de filles as-tu amenées dans ton antre ?

— Tu es la première.

— Vraiment ?

— Pas de fantômes, je te le promets, dit-il en riant face à mon expression sceptique. Ma mère vit ici.

Je n'allais quand même pas faire venir une fille de joie, si c'est ce que tu penses.

— Alors, où emmenais-tu tes filles de joie ?

Nick caresse mes cheveux.

— Hé, qu'est-ce qui t'inquiète ? À quoi penses-tu, Lily ? Tu ne crois pas que je suis sérieux avec toi ?

Il me regarde tendrement.

— Non, je sais que tu es sérieux.

— Quoi, alors ? Les autres filles ? Le passé ? Tu es jalouse, Lilybird ? Toi ?

— Peut-être un peu, réponds-je en baissant les yeux.

— Elles sont parties, Lily. Depuis le premier instant où je t'ai vue, il n'y a plus eu que toi. Tu comprends ? Ne te méprends pas. Je n'ai jamais été un don Juan. Tu es la première fille qui entre dans cette chambre, dit-il en relevant mon menton pour m'embrasser. Et j'aimerais que tu sois la dernière.

La peau que j'ai admirée quelques instants plus tôt se trouve désormais sous mes doigts.

— J'aime bien ces chaussures. C'est plus facile de t'atteindre là-haut.

— Moi aussi, j'aime tes chaussures. Mais si tu veux m'atteindre, tu n'as qu'à le demander.

Il me prend par la taille et me soulève, sans effort apparent, et nous nous embrassons encore et encore, partageant le goût du champagne et des fraises, quand enfin les bras puissants de Nick me laissent glisser le long de son corps jusqu'à ce que je touche le sol de la pointe de mes chaussures.

— Alors..., dis-je en tripotant un bouton de son veston.

— Alors, répète-t-il.

Il tire doucement sur la toute petite manche de ma robe et embrasse mon épaule nue.

— J'ai une confession à te faire, ajoute-t-il.

— Une confession ? Quelque chose de coquin, j'espère.

— J'ai envoyé une lettre à ton père la semaine dernière.

— Tu as fait quoi ? m'écrié-je en reculant d'horreur.

— Reviens, dit-il en m'attrapant la main. Je ne sais pas s'il l'a lue ou pas. Il l'a peut-être jetée à la poubelle sans l'ouvrir. Mais… Eh bien, Lily, comme je te l'ai dit, mes intentions envers toi sont très sérieuses et je compte faire les choses correctement.

Je porte ma main à mon front dans l'espoir d'empêcher ma tête de tourner. La petite chambre tangue autour de moi et le seul objet solide est Nick : ses mains qui m'enlacent, son regard sincère.

— Qu'as-tu écrit dans la lettre ?

— Je pense que tu le sais, répond-il en souriant.

— Oh, mon Dieu.

— Tu as l'air horrifié. Ma lettre était respectueuse, Lily, je te le promets. J'ai passé une semaine à l'écrire pour trouver les mots justes. Je lui ai demandé sa permission, j'ai exposé clairement mes intentions, je lui ai dit que je comprenais ses réserves. Mais… écoute, Lily… Je lui ai dit que la décision finale sera et devra être la tienne.

— Oh, Nick.

Les mots me manquent. J'imagine mon père lisant cette lettre seul dans sa chambre, sans m'en parler. Ou pire, voyant l'adresse de l'expéditeur, il l'aura jetée à la poubelle, sans même chercher à savoir ce qu'elle contient, pour éviter qu'elle ne lui crée un problème de conscience. Comment cette lettre a-t-elle pu arriver sans que je le sache ? Ma mère l'a-t-elle lue ?

Ma mère.

Nick m'enlace à nouveau, m'embrasse encore.

— C'est pour ça que je t'ai demandé de venir ici, que tu es la seule à être venue ici, dit-il en secouant la tête. Si je suis sérieux à ton sujet… ? Lily, je suis fou de toi. Ne le sais-tu donc pas ? Fou de toi, ivre de toi, je ne vis pour personne d'autre que toi. Depuis que je t'ai rencontrée, pas une heure ne s'écoule sans que je pense à toi.

Je lui rends son baiser, parce qu'il m'est plus facile de l'embrasser que de parler, et parce qu'il est si grand, si fort et si impressionnant dans son costume queue-de-pie et sous son masque de bandit. Dans le tumulte de mon jeune esprit et de mon jeune corps, je ne veux qu'une chose : m'abandonner. Me laisser aller. Me perdre complètement. Me donner à lui.

— Je voulais attendre jusqu'à minuit, mais la façon dont tu me regardais… et cette robe, mon Dieu…

Soudain, il me prend dans ses bras, me soulève et m'étend sur son lit. Je reste immobile un moment, blottie dans la fourrure et l'incrédulité, blottie avec ma tête sur l'oreiller de Nick, les bras tendus vers lui tandis qu'il retire à la hâte sa veste de costume. Un instant plus tard, il me recouvre de son grand corps chaud, m'embrasse, et je ne sens plus que lui, je me noie en lui, rien d'autre n'existe que lui et sa main qui glisse dans le décolleté de ma robe pour se refermer sur mon sein nu.

Ma mère.

J'étouffe un petit cri.

Mes yeux s'ouvrent soudain. Je repousse Nick.

— Nick ! Oh, mon Dieu, Nick !

Il lève la tête, retire sa main de ma poitrine.

— Lily ! Excuse-moi, je…

Coincée sous lui, je me débats. Il se redresse, ses cheveux tombent sur son front, il me regarde sans comprendre et ses yeux brûlent toujours de passion derrière la soie noire de son masque.

— Non, ce n'est pas toi ! C'est ma mère, Nick.

— Ta mère ?

— Elle est là, ce soir, Nick. Je l'ai vue. À côté de la fontaine de champagne, elle porte une robe blanche. Elle est ici.

12

SEAVIEW, RHODE ISLAND
Août 1938

Graham Pendleton passa tout l'été de 1938 à me faire la cour, et tout le monde à Seaview approuvait.

Deux jours après nos baisers à l'arrière de la taverne, il était apparu à la porte de notre maison de bonne heure, chaussures cirées, cheveux coiffés en arrière, un bouquet de fleurs à la main, pour me proposer d'aller faire une promenade.

— Une promenade ? répétai-je, stupéfaite.

— J'ai choisi la seconde option, dit-il en déposant un baiser sur ma main. Qu'en penses-tu ?

J'observai son visage parfait, ses yeux de la couleur d'un ciel d'été. Je venais juste de rentrer de ma baignade matinale, et mes cheveux dégoulinaient encore d'eau salée ; j'étais nue sous ma robe de chambre.

— Vraiment ?

— Oui, absolument. Je suis très sérieux.

— Et je suis censée accepter et me conformer à ce plan ?

— C'est ce que j'espère. J'ai passé toute la journée d'hier à essayer de trouver le courage de venir ici pour te faire cette proposition, dit-il en agitant le bouquet de fleurs sous mon nez. Tiens, elles sont pour toi. Donne-moi une chance, Lily. Viens au moins te promener avec moi.

Je pris les fleurs et les sentis. C'étaient des lys, une gentille attention de sa part, et ils sentaient très bon.

— Va chercher un vase dans la cuisine. Je vais prendre une douche et m'habiller.

Lorsque je descendis, Graham m'attendait assis dans l'entrée. Le bouquet de fleurs était dans un vase en cristal posé sur la table à côté de lui. Il m'ouvrit la porte et me prit la main tandis que nous descendions le chemin qui menait à la baie.

— Je vais te montrer la crique, dis-je.

Nous allâmes nous asseoir sur les rochers près de la batterie. Le ciel était bas et couvert et l'océan agité. Personne alentour. La baie de Seaview était immobile et sans vie, à l'exception de quelques mouettes perchées sur les murs circulaires de la vieille batterie. Graham observait la mer, les sourcils froncés, comme s'il ne savait pas comment me regarder. Je lui donnai un petit coup du bout du pied.

— Tu sais que tu es censé me faire la cour.

Il éclata de rire et se tourna vers moi. Il était vraiment beaucoup trop beau.

— D'accord. Et comment aimerais-tu être courtisée ?

— Tu pourrais commencer par me dire que tu me trouves belle et que tu n'as jamais rencontré quelqu'un comme moi.

— Tu es très belle, Lily. Je n'ai jamais rencontré quelqu'un comme toi.

— Tu es censé le dire comme si tu le pensais, commentai-je en riant.

Il prit ma main dans la sienne et tripota mes doigts.

— Je le pense.

— Graham, je ne suis pas idiote. Tu as commencé à fréquenter de belles femmes dès que tu as porté ton premier pantalon. Je ne leur arrive pas à la cheville.

— Au contraire. Tu es… Je ne sais pas. Tu n'es pas glamour, bien sûr, sauf quand tu t'habilles pour un bal ou pour te rendre dans une taverne au bord de la route. Mais ton visage… c'est une beauté honnête, Lily. Une véritable beauté. La forme de tes yeux. Et tes cils : je ne les avais jamais remarqués avant l'autre soir, mais ils sont si longs et courbés, comme ceux d'un enfant.

— Je préfère ça. Continue.

— Tes cheveux, poursuivit-il en entortillant une mèche autour de son index. J'ai toujours aimé tes cheveux, même avant. C'était la première chose que je voyais quand je pensais à toi : Lily, la copine de Nick, et ses cheveux magnifiques. Sauvages et pleins de reflets changeants. On dirait qu'ils sont roux dans cette lumière. Ai-je la permission de parler de ta silhouette pendant que je te courtise ?

— C'est considéré comme vulgaire dans notre société.

— Alors je m'en abstiendrai. Mais j'y pense. Très souvent.

— Hmm.

Je retirai ma main de la sienne et la plaçai sous mon menton.

— Et depuis quand m'admires-tu à ce point ? La semaine dernière ?

— Je ne sais pas, répondit-il en regardant l'océan. Non, en fait, cela fait des années que je pense à toi. Je crois que c'est depuis cette dernière soirée de Nouvel An, chez les Greenwald. Je t'ai aperçue en train de filer en douce avec Nick, tu portais une robe renversante. Je me suis dit, bon sang, Nick ne s'est peut-être pas trompé après tout.

— Et après ça ?

Il haussa les épaules et sortit ses cigarettes de sa poche, joua avec son paquet, le tournant et le retournant dans ses mains.

— Et puis, j'ai continué ma vie, toi et Nick aussi. Mais je pensais à toi quand j'étais déprimé et fatigué par la vie. Je ne sais pas pourquoi, tu apparaissais dans mon cerveau, comme si tu étais un antidote à tout ce qui n'allait pas dans ces moments-là. Et un jour, cette bonne vieille Emily m'a appelé, comme ça, pour m'inviter à venir. Et nous voilà.

Il me tendit une cigarette. Je la plaçai entre mes lèvres et il sortit son briquet doré, l'alluma et l'approcha de ma cigarette. Une petite flamme orange s'éleva dans la lumière grise.

— Nous voilà, répétai-je en soufflant la fumée vers l'océan.

Graham s'alluma une cigarette et resta silencieux un moment.

— Je voulais m'excuser pour l'autre soir. J'ai perdu la tête. Je sais bien que tu n'es pas ce genre de fille.

— Quel genre de fille ?

— Celle avec qui on passe juste un bon moment.

— Il n'y a rien de mal à passer un bon moment, dis-je en regardant mes pieds.

— Si. Bien sûr, je ne dirais pas que je regrette ce qui s'est passé. Je crois même que je n'ai pensé à rien d'autre depuis. Le truc, Lily – et je t'assure que je suis très sérieux –, c'est qu'un homme doit penser à se ranger un jour ou l'autre. Et quitte à se ranger, autant le faire avec une fille comme toi.

— Jolie, mais pas trop jolie, répondis-je en jetant ma cendre sur les rochers en dessous. Réservée, mais pas trop réservée. Vertueuse, mais pas trop vertueuse.

— Très jolie. Et suffisamment vertueuse pour moi.

Je regardai la mer en pensant à Nick, en pensant au sexe et au mariage. Je pensais à papa aussi, et à ce qu'il aurait dit si je lui avais amené Graham ce jour-là, au lieu de Nick. Aurait-il approuvé ? Bien sûr que oui. Graham, c'était le gendre idéal. Un beau mariage en blanc, une lune de miel en Europe. Il aurait eu lieu en hiver, évidemment, pour ne pas tomber en plein milieu de la saison de base-ball. Aux Bahamas, par exemple. Quelque part où il ferait chaud. Passer mes journées avec Graham, mes nuits avec Graham. Était-ce vraiment ce que je voulais ?

— Cela ne te dérange pas ? demandai-je. Ce qui s'est passé avec Nick ?

— C'était il y a longtemps. Et puis, qui reste vierge jusqu'au mariage de nos jours ? Je ne veux pas te choquer, mais cela fait bien longtemps que je ne le suis plus, ajouta-t-il en riant.

— Je m'en doutais.

Je tripotai ma cigarette, je n'en voulais plus. Un bateau de pêche traversait la baie devant nous, en direction du large. Le vrombissement du moteur résonnait et l'odeur du gasoil brûlé se mêlait à celle de la mer et de la cigarette.

— N'oublie pas Kiki. Je ne peux pas la laisser chez ma mère. Elle ira où j'irai.

— J'y ai réfléchi aussi. Cela ne me dérange pas du tout. Elle est mignonne. Je pourrais lui apprendre à jouer au base-ball.

Je restais assise là, à réfléchir. Graham me toucha doucement le bras et parla d'une voix tout aussi douce.

— Alors, Lily, qu'en dis-tu ? Tu me donnes une chance ?

Lui donner une chance. Pourquoi pas ? Avais-je vraiment le choix ? Je pouvais dire non. Je pouvais continuer comme ça, à me dessécher comme un pruneau et finir vieille fille. Sinon, je pouvais aussi rentrer à New York à la fin de l'été, commencer à sortir et aller à des fêtes, chercher un amant, comme tante Julie le faisait chaque année au mois de septembre. Voulais-je devenir comme tante Julie ?

Ou je pouvais accepter la proposition de cet homme, que n'importe quelle fille saine d'esprit rêverait d'attraper dans ses filets : d'une beauté indéniable, de charmante compagnie, de très bonne famille et plus qu'enthousiaste à l'idée de se marier et de fonder sa propre famille. Ferait-il un bon mari ? Me serait-il fidèle ? Ferait-il un bon père pour nos enfants ? Qui pouvait le savoir ? Je pensais pouvoir l'aimer. Il m'attirait physiquement, et je l'avais toujours apprécié. Il flirtait agréablement, il embrassait divinement. Le whiskey sur ma poitrine nue annonçait probablement d'autres surprises érotiques. Il m'emmènerait au restaurant, ferait toujours en sorte que je m'amuse, me donnerait des enfants et un foyer. Nous avions les mêmes amis. Il ferait très facilement partie de ma vie. Seaview appréciait Graham Pendleton, avait toujours bien aimé Graham Pendleton. Un homme bien, ce Graham Pendleton. Un bon parti.

— Et pourquoi ne pas avoir choisi la première option ? demandai-je. Pourquoi ne pas avoir simplement couché avec moi et avisé ensuite ?

— Parce que ce sont deux choses très différentes. Parce qu'on ne couche pas avec la fille qu'on a l'intention d'épouser.

— Est-ce une demande en mariage ?

— Non, pas encore. Mais ça pourrait le devenir.

Une mouette poussa un cri dans le ciel et fondit vers la mer, suivie d'une autre. Le bateau de pêche disparut vers le large, et l'horizon s'étendait à l'infini face à nous.

Je terminai ma cigarette, la jetai dans les vagues et me levai.

— Très bien, Graham. Tu as un mois et demi pour me courtiser. Puis, nous aviserons.

***

Nous nous fréquentâmes donc, avec tout le décorum, et, à la fin de ce mois d'août caniculaire, toute la baie de Seaview attendait l'annonce de nos fiançailles.

— Il est parfait pour toi, ma chérie, dit tante Julie en s'éventant langoureusement. Je me demande pourquoi je n'y avais jamais pensé avant.

Allongée sur le ventre, face à la mer, mon chapeau sur la tête, j'observais les hommes s'amuser sur la plage. Budgie avait pris l'habitude d'inviter des amis le week-end, les chambres de leur maison se remplissaient de courtiers en bourse propres sur eux et de leurs maîtresses élégantes, qui buvaient et fumaient encore plus qu'elle. Un certain nombre d'entre eux étaient en train d'organiser une partie de football sur la plage devant nous (la marée était basse) et ils avaient demandé à Graham de se joindre à eux.

Il était allongé sur la serviette à côté de moi.

— Je ne devrais pas y aller, avait-il dit. Je suis censé reposer mon épaule.

Mais Budgie elle-même était accourue pour le tirer par le bras et, malgré ses protestations, il se leva en riant, m'embrassa sur la joue et rejoignit le groupe de joueurs.

Même là, tandis que je le regardais, j'avais du mal à croire qu'une créature d'une telle magnificence se proposait de m'appartenir, ou le prétendait du moins. Tous les hommes étaient en maillot de bain, torse nu, et Graham rayonnait comme un Adonis doré, bronzé et musclé.

Quelqu'un lui lança le ballon : il l'attrapa et le fit rouler entre ses mains, souriant. Il se retourna vers moi.

— Vraiment, je trouve que tu pourrais le partager de temps en temps, disait tante Julie. Les lundis, par exemple, quand tu es occupée à faire la liste des courses de la semaine et que tu n'as pas besoin de lui. Mes besoins sont simples, à mon âge. Une heure ou deux suffiraient largement.

Je lui donnai une petite tape sur le bras, avec une indignation que je n'étais pas vraiment sûre de ressentir. La vérité, c'était que j'aurais été parfaitement d'accord pour partager Graham Pendleton avec tante Julie les lundis, si c'était ce qu'elle voulait. Je l'observais tandis qu'il suivait Budgie. Ils avaient été amants. Ils s'étaient connus charnellement. Cela se voyait encore dans leur familiarité et leur façon de se toucher. Étais-je jalouse, gênée, ennuyée ? Pas du tout. Était-ce parce que j'étais certaine de sa dévotion, qu'il professait quotidiennement, ou parce que je ne l'aimais pas assez ?

Graham me regarda et haussa les épaules. Je lui fis un signe de la main. Il essayait de diviser le groupe en deux équipes, plus ou moins en fonction des capacités physiques de chacun. Ses longs bras faisaient de grands signes et s'agitaient. J'allumai une cigarette et savourai la sensation de la fumée emplissant mes poumons. Il faisait chaud de nouveau, chaud et humide, comme il l'avait fait tout l'été. Il y aurait un orage cet après-midi-là, comme il y en avait déjà eu un la veille. Le poids de l'air pesait sur mes épaules, ralentissait tous les mouvements. J'écrasai ma cigarette.

— Je vais me baigner. Il fait trop chaud.

— Tu es folle. C'est divin, objecta tante Julie en s'allongeant sur la couverture.

Je marchai jusqu'au bord de l'eau, en faisant attention de ne pas m'approcher de la partie de football. La mer était calme, un étang, les vagues roulaient lentement, comme si elles étaient tout aussi oppressées que nous par la chaleur. Je laissai l'écume me lécher les chevilles et fermai les yeux. (« Tu vas te brûler la peau », dirait ma mère.)

— Lily !

C'était la voix de Budgie. Je me retournai.

— Il nous manque quelqu'un ! Viens jouer avec nous, je t'en supplie.

— Je ne sais pas jouer, répondis-je en haussant les épaules.

Graham courut vers moi et me souleva dans ses bras avant de me reposer sur le sable.

— Je vais te montrer. Viens, Lily. Tu peux faire partie de mon équipe.

— Non, vraiment. Je suis sûre que vous pourriez trouver quelqu'un de mieux que moi. Demandez à M. Hubert.

— Nous devrions nous arrêter toutes les deux minutes pour tu sais quoi, répondit Budgie en riant. Même ta propre mère nous serait plus utile.

— Elle ne viendrait jamais s'abîmer la peau au soleil, dis-je.

Graham avait gardé son bras autour de ma taille ; un ami lui lança le ballon et il l'attrapa d'une main, sans me lâcher.

— Et Greenwald ? cria quelqu'un. Il jouait à la fac, non ?

— C'est vrai, répondit Graham en se tournant vers Budgie. Où est ton mari chéri, madame Greenwald ?

— À la maison, je pense, en train de travailler sur ses plans. Il n'acceptera jamais.

— Oh, allez, insista Graham avec un clin d'œil. Tu ne peux pas user de tes charmes pour le convaincre de venir jouer avec nous ?

Elle battit des paupières.

— Je préfère continuer à jouer au football. Envoie ta copine. Nick ferait n'importe quoi pour Lily.

Deux filles ricanèrent. Je sentis la main de Graham se serrer autour de ma taille.

— J'y vais, proposa Norm Palmer.

— Non, pas la peine, dit Graham. Lily peut y aller, pas vrai, ma belle ?

Il baissa les yeux vers moi, son visage souriait, mais son regard restait neutre.

— J'y vais, dis-je en prenant la main de Graham et en l'embrassant. Je reviens dans une minute, chéri.

Je m'arrêtai à la couverture pour mettre ma robe de plage en coton par-dessus mon maillot de bain, mes sandales et mon chapeau.

— Où vas-tu ? demanda tante Julie en levant la tête.

— Chez les Greenwald. Ils ont besoin de Nick pour la partie de football.

Elle siffla doucement.

— Eh bien, accroche bien ta robe !

— Ne sois pas ridicule.

L'air chaud me collait à la peau tandis que je me dirigeais vers la maison de Nick. Nous ne nous étions pas adressé la parole du mois d'août, depuis la nuit où il était venu nous chercher à la taverne ; je l'avais à peine vu. Budgie et lui ne venaient plus jamais dîner au club le samedi soir; à la place, mon amie organisait des fêtes chez eux, et, pendant ce temps-là, tout Seaview se plaignait de la musique trop forte, des éclats de rire intempestifs et des femmes à demi nues qui folâtraient sur la terrasse.

Quant à moi, j'étais bien trop occupée à me faire courtiser par Graham Pendleton. Nous dînions avec les Palmer tous les samedis soir; nous allions au cinéma ou danser les vendredis; nous allions nous promener, faire du bateau ou jouer au bridge avec ma mère au club quand il pleuvait. Les matins où le temps était clément, Graham me donnait son gant de base-ball et s'entraînait à lancer la balle, pour faire travailler son épaule et préparer la saison à venir. Au bout d'une semaine, je me débrouillais bien.

Il n'y avait plus de jazz, plus de whiskey, plus de baisers sous le niveau du cou. Graham me raccompagnait chez moi avant minuit tous les soirs. Nous buvions de la limonade sur le porche à l'arrière de la maison, nous nous embrassions, fumions et nous embrassions encore. De temps en temps, la main de Graham s'aventurait sous ma jupe ou le long de mes hanches. Mais il s'imposait systématiquement une limite qu'il ne franchissait jamais, m'adressait un petit clin d'œil complice et décrétait qu'il était temps pour lui de me souhaiter bonne nuit. Il rentrait en prenant son raccourci préféré: par les jardins des maisons de la baie de Seaview, en sifflant, avant de disparaître dans la nuit chaude, le bout de sa cigarette brillant d'une lueur orangée entre ses doigts. Il réapparaissait le lendemain matin à dix heures tapantes, le teint frais et l'œil pétillant.

Graham me prenait donc la majeure partie de mon temps, et c'était ainsi que j'aimais l'occuper. Je ne voulais pas penser à Nick ni à ce qu'il m'avait dit en me raccompagnant ce soir-là. Je m'arrangeais pour ne pas avoir le temps de penser à Nick Greenwald, ou de me demander ce qu'il faisait avec sa femme.

Je savais, bien sûr, qu'il passait beaucoup de temps avec Kiki. Et lorsque je poussai la porte entrouverte, fraîchement peinte et huilée, j'entendis son rire de petite fille. Je suivis cette direction et traversai la maison blanche de Budgie, dont toutes les portes avaient été retirées et les miroirs brillaient, et je les trouvai tous les deux, allongés sur le ventre l'un à côté de l'autre sur la véranda, en train d'étudier des plans d'architecture. À cause de la chaleur, Nick portait une chemisette et un pantalon de flanelle, ses longues jambes s'étendaient sur presque la moitié de la longueur de la pièce. Kiki avait sa robe bleue à rayures blanches et était pieds nus. Elle leva la tête la première et me vit.

— Lily ! s'écria-t-elle en se levant d'un bond pour venir vers moi. Nick me montrait les plans de son appartement à New York. Un escalier en colimaçon, Lily ! Il a dit que je pourrais y aller et me laisser glisser le long de la rampe si…

Elle s'interrompit soudain.

— … si tu ne disais rien à ta sœur, dit Nick qui se mit à genoux. Est-ce que tout va bien, Lily ?

Il avait eu un grand sourire en me voyant, mais celui-ci disparaissait au fur et à mesure qu'il m'observait, attentif à mes réactions. Je fis attention de ne pas détourner le regard, et ma mémoire me joua un tour étrange, et je repensai à la façon dont il m'avait regardée ce premier dimanche matin au café à côté de Smith College. Il avait les mêmes traits, précis, saisissants, mais qui changeaient selon son humeur : durs quand il était déterminé, doux quand il était amoureux. La lumière floue du soleil illuminait la pièce et ses yeux noisette se teintèrent d'or. Mon cœur chavira.

Je me baissai pour prendre Kiki dans mes bras.

— Tout va bien. On te réclame sur la plage. Ils jouent au football.

— Au football ?

— Tu te souviens de ce qu'est le football, n'est-ce pas ? demandai-je en souriant. C'est un sport qui se joue en lançant un ballon vers l'avant sur un terrain rectangulaire.

— Tu sais jouer au football, Nick ? demanda Kiki avec de grands yeux admiratifs.

— Kiki, Nick était le meilleur joueur de football de l'équipe de Dartmouth. Tu aurais dû le voir. Il lançait le ballon si loin et si vite qu'on ne le voyait même pas voler dans les airs.

Nick se leva.

— Mais je me suis cassé la jambe et je n'ai plus touché un ballon depuis.

— Sauf une fois, dis-je sans réfléchir. À Central Park.

— Quelle jambe ? demanda Kiki.

— Celle-là, répondit Nick en montrant sa jambe gauche.

— Est-ce qu'elle est guérie ?

Nick me jeta un regard avant de détourner les yeux.

— Elle est guérie.

Kiki s'élança vers lui et lui prit la main.

— Allons sur la plage ! J'aimerais tellement te voir jouer. Je veux que tu me lances le ballon. Je parie que je pourrai l'attraper.

— Les jeunes filles ne parient pas, Kiki, dis-je.

— Oh, on dirait mère. Allez, viens, Nick !

Elle le tira par le bras et Nick leva les yeux vers moi d'un air impuissant.

— Tu n'es pas obligé d'y aller si tu n'as pas envie. Je leur dirai que tu es occupé.

— Si, tu dois y aller, insista Kiki. Je veux que tu y ailles.

— Kiki ! m'écriai-je, choquée.

— Non, ça ne fait rien, dit Nick. J'y vais. Allez, viens, Kiki. Nous allons voir si mon vieux bras est aussi bon qu'avant.

Elle sautillait à côté de lui.

— Est-ce que je pourrai jouer aussi, Nick ? Est-ce que je pourrai être dans ton équipe ?

— S'il te plaît, lui rappelai-je.

— Si tu veux, répondit Nick.

Nous trouvâmes les sandales de Kiki et partîmes en direction de la plage, marchant tous les trois à la même hauteur, avec Kiki sautillant entre nous et nous donnant la main à tous les deux. Le soleil tapait sur mon chapeau de paille et la chaleur du chemin de gravier remontait le long de mes jambes nues. Kiki était un véritable moulin à paroles et le gravier crissait sous nos pieds.

En arrivant sur la plage, tous les regards se tournèrent vers nous ; même les mouettes semblèrent cesser de crier pendant un instant, comme si le temps s'était suspendu.

Puis, Graham, tout sourire, s'avança vers nous et lança le ballon sans crier gare en direction de Nick qui l'attrapa d'une main et le mit sous son bras, sans jamais lâcher la main de Kiki.

— Il l'a eu ! s'exclama-t-elle, triomphante.

Nick ne put retenir un petit sourire. Il lança le ballon dans les airs et le rattrapa entre ses longs doigts et, avec un petit coup de poignet rapide, il envoya le ballon comme un boulet de canon, en plein dans le sternum parfait de Graham Pendleton.

Kiki poussa un cri de joie.

— Oh, recommence, Nick ! Recommence !

— D'accord, répondit-il.

Il lâcha sa main et retira ses chaussures et ses chaussettes, retroussa ses manches et le bas de son pantalon. Chaque mouvement, précis et lent, semblait vibrer d'une énergie contenue. Il courut jusqu'au centre du cercle de corps à moitié nus, dépassant tout le monde d'au moins une demi-tête, y compris Graham. Quelque chose de chaud me parcourut le corps, un sentiment d'appartenance ; les choses étaient comme elles devaient être.

— Je veux jouer aussi, Lily. Laisse-moi jouer avec eux, supplia Kiki.

Nick faisait de grands signes et indiquait aux joueurs où ils devaient se placer. Le voir ainsi m'emplit d'une joie profonde et d'un plaisir indescriptible : son visage, son regard, ses traits de pirate.

— Chérie, je crois que tu ferais mieux de les regarder jouer pour le moment, répondis-je.

Nous avons rejoint tante Julie qui s'était redressée pour observer la partie.

— Je ne m'étais jamais rendu compte qu'il était si grand, dit-elle.

— Nous ne l'avons pas beaucoup vu cet été, hein, Kiki ? dis-je en riant.

Je ne connaissais pas la plupart des personnes qui composaient les équipes de ce match improvisé. Ils étaient presque tous des invités de Budgie. Graham et Budgie jouaient contre l'équipe de Nick, qui comprenait Norm Palmer, qui me semblait quelque peu déconcerté. Les Palmer avaient été pris de fait dans la grande division opposant Seaview aux Greenwald, comme moi ; Graham ayant refusé de prendre parti contre Budgie, Emily et Norm se retrouvaient dans son cercle social de temps en temps.

Nick lui-même était une tout autre histoire. Il s'était volontairement tenu à l'écart et nous avait épargné de ce fait toute gêne inutile. Ce pauvre Norm, à présent, ne savait pas quoi faire. Il lança un regard affolé à sa femme, assise sur une couverture un peu plus loin, qui lui répondit par un haussement d'épaules avant de se rallonger.

Il fut rapidement évident que Nick et Graham étaient les seuls à savoir jouer au football. L'équipe de Nick eut le ballon en premier, il le lança dans un arc de cercle parfait, et le ballon retomba doucement entre les mains de Norm Palmer. Norm resta quelques secondes indécis à lancer le ballon d'une main à l'autre, chaque fois un peu plus haut, et Graham fondit sur lui tel un aigle et le lui arracha. Il partit à toute vitesse et avait parcouru plusieurs mètres quand Nick le plaqua au sol dans une explosion de sable.

Graham se remit sur ses pieds d'un bond et brandit le ballon.

— Interception ! cria-t-il. Une passe de Nick Greenwald interceptée ! C'est bien la première fois !

Il embrassa le ballon et le pointa vers moi.

— Je me demande ce que Joe McCarthy penserait de ce plaquage, dis-je en allumant une cigarette.

— Qui est Joe McCarthy ? demanda tante Julie.

— Le manager des Yankees, bien sûr. Tout le monde le sait.

Mais la jubilation de Graham fut de courte durée.

Il passa d'abord le ballon à Budgie, qui n'eut même pas le temps de faire trois pas avant qu'une horde de courtiers (dont certains étaient dans sa propre équipe) ne se jette sur elle pour la faire tomber dans le sable.

Ensuite, Graham voulut faire une passe à l'un de ses équipiers, mais il n'eut pas le temps de le lancer avant que Nick ne se jette sur lui avec une telle force que le ballon vola droit dans les mains de Norm Palmer, qui se tenait non loin de là.

— Courez ! cria Nick.

Norm obéit, mais il partit dans la mauvaise direction et Nick le rattrapa pour lui faire faire demi-tour tout en bloquant Graham Pendleton, qui avait accouru en défense. Norm courut jusqu'à l'autre bout de la plage sans encombre pour marquer le premier essai de la partie.

Kiki se leva d'un bond et cria.

— Hourra, Nick ! Lily, tu as vu ça ?

Une vague de tension envahit le terrain de jeu.

Maintenant, c'était l'équipe de Graham qui était en possession de la balle, et, celui-ci délégua le rôle de quarterback à l'un des courtiers.

— Contentez-vous de me lancer cette foutue balle, lui ordonna-t-il.

Son visage ruisselait de sueur sous le soleil étincelant. Il s'essuya le front d'un revers du bras et alla prendre sa place, une main en appui dans le sable, prêt à s'élancer.

— Mon Dieu, dit tante Julie, ils ne rigolent pas.

J'étendis mes jambes et allumai une autre cigarette. Nick transpirait aussi, et sa chemise blanche et son pantalon étaient maculés de sable. Il attendait que la partie reprenne, regard fixe, jambes écartées. Il serrait et desserrait les poings, exactement comme la première fois que je l'avais vu. Tous les muscles de mon corps se tendirent. J'avais l'impression de suffoquer, étouffée par le poids des émotions qui comprimaient mon cœur, tandis que je regardais Nick Greenwald sur le point de retourner au combat.

Kiki l'encourageait à pleins poumons à côté de moi. Le ballon s'éleva dans les airs et se dirigea vers Graham, qui s'élança vers l'avant comme une locomotive, comme Budgie me l'avait décrit un après-midi d'automne des années plus tôt, dans une autre vie.

Mais Nick Greenwald n'avait pas peur des locomotives. Il plongea droit sur Graham, l'encercla de ses longs bras et le stoppa net avant qu'il ait eu le temps de faire deux mètres.

— Qui veut un petit gin-tonic ? lança tante Julie en ouvrant le panier.

***

Un par un, les courtiers et leurs maîtresses abandonnèrent la partie, épuisés par la chaleur, pour aller se rafraîchir dans l'océan et observer de loin le duel entre Graham et Nick, aidés de Norm, Budgie et deux joueurs tenaces. La marée montait, réduisant peu à peu la taille du terrain. Nous avions même reculé la couverture pour leur laisser un peu plus de place.

— Ils devraient arrêter, dis-je en écrasant ma quatrième cigarette de mes doigts tremblants. Il fait beaucoup trop chaud. Quelqu'un va se trouver mal.

— Je doute qu'ils n'arrêtent avant que quelqu'un ne fasse un malaise, dit tante Julie.

Soudain, l'un des derniers courtiers poussa un cri. Une femme courut vers lui, criant elle aussi.

— Il a marché sur un coquillage, annonça-t-elle. Il s'est blessé.

— Ça y est, c'est fini, dit Nick.

Le courtier en question jouait dans son équipe.

— Non, ce n'est pas fini, répondit Graham dont l'équipe perdait de six points.

— Ne sois pas bête. La partie a duré assez longtemps, dit Budgie. Tout le monde est parti.

— Lily pourrait jouer, dit Graham en se tournant vers moi.

Et tout le monde en fit de même. J'étais en train d'allumer une autre cigarette. Je regardai Nick, puis Graham, puis Nick, puis Graham, posai ma cigarette et mon briquet et secouai la tête.

— Oh non, je n'ai jamais joué au football.

— C'est facile. Nick fera tout le boulot. Pas vrai, Nick ? dit Graham.

— On devrait arrêter la partie, d'accord ? Je déclare forfait. Tu as gagné.

— Oh non ! Ne fais pas ça ! Sale…

Graham se tut juste à temps.

— Bon sang, Pendleton. La chaleur est accablante. Elle n'a pas envie de jouer.

Je me levai d'un bond.

— Tu sais quoi ? Je veux jouer.

Quelques cris d'encouragement peu enthousiastes s'élevèrent autour de moi. Je rejoignis Nick qui me regardait d'un air dubitatif.

— Tu es sûre, Lily ? me demanda-t-il à voix basse.

— Absolument. Montre-moi quoi faire.

— Tu n'as pas à faire quoi que ce soit. Reste sur le côté, à l'abri.

— Ne sois pas condescendant. Je suis venue jouer. Je vous ai regardés, je sais comment on fait. Fais-moi une passe et j'attraperai le ballon.

— Sais-tu rattraper un ballon de football ?

— Ça ne doit pas être si compliqué que ça.

Nick poussa un soupir.

— Écoute, je me suis entraînée tout l'été à rattraper les balles de Graham.

— C'est du base-ball. Ça n'a rien à voir. On porte un gant au base-ball.

Graham plaça ses mains de chaque côté de sa bouche et cria :

— Vous voulez qu'on vous apporte de la limonade, les filles ?

— Lance-moi le ballon, Nick. Je l'attraperai.

Il soutint mon regard. Norm Palmer lui tapa sur l'épaule.

— Allez, Greenwald. On reprend ?

— D'accord, dit Nick. Palmer, vous courez à l'autre bout, comme si j'allais vous envoyer la balle. Lily, cours vers la droite. Fais dix mètres et retourne-toi. Tends les mains comme ça, Lily. (Il me montra, formant un triangle avec ses index et ses pouces.) Ne tends pas les doigts. Laisse la balle faire le travail. Compris ? On y va à trois.

Je n'avais aucune idée de ce que « à trois » voulait dire. Nous nous alignâmes sur le sable chaud, Norm devant, puis Nick et moi à côté de lui. Budgie me fit un clin d'œil. Elle transpirait, mais à sa manière féminine et élégante, sa peau luisait délicatement, comme si elle avait été touchée par la rosée. J'enfonçai mes orteils dans le sable et attendis.

Nick dit quelque chose d'incompréhensible, et soudain, nous étions tous en mouvement. Nick recula, Norm Palmer s'élança vers l'avant, je me mis à courir en comptant mes pas jusqu'à dix et me retournai.

La balle s'éleva dans les airs en se dirigeant vers moi.

« Ne tends pas les doigts, me répétai-je. Laisse la balle venir à toi. »

Le ballon tomba doucement dans mes mains. Sans réfléchir, je partis vers l'avant, et Budgie était là, devant moi, dansant d'un pied sur l'autre, un grand sourire aux lèvres, prête à me bloquer. Je tentai de l'éviter en changeant de direction.

— Lily ! Ici !

Nick arrivait en courant sur ma gauche, les mains tendues en avant. Sans hésiter, je lui lançai la balle.

J'avais mal visé et lancé bien trop haut. Nick sauta dans les airs, aussi haut qu'il le pouvait, et sa chemise se souleva, exposant ses abdominaux. Il faillit attraper le ballon du bout des doigts. Il y était presque.

Mais, soudain, ma vision fut obscurcie par la silhouette de Graham Pendleton qui arrivait à toute vitesse, par ses jambes qui se plantaient dans le sable et ses larges épaules baissées dans une position de défense. Il percuta Nick en plein dans les côtes et Nick s'effondra sur le sable.

Le ballon tomba mollement et s'immobilisa juste à côté de sa tête.

***

Nous restâmes tous paralysés pendant un moment, comme des acteurs dans une pièce de théâtre qui auraient tous oublié leur texte en même temps. Nick était allongé sur le ventre dans le sable, il ne bougeait pas.

Kiki poussa un cri et courut vers lui, et tout le monde se ressaisit soudain. Budgie tomba à genoux et se mit à pleurer; Graham jura, se prit la tête dans les mains et jura de nouveau. Je forçai mon corps à bouger, me forçai à aller vers Nick, à m'agenouiller à côté de lui, à attraper ses épaules et à le retourner sur le dos et lui donnai une claque.

— Il respire, m'entendis-je prononcer. Graham, va au club. Charlie Crofter joue au bridge avec ma mère. Il est médecin.

Graham partit en courant. J'alignai les bras de Nick aussi délicatement que possible le long de son torse, allongeai ses jambes l'une contre l'autre, et posai la main sur sa poitrine. Sa respiration me semblait lente, máis régulière. Il avait les yeux fermés.

— Que se passe-t-il ? gémit Kiki. Est-ce qu'il est mort ?

— Non, il n'est pas mort. Il a perdu connaissance. Il va aller mieux, dis-je. Il va aller mieux. Pas vrai, Nick ? Parle-lui, Kiki. Je suis sûre qu'il t'entend.

Mon Dieu, faites qu'il aille bien. Je Vous en conjure.

— Nick, réveille-toi, dit Kiki d'une petite voix tremblante. S'il te plaît, réveille-toi. C'est Kiki. Réveille-toi.

Je ne savais pas quoi faire. Je n'étais pas infirmière. J'entendais mon cœur battre contre mes tympans, mais je me sentais étrangement calme, presque sereine, comme si j'assistais à cette scène dans un rêve. Je déboutonnai la chemise de Nick et l'ouvris. Le plaquage de Graham avait été si violent que les côtes de Nick devenaient violettes. Elles étaient même peut-être cassées.

— Tout va bien, Nick, dis-je fermement à voix basse. C'est Lily, Nick. C'est ta Lilybird, tu te souviens ? Le docteur arrive. Tu iras bien. Il faut que tu ailles bien, tu m'entends ? (Budgie, derrière moi, gémissait en sanglotant.) Ta femme a besoin de toi, Nick. Réveille-toi pour elle.

N'importe quoi, mon Dieu. Je ferais n'importe quoi pour qu'il revienne à lui.

Je tournai la tête et vis Budgie ramper vers nous dans le sable, son mascara coulait le long de ses joues. Je ne l'avais jamais vue pleurer avant, pas vraiment.

— C'est ma faute, dit-elle. C'est moi qui lui ai dit de jouer. C'est ma faute. Il est mort, c'est ça ?

— Il n'est pas mort, répondis-je. Il a perdu connaissance, c'est tout. Il respire normalement. Le docteur arrive.

Elle passa ses mains autour de sa taille et se mit à se balancer d'avant en arrière.

— C'est ma faute. Tout est ma faute. Oh, mon Dieu. Je ne peux pas le regarder dans cet état. J'ai besoin d'un verre.

— Ressaisis-toi, Budgie, sifflai-je. Tu es sa femme et il a besoin de toi. Reprends-toi.

Kiki caressait les cheveux de Nick.

— Réveille-toi, Nick. Réveille-toi, Nick. C'est Kiki, c'est ta Kiki. J'ai besoin de toi, Nick. S'il te plaît, réveille-toi.

Ses paupières tressaillirent.

Une ombre apparut au-dessus de lui. En levant la tête, je vis Charlie Crofter, hors d'haleine.

— Que s'est-il passé ? demanda-t-il.

Je me poussai pour lui laisser la place.

— Nous étions en train de jouer au football. Il a pris un coup dans les côtes et s'est effondré. Je crois qu'il est tombé sur la tête. Il est inconscient. Il a peut-être des côtes cassées.

Nick gémit.

— Ah, voilà, dit Charlie. (Il leva les yeux vers moi.) J'ai envoyé Pendleton chercher mes affaires. Ouvrez l'œil, d'accord ? Où est Mme Greenwald ?

— Juste là, répondit Budgie en s'essuyant les yeux.

— Madame Greenwald, asseyez-vous à côté de votre mari et parlez-lui. Non, de l'autre côté. Et que quelqu'un éloigne cette enfant, pour l'amour du ciel.

Je pris la main de Kiki et la tirai doucement en arrière. Elle résista.

— Je veux rester ! s'écria-t-elle. Il a besoin de moi !

Elle avait les yeux pleins de larmes, des mèches brunes étaient collées sur ses joues humides.

— Il a besoin de Mme Greenwald, dis-je doucement à son oreille. Il a besoin de sa femme. Elle nous dira comment il va. Viens, nous devons lui laisser la place de respirer. Le docteur est là, tout ira bien.

Je pris Kiki dans mes bras et allai m'asseoir avec elle un peu plus loin, en la berçant et en caressant ses cheveux. Elle se laissa aller et se mit à sangloter et à pleurer comme je ne l'avais jamais vue pleurer avant, blottie contre moi. Une main se posa sur mon épaule : tante Julie.

— Quelle histoire, dit-elle doucement en s'asseyant à côté de nous. Comment va-t-il ?

— Je suis sûre que ça va aller. Il était déjà en train d'ouvrir les yeux quand Charlie est arrivé. C'est très fréquent de se blesser quand on joue au football.

Je vis Graham arriver en courant en haut de la dune, un sac en cuir noir à la main. Il l'apporta à Charlie et le lui ouvrit. Entre eux, je crus voir la tête de Nick bouger et ses yeux s'ouvrir.

— Tu vois ? dis-je à Kiki. Il est conscient.

Graham et Charlie étaient en train d'aider Nick à se redresser et à s'asseoir dans le sable. Il secouait la tête. J'eus l'impression que le sang se vidait de mon corps sous le poids de mon soulagement. Mon cœur battait toujours fort, mais ralentissait peu à peu, comme s'il poussait de longs soupirs entre chaque battement. De la même façon qu'il l'avait fait une fois, juste après avoir fait l'amour.

Merci, merci, merci.

— Lily, je ne peux pas respirer, dit Kiki et je relâchai mon étreinte.

— Tu vois, ma puce ? Il est assis, dis-je. Il va déjà mieux. (Kiki se leva d'un bond, prête à courir vers lui, mais je la retins.) Pas encore. Il va rentrer se reposer. Tu pourras lui rendre visite plus tard.

Kiki resta assise sur mes genoux, immobile et silencieuse, observant Nick avec de grands yeux. Ils lui parlaient et lui posaient des questions. Budgie était assise à côté de lui, sa tête posée sur ses genoux, elle pleurait. Mes yeux secs me brûlaient.

Quelque chose en moi me fit tourner la tête en direction du club. Une petite foule s'était regroupée sur la véranda et observait la scène sur la plage, mains sur le front pour se protéger du soleil. Je reconnus la silhouette grande et ronde de ma mère, sa robe blanche et son chapeau de paille. Elle avait quelque chose à la main, probablement un verre à cocktail.

Tandis que je la regardais, mère se retourna et rentra à l'intérieur du club. Le tournoi annuel de bridge de fin d'été devait battre son plein.

***

Graham passa à la maison après le dîner, les yeux gonflés et ses cheveux, d'habitude impeccablement coiffés, étaient tout ébouriffés.

— Il va bien, dit-il. Il nous a fait une sacrée frayeur au début, il ne se souvenait même plus de son nom.

Il n'arrêtait pas de marmonner du charabia et de répéter le mot *bird*. Quelque chose *bird*.

Il me jeta un regard et but une gorgée.

Nous étions assis à table, tante Julie, Kiki, Graham et moi. Mère dînait au club ce soir-là. Marelda venait de nous apporter du café et un cake au citron pour le dessert. Graham avait jeté un coup d'œil à nos tasses et était allé directement se servir un verre d'alcool. Toutes nos bouteilles dataient d'avant la guerre, excepté les préférées de mère. Il se versa un verre de scotch sans glaçons et se laissa tomber sur une chaise.

— Mais il va bien maintenant ? demanda Kiki d'un air inquiet.

— Eh bien, il a mal à la tête. Et aux côtes. Quelqu'un va rester avec lui cette nuit. Après une commotion, il faut se réveiller toutes les heures, juste pour être sûr que tout va bien.

— Et Mme Greenwald ne se sentait pas la force de rester à ses côtés ? demanda tante Julie en allumant une cigarette.

— Ne fume pas, tante Julie, dis-je. Mère le sentira quand elle rentrera.

— Je m'en fiche complètement. Graham ? Comment va Mme Greenwald ?

Graham dessinait des cercles sur la table du bout du doigt.

— Budgie, répondit-il lentement, était naturellement bouleversée et a dû prendre un sédatif. Elle dort.

Il prit une cigarette du paquet de tante Julie. Le briquet de tante Julie était sur la table à côté du plateau sur lequel étaient posées les tasses de café, mais il sortit le sien de la poche de sa chemise. Ses doigts tremblaient et il dut s'y reprendre à plusieurs fois pour parvenir à allumer sa cigarette.

— Nick a-t-il retrouvé ses esprits ?

— Oh, oui. Ce bon vieux Nick. Il ne voulait pas se coucher, en fait, mais tout le monde a insisté. Il a pris la chambre d'amis, bien sûr, pour éviter de déranger Budgie, répondit Graham entre deux gorgées de scotch. Il m'a dit… Il m'a dit de ne pas m'en vouloir, que c'était sa faute, qu'il s'était mis dans cette position. Mon Dieu.

— C'était un accident, dis-je rapidement.

Graham se prit la tête dans les mains.

— Tu le crois vraiment ?

— Bien sûr, dis-je avec un sourire rassurant. De toute façon, tu connais Nick, il est indestructible. Il est comme du vieux cuir. Tu te souviens quand il s'était cassé la jambe, la première fois que je suis allée dans le New Hampshire ? Et le lendemain matin, il avait fait toute la route jusqu'à Northampton.

Kiki se redressa soudain.

— Mais, ce n'est pas là que tu es allée à l'université ? Pourquoi a-t-il fait ça ?

Graham leva la tête et m'observa curieusement. Je regardai Kiki. Elle nous regardait tous les deux, à tour de rôle.

Tante Julie prit une longue bouffée de sa cigarette, souffla lentement la fumée, et dit :

— Parce que Nick et Lily se fréquentaient, il y a longtemps.

Kiki se tourna vers moi. Elle ouvrait des yeux grands comme des soucoupes, aussi bleu-vert que l'océan.

— Nick était ton *petit ami* ?
— Oui.
— Mais tu… mais… (Elle regarda tante Julie, puis moi. Ses yeux se mirent à briller et se remplirent de larmes.) Pourquoi ne l'as-tu pas épousé ?
— C'est une longue histoire, ma puce.
Elle me tapa le bras.
— Tu aurais dû l'épouser ! Il pourrait être *à nous* ! Tu l'as fait fuir, c'est ça ? Et maintenant, il est marié à cette sale Mme Greenwald et il est obligé de vivre avec elle ! (Elle me frappa encore le bras ; elle pleurait pour de bon.) Il pourrait vivre ici, avec nous. Il pourrait… Il pourrait être comme mon père.
— Arrête, Kiki, dis-je en lui attrapant les bras. Arrête. Je sais que tu es bouleversée, mais…
— Il pourrait être mon père !
— Tu as un père !
— Non ! Pas un vrai père. Mon père ne parle pas.
Graham se leva, prit son verre et sa cigarette et quitta la pièce.
— Regarde ce que tu as fait, m'exclamai-je, énervée.
Je repoussai violemment les bras de Kiki et courus après Graham.

***

Je le trouvai assis contre un arbre dans le jardin en train de contempler la baie. Je ne le voyais pas bien dans le noir, mais le bout rougeoyant de sa cigarette me guida jusqu'à lui. Je la lui pris des mains et l'écrasai sur la pelouse, pris son verre et le posai plus loin. Je m'agenouillai entre ses jambes écartées.

— Ce n'était pas ta faute, dis-je.

— Si. J'y ai bien réfléchi, et je suis pratiquement sûr de l'avoir fait exprès. J'ai vu Nick, ce bon vieux Nick, toujours parfait, étirer son doux ventre, et bam ! (Il fit un grand geste de son bras.) Je n'ai pas pu résister.

— Je ne sais pas de quoi tu parles. Tu jouais au football, c'est tout.

— Oh oui, bien sûr. C'est tout…

Il tendit le bras pour attraper son verre, mais je posai la main sur son poignet.

— Non.

— Il a de la chance, ce Nick, dit-il. Il a une femme folle amoureuse de lui, et son ex-fiancée aussi. Même sa fille qu'il n'a jamais connue.

— Sa quoi ?

— Sa fille.

Je le dévisageai, même si je ne discernais pas ses traits dans le noir. Le croissant de lune illuminait seulement le blanc de ses yeux et de ses dents. Mes oreilles bourdonnaient, j'étais sous le choc.

— Je ne comprends pas de quoi tu parles.

— Oh, bon Dieu, Lily. Tout le monde le sait.

— Sait quoi ? Sait quoi ? demandai-je d'une voix tremblante qui ne ressemblait pas à la mienne.

— Que Kiki est à toi. Ta fille et celle de Nick.

Je secouai la tête. Engourdie, ma main lâcha mollement le poignet de Graham.

— C'est ridicule. Kiki est ma sœur. J'étais là, à l'hôpital, quand elle est née.

Graham me repoussa doucement et se leva, en reprenant son verre en même temps.

— Je ne veux pas me disputer avec toi. Fais comme tu veux.

Je le saisis par l'épaule tandis qu'il se retournait.

— Est-ce ce que les gens disent ? Dis-moi la vérité.

— Bon Dieu, Lily. Il suffit de la regarder. Ses cheveux et sa peau. Elle est son portrait craché.

— C'est ridicule, répétai-je. Mère a les cheveux bruns, elle aussi.

Il ne répondit pas, ne bougea pas. Son souffle emplissait l'air entre nous, son haleine sentait la cigarette et le whiskey et me rappelait la soirée à la taverne sur le bord de la route. Il toucha mon menton, tendrement.

— C'est l'amour que tu lui portes, Lily.

— Oui, je l'aime comme ma fille. Je l'admets. Je l'ai pratiquement élevée seule. Mère... Eh bien, tu connais ma mère, ce n'est pas quelqu'un de chaleureux. Et elle était bien trop prise avec papa et tous ses autres projets...

— Mon Dieu, Lily... Tant pis, ça n'a pas d'importance. J'aimerais juste que quelqu'un m'aime comme tu l'aimes.

Je posai ma main sur la sienne, toujours sur mon menton.

— Des milliers de gens t'aiment, Graham. Des millions, peut-être. Tu es un héros.

— Et toi, tu m'aimes, Lily ?

— Bien sûr que oui.

Il plaça son autre main sur ma joue.

— Assez pour m'épouser ?

— Graham…

Il faisait si noir. J'aurais voulu le voir, mais les nuages avaient voilé la lune, et la maison était trop loin. Sa beauté physique n'était plus qu'un souvenir. Je ne pouvais que le sentir, le toucher et l'entendre.

Je le sentis poser son front contre le mien.

— Tu ramènes tout le monde à la vie, Lily. Ta petite fille. Nick, là, dans le sable. Ramène-moi à la vie.

— Mais tu es déjà vivant. Trop vivant, même, si tu veux mon avis.

— Non, c'est faux. Je… Bon sang, Lily, tu n'as pas idée. Je ne te mérite pas, pas une seconde, mais si tu me… si tu me donnais une chance, Lily. Je jure devant Dieu que je serai bon avec toi. Tu me rendras bon, d'accord, Lily ?

— Tu es bon, Graham. Tu es un homme bien. Tout l'été, tu as été un parfait gentleman, un…

— Tais-toi, Lily. Je ne peux plus t'entendre.

Ses mains remontèrent dans mes cheveux, m'empoignèrent. Son souffle s'était accéléré.

— Doucement, chut, murmurai-je. Tu as trop bu, Graham. Trop de tout.

— Lily… (Il embrassa mon front et mes joues.) Si je pouvais au moins lui voler une chose. Rien qu'une seule. Rien que toi.

— Tu m'as, Graham, répondis-je en le prenant dans mes bras. Chut. Tu m'as. Nick a Budgie, et tu m'as, moi.

Il éclata de rire.

— C'est vrai. Bien sûr. Il a Budgie. Je t'ai toi.

Je restai silencieuse. Je faisais glisser mes mains le long de son dos et ses muscles se tendaient sous mes caresses.

— Tu es si douce, Lily. Comme le lait et le miel. Tu le sais? (Il m'embrassa sur la bouche.) Tu es le réconfort et la joie. Tu es l'antidote à tout le mal dans ce monde.

— Non, tu te trompes.

Ses doigts frottaient contre ma robe, sa bouche frottait la mienne.

— Si, tu es le lait et le miel. Ma petite Lily, si sereine.

Il tomba à genoux, attrapa ma main et l'embrassa.

— Épouse-moi, Lily, bon sang. Épouse-moi tout de suite.

— Arrête, Graham. Tu es terriblement saoul.

— Non, je suis terriblement sobre. Tu es mon dernier espoir, Lily Dane.

— Redemande-le-moi demain matin.

Ma robe, à moitié déboutonnée, laissait voir toute ma poitrine. Je tentai de la refermer tout en tenant la main de Graham.

— Diras-tu oui, demain matin?

— Peut-être.

— Dis oui, bon Dieu, Lily. Nick est marié, il ne peut pas être à toi. Prends-moi à la place.

Je m'agenouillai face à lui.

— Que veux-tu vraiment, Graham? Qu'attends-tu exactement? La seule raison pour laquelle tu me veux, c'est à cause de Nick. Ce n'est pas une épouse que tu veux, pas vraiment.

— J'ai besoin d'une femme. Quelqu'un qui réussisse à me maintenir sur le droit chemin. Je suis tellement perdu, Lily ! Tu ne t'imagines pas à quel point. J'ai besoin de toi, Lily. Pourquoi ne veux-tu pas de moi ?

Je passai mes bras autour de son cou.

— Je ne sais pas, dis-je en l'embrassant. Je ne sais pas.

Graham caressait la peau nue de mon dos.

— Moi, je sais !

Nous restâmes agenouillés là, enlacés, à respirer l'un contre l'autre, ma robe ouverte tombant de mes épaules. Les insectes frottaient leurs ailes dans la pelouse autour de nous. Goutte à goutte, la tension quitta mon corps, apaisée par la chaleur du torse large de Graham contre ma joue et les mouvements lents et réguliers que dessinaient ses mains sur mon dos. À quatre cents mètres de là, Nick était allongé sur le lit de la chambre d'amis, les côtes cassées, commotionné. Budgie, elle, était dans leur chambre, dormant d'un sommeil chimique, épuisée par l'hystérie. Ils me semblaient tous les deux très loin désormais, à côté du corps solide et musclé de Graham Pendleton, Graham qui avait besoin de moi et qui me tenait comme si j'étais un objet précieux.

Quelque part en moi, le désir physique se mit à me tirailler et à renverser toutes les barrières que j'avais dressées devant moi, une à une. Ma poitrine me picotait. Je levai la tête, me hissai aussi haut que je le pus et embrassai Graham, en poussant mes hanches contre les siennes.

Pendant un instant, il répondit avec la même passion et glissa ses doigts plus bas sous le coton de ma robe jusqu'à rencontrer la bordure en dentelle de ma combinaison en soie ivoire.

— Bon Dieu, Lily, marmonna Graham en enlaçant mes hanches.

Je me serais donnée à lui là, sur la pelouse, contre un arbre, s'il l'avait voulu. J'avais besoin du réconfort du sexe, d'être rassurée par la sensation du corps d'un homme à l'intérieur du mien. J'avais besoin d'un lien, de caresses, de la frénésie et de la libération ultime. J'avais besoin que quelque chose me ramène à la vie. Je sortis la chemise de Graham de son pantalon et fis de même avec son maillot de corps en coton.

— Bon Dieu, Lily, répéta-t-il. Non !

Il retira sa main de ma robe, se redressa d'un bond et se passa les mains dans les cheveux.

— Graham.

— Non. J'ai juré, Lily. J'ai juré de faire les choses bien cette fois-ci. Rien que ça. Au moins ça.

— Graham, tout va bien. J'en ai envie. Je suis prête. Je le suis.

Je tendis vers lui mes bras vides. Je me consumais. J'étais prête à le supplier.

— Dis que tu m'épouseras, Lily, répondit-il en caressant tendrement ma joue. Dis oui et je te ferai l'amour, comme tu voudras. Je te donnerai du plaisir, tant de plaisir.

Je l'observai impuissante tandis que mon corps fondait, mais ma bouche était paralysée.

— Une autre fois, murmura-t-il.

Graham Pendleton m'embrassa doucement sur les lèvres et partit, un peu vacillant, en traversant les jardins à l'arrière des maisons de Seaview. Toutes les lumières de la côte scintillaient de l'autre côté de la baie.

13

MANHATTAN

Veille du Nouvel An, 1931

Les buildings défilent devant mes yeux dans un flou gris et marron.

— Où allons-nous ? demandé-je en m'enfonçant dans mon manteau.

Non, le vieux manteau en vison de ma mère. Je ne peux qu'espérer qu'elle ne l'ait pas reconnu quand nous avons quitté la fête en catastrophe.

— Mon père a un appartement *downtown* pour héberger ses clients ou pour les soirs où il travaille tard. Nous pourrons fêter la nouvelle année là-bas. Si nous arrivons à temps, répond Nick en regardant sa montre. Tu vas bien ?

— Oui, je vais bien. Je suis sous le choc, c'est tout.

— Je vois ça.

— Elle ne sort jamais. Elle nous a dit qu'elle devait superviser une fête. Pour des orphelins !

Je crie pour qu'il m'entende car le moteur et le vent sont assourdissants. Les rues sont bizarrement vides pour une veille de Nouvel An. Tous les New-Yorkais doivent déjà être à une fête ou à la maison, en train d'attendre les douze coups de minuit.

— Mais j'imagine que... Avec papa, vu son état, peut-être a-t-elle envie de s'amuser un peu...

Nick me prend la main. Nous ne portons plus nos masques et les lumières des réverbères éclairent son visage par flashs intermittents, je vois son expression : tendre, curieuse.

— Préfères-tu rentrer ? Je peux te raccompagner, si tu veux. Je pensais juste... eh bien, que ce serait dommage de gâcher la soirée. As-tu assez chaud ?

— Je vais bien, dis-je en me tournant vers lui pour lui sourire. En fait, c'est drôle, non ? Je suis partie en cachette de chez mes parents, pensant que j'étais en train de faire une bêtise. Et je trouve ma mère, là-bas, faisant la même chose.

— Choquant, plutôt.

Je baisse les yeux vers la banquette, où nos mains jointes sont posées sur les masques que nous avons retirés.

— Je l'ai trouvée belle, Nick. Je n'avais jamais pensé à cela avant. Elle m'a toujours paru ordinaire, un peu corpulente, avec ses tailleurs et ses chapeaux. J'ai l'impression de l'avoir vue pour la première fois, vue telle qu'elle est vraiment. Et elle est belle et je ne l'ai pas reconnue.

— Bien sûr qu'elle est belle : regarde-toi ! répond-il en éclatant de rire. De toute façon, nous allons avoir notre propre fête ce soir, rien que toi et moi.

— Tant mieux. Je suis contente.

Je glisse sur la banquette et me blottis contre lui. Il passe son bras autour de mes épaules et ne le bouge que quand il a besoin de changer de vitesse ou quand nous nous arrêtons et redémarrons aux feux.

L'appartement du père de Nick n'est pas vraiment *downtown*. Nous nous garons devant un immeuble discret de Gramercy Park. Derrière ses grilles de fer, le parc, tout noir, ressemble à un animal fabuleux tapi dans l'ombre de l'autre côté de la rue. Mon cœur volette dans ma poitrine, comme les battements des ailes d'un papillon. Si j'avais l'impression de faire une bêtise en fuyant l'appartement de mes parents pour aller à une fête masquée sur Central Park West, là c'est devenu scandaleux. J'accompagne un homme qui n'est pas mon mari dans un appartement de Gramercy, la veille du Nouvel An. Le champagne coule encore illégalement dans mes veines et ma robe scintille sous mon manteau de vison.

— Est-ce que tu es sûre ? demande Nick en serrant ma main dans la sienne.

Je lève les yeux vers lui, ses traits forts et réguliers illuminés par un lampadaire et ses cheveux qui retombent sur son front sous son chapeau. Je me répète que c'est Nick. Mon Nick. Rien n'ira jamais mal, avec Nick. Avec lui, rien de mauvais ne pourra jamais m'arriver.

— Absolument.

L'appartement, situé au huitième étage, surplombe le parc. Nick me laisse entrer la première et allume la lumière de l'entrée. Sous le choc, je m'arrête. L'appartement est moderne et blanc, avec de grandes fenêtres et des miroirs partout, meublé simplement. Au mur est suspendu un immense tableau abstrait d'un rouge vif, sans cadre, il me paraît appartenir à un univers complètement différent des gravures d'Audubon de l'appartement de mes parents.

— Laisse-moi prendre ton manteau. (Il le fait glisser de mes épaules, m'embrasse dans le cou et m'invite à le suivre dans le salon.) Installe-toi. Je parie qu'il y a du champagne dans la glacière. Papa a toujours une ou deux bouteilles au frais au cas où il aurait un nouveau contrat à fêter.

J'erre dans la pièce, comme au milieu du brouillard, je soulève quelques-uns des objets bizarres qui se trouvent là, je feuillette des livres, en essayant de ne pas penser à la chambre au bout du couloir. Les fenêtres sont étrangement sombres, comme si la lumière des réverbères et des immeubles à proximité ne parvenait pas tout à fait à arriver jusqu'à nous. Il y a une lampe posée sur un guéridon à côté du canapé ; je l'allume et un cercle de lumière dorée atténue la pénombre. Dans la cuisine, j'entends Nick qui ouvre des placards et sort des verres. J'entends le *pop* discret d'un bouchon de champagne qui saute.

— Santé, chérie, dit Nick en me tendant un verre. À une formidable année 1932, qui débute dans seulement… (Il regarde l'heure à son poignet.) douze petites minutes.

— Santé, réponds-je en buvant une longue gorgée.

Il me prend la main.

— Tu trembles. Qu'y a-t-il ? Tu es nerveuse ?

— Un peu.

Il prend le verre de mes mains et le pose à côté du sien sur la table basse en verre.

— Lily, viens ici.

— Où ?

— Juste ici. (Nick m'attire sur le canapé et me serre contre lui.) Est-ce que je vais trop vite pour toi ? Sois honnête, Lily. Tu peux me dire la vérité. Dis-moi exactement à quoi tu penses.

— Non, tu ne vas pas trop vite.

Je regarde nos mains jointes sur le genou de Nick.

— Quoi, alors ?

J'écoute son cœur battre régulièrement sous mon oreille, à travers le tissu amidonné de sa chemise. Je compte les battements, l'un après l'autre, pour me calmer.

— Lily, c'est moi, Nick. Quoi que tu me dises, je comprendrai.

— C'est juste que je ressens tant de choses. Je veux tant de choses. Je n'ai jamais fait ça… J'ai l'impression d'être encore une enfant, pas prête, pas assez pour toi…

— Ah. (Il reste assis là et caresse mes doigts avec son pouce.) Tu as dit quelque chose à ton père, il y a deux semaines. C'est la seule chose qui m'a permis de tenir le coup depuis. Est-ce que tu te rappelles ?

Je m'en souviens parfaitement, mais je lui demande quand même :

— Quoi ?

— Tu as dit *Je l'aime*, murmure-t-il à mon oreille.

— *Hum*… Mais tu sais que j'avais un peu perdu la tête à ce moment-là.

— Et aujourd'hui ? Est-ce que tu aurais toujours l'impression d'avoir perdu la tête si tu me le répétais ?

J'éclate de rire.

— Nick ! Bien sûr que je t'aime. Tu n'as même pas besoin de me le demander.

— Je voulais te poser une question tout à l'heure, Lily. Avant de nous enfuir de la fête.

Sa main, qui un instant plus tôt était plongée dans la poche intérieure de la veste de sa queue-de-pie, la même veste qu'il a retirée précipitamment dans sa chambre une heure plus tôt, se pose sur mon genou. Quand il la retire, il y a une petite boîte, emballée d'un ruban de soie blanc, posée dessus.

— Qu'est-ce que c'est ?

— Ton cadeau de Noël, avec une semaine de retard. Est-ce que tu le veux, Lily ? Accepteras-tu ?

Je la touche du bout du doigt. La boîte devient soudain toute floue à cause des larmes qui me montent aux yeux.

— Oui.

***

Minuit arrive et passe, et 1931 devient 1932, mais nous ne remarquons rien. Nous restons allongés sur le canapé, moi sur le dos et Nick sur le côté contre moi. Son bras est enroulé autour de ma tête, Nick caresse légèrement mes cheveux ; sa bague scintille à mon doigt. Nous parlons de l'avenir.

— Nous nous marierons juste après la remise des diplômes, dit Nick.

Sa veste a été jetée au sol, et son gilet en satin blanc pend de ses épaules, déboutonné. Ses doigts pianotent sur l'avant de ma robe.

— Nous partirons ensuite en lune de miel pour tout l'été. Peut-être toute la vie. Qu'en dis-tu ?

— Et l'architecture ?

— Nous irons à Paris. Tu pourras écrire pour le *Herald Tribune*, ou étudier, ou faire ce que tu veux. Je trouverai quelqu'un qui acceptera de me prendre en tant qu'apprenti. Y a-t-il meilleur endroit où apprendre mon métier que Paris ? demande-t-il en m'embrassant. Nous trouverons une petite chambre mansardée quelque part, avec vue sur les toits, et nous la remplirons de livres, de journaux, de vin bon marché et de vieux meubles d'occasion. Tu n'as pas besoin de choses luxueuses, j'espère, Lily ?

— Pas si je suis avec toi.

Sa main est si large qu'elle semble tenir toute ma hanche. Il baisse la tête et embrasse le haut de ma poitrine, juste au-dessus du décolleté de ma robe. Mes doigts trouvent ses boutons de manchette et les font glisser sans difficulté. J'ai envie d'explorer Nick, de le découvrir.

— Je n'arrive pas à le croire. Je suis ta fiancée, Nick.

— Nous avons six mois pour convaincre tes parents. Mais nous le ferons quand même, hein, Lily ?

— Oui. Je me fiche de ce qu'ils diront. Je suis toute à toi.

Il ne répond pas, et je lève la tête vers lui, son visage tout près du mien, flou et déterminé, et je lis dans son regard une intimité brûlante.

— Nick?

— D'où es-tu venue, Lily? Tu es comme un miracle.

— Alors, je suis ton miracle.

Il m'embrasse passionnément, écarte le décolleté en V de ma robe et expose ma poitrine à la lumière de la lampe. Je pense que je devrais être choquée, que je devrais le repousser, mais au lieu de cela mon dos se cambre sous son regard.

— Lily, tu es parfaite, murmure-t-il. Encore mieux que ce dont je rêvais.

Il caresse les pointes de mes seins et ce simple contact, si léger, me fait perdre la tête.

— Ça va, Lily? demande-t-il en levant les yeux vers moi.

— Oui. *Je t'en supplie.* Ne t'arrête pas.

— Je te le promets. Sauf si tu me le demandes.

Il me regarde de ses yeux sombres et sérieux.

— J'en ai envie, Nick. Je veux tout. Tout.

Ma peau brûle contre sa chemise. J'ai l'impression de sentir chaque fil, chaque couture de lui. Je veux plus, je veux connaître la peau de Nick, sa chair, tout ce qu'il a envie de me faire. Je veux connaître tous ses secrets et lui révéler tous les miens.

Nick ferme les yeux. La lampe éclaire ses paupières, dont les bords sont teintés de violet, comme un bleu. Ses cils se déploient en éventail en dessous, d'une longueur enfantine.

Il baisse la tête et murmure à mon oreille:

— Tout?

— Tout, Nick.

Il est allongé au-dessus de moi, appuyé sur ses coudes. Ses longues jambes sont entremêlées dans les miennes. J'aime sentir son poids, la solidité de son corps à seulement quelques millimètres du mien.

— Tu es sûre ? Vraiment sûre ? Tu me fais confiance ?

— Nick, est-ce que je ne viens pas de promettre de t'épouser ? Bien sûr que je te fais confiance. Oui, oui et oui.

Nick se lève du canapé et me tend les mains.

— Viens, dit-il en m'aidant à me lever. Nous allons devoir faire attention. Je n'ai pas prévu de protection.

Je ne suis pas tout à fait sûre de ce qu'il veut dire. Il doit le deviner, car il ajoute :

— Ne t'inquiète pas. Je m'occupe de tout.

Nick m'entraîne le long d'un couloir jusqu'à une chambre sombre où il allume la lampe sur la table de chevet. Comme le reste de l'appartement, le lit est moderne et chic, un coffret satiné. La tête de lit est surmontée par un portrait étrange, qui pourrait très bien être un Picasso.

Nick reste un moment à m'observer et, dans ses yeux, se reflète l'intensité de la lumière.

— Qu'y a-t-il ? dis-je en remontant le décolleté de ma robe.

— Ne fais pas ça. Ne te cache pas devant moi.

Il vient vers moi, prend mes mains dans les siennes pour les forcer à lâcher ma robe et la déboutonne dans mon dos.

— Nous sommes ensemble maintenant, Lily. Tu n'as plus besoin de me cacher quoi que ce soit.

Ma robe tombe de mes épaules et glisse le long de mon corps. Il retire son gilet et le lance sur la chaise ;

il déboutonne sa chemise et l'enlève. Je l'observe, le souffle coupé. Il soulève le bas de son maillot de corps et le passe au-dessus de ses épaules. Sa peau dessous rayonne à la lumière de la lampe, parsemée de quelques poils bruns. Je le touche, émerveillée. Le torse de Nick.

Il reste absolument immobile, les yeux fermés.

— Je ne sais pas quoi faire, dis-je dans un murmure. Que dois-je faire ?

— Lily, crois-moi, fais ce que tu veux, répond-il et il regarde par la fenêtre et éclate de rire. Mais faisons en sorte que les voisins ne nous voient pas, d'accord ?

Je sursaute et couvre ma poitrine de mes mains.

— Peuvent-ils nous voir ?

— Je préfère ne pas prendre ce risque.

Il va à la fenêtre, saisit le cordon du rideau et regarde en bas.

Je vois le moment précis où il remarque la voiture qui s'arrête devant l'immeuble. Il sursaute et son corps se tend. La tension qui régnait dans la pièce un instant auparavant atteint son point culminant et claque comme un élastique tendu à son maximum.

— Qu'y a-t-il ?

La panique me gagne, sans que j'en connaisse la raison.

— Je n'arrive pas à le croire, souffle-t-il. Je ne le crois pas.

— Nick, dis-moi ce qui se passe !

Il se tourne vers moi. Son visage est immobile, calme et terrifiant.

— Écoute, Lily, mon père est en bas.

— Quoi ?

— Avec ta mère, je pense. Ils ont dû comprendre que nous nous étions réfugiés ici.

— Comment est-ce possible ?

— Peu importe. Que veux-tu faire ? C'est toi qui décides. Si tu veux rester ici et les affronter, je te soutiendrai. Sinon, nous pouvons prendre l'ascenseur de service et je te raccompagnerai chez toi. C'est ta décision.

Je cours à la fenêtre, ma robe à la main, et regarde en bas. Je ne les vois pas très bien, mais je reconnais la longue robe blanche de ma mère et ses mouvements brusques et déterminés. M. Greenwald – ce doit être lui, un homme imposant aux épaules larges – l'aide à sortir de voiture. Dans quelques minutes, deux ou trois tout au plus, ils sortiront de l'ascenseur, frapperont à la porte et me ramèneront à Park Avenue et à la vie monotone et ennuyeuse que j'y ai toujours connue.

Je me tourne vers Nick. La lumière de la lune inonde la pièce et le torse de Nick, son visage pâle, ses traits tirés mais déterminés. Le sang bat dans tout mon corps, plein de champagne, plein de vie, plein d'amour.

— Je ne choisis aucune des deux solutions.

— Aucune ? Quoi, alors ?

Je me jette à son cou en riant.

— Partons ! Allons nous marier tous les deux, en cachette.

— Quoi ?

— Oui. Partons tout de suite ! Nous avons ta voiture.

Il éclate de rire aussi, me soulève dans ses bras et me fait tourner.

— Tu as perdu la tête. Où irons-nous ?

— Je ne sais pas. Où les gens vont-ils pour se marier en douce ?

— Au lac George, je crois. Ou aux chutes du Niagara.

— Le lac George est plus près.

Nous nous regardons en souriant, avec de grands yeux surpris par la gravité de ce que nous nous apprêtons à faire.

— Allons-y ! dit Nick.

Il m'aide à enfiler ma robe et je l'aide à reboutonner sa chemise. Mes doigts tremblent, pas de peur mais d'excitation. Il me lance le manteau de vison ; je lui tends sa veste et son manteau. Il éteint toutes les lumières, va dans la cuisine où il prend une miche de pain et la roule dans son manteau.

— Je meurs de faim, dit-il.

Nous courons à la porte en riant. Au dernier moment, il s'arrête, se retourne et va dans le salon, où la bouteille de champagne est toujours sur la table basse. Il la saisit, ainsi que nos deux verres.

— Viens, Lilybird, dit-il. Allons nous marier.

14

SEAVIEW, RHODE ISLAND

Labor Day, 1938

Un ouragan avait dévasté les Keys de Floride au cours du week-end. Nous écoutions les informations à la radio tout en nous préparant pour la fête du Labor Day organisée par les Greenwald : les maisons avaient été détruites, des trains avaient déraillé, et toute une escouade d'anciens combattants avait disparu.

— C'est terrible, dit tante Julie. Tout le monde est fou de la Floride en ce moment, je ne comprends pas cet engouement. Entre les deux, je choisirai toujours le sud de la France.

— Il y a le mistral, dis-je.

— Mais personne n'y est pendant le mistral, chérie.

— Eh bien, personne ne va en Floride à cette période, répondis-je d'un ton sarcastique. Ah non, attends ! Sauf les gens qui y vivent, bien sûr.

Kiki me tira par la main.

— Viens ! Nick nous attend.

Depuis l'accident de Nick, une semaine plus tôt, Kiki avait constamment demandé à le voir.

Nous nous étions rendues chez les Greenwald le lendemain matin pour vérifier que tout le monde allait bien. Nick était déjà en bas, les côtes bandées, et nous avait assuré que ce n'était rien, qu'il se sentait très bien et avait même permis à Kiki de monter sur ses genoux pour gribouiller sur les plans étalés sur la table devant lui. Budgie était assise sur son lit à l'étage et mangeait un œuf à la coque d'un air vaseux.

— Je crois que j'ai pris dix ans hier, dit-elle. Je ne peux pas imaginer vivre sans lui. Je me suis promis d'être la meilleure des épouses à partir de maintenant. Je serai silencieuse et fidèle et je lui préparerai son petit déjeuner tous les matins.

J'étais sur le point de lui faire remarquer que le début n'était pas très prometteur, mais je me ravisai et lui dis que Nick avait de la chance d'avoir une femme comme elle.

Mais si Kiki avait tant insisté pour voir Nick, ce n'était pas seulement parce qu'elle s'inquiétait pour lui. Son imagination était tombée sous le charme de l'idée que j'avais un jour été la petite amie de Nick, que nous avions été fiancés. Elle s'était convaincue que Nick devrait divorcer de Budgie et m'épouser ensuite, et quand Kiki avait décidé quelque chose, on ne pouvait pas l'en faire démordre. Trois jours plus tôt, alors que j'émergeais nue de l'eau après ma baignade quotidienne matinale, j'avais découvert que ma crique d'habitude déserte ne l'était plus. Nick se tenait sur les rochers, raide comme une statue, le visage déformé par une expression de terreur. Un grand seau en métal était posé à côté de lui.

— Nick ! m'écriai-je, horrifiée en me jetant à la mer.

— Lily ! Je suis désolé. Je ne savais pas. Kiki…

— Quoi ?

— Elle m'a demandé de venir la rejoindre ici ce matin. Je crois qu'elle voulait aller à la pêche.

— Où est-elle ?

Il regarda autour de lui et scruta la batterie, son long dos absorbant la lumière orangée du soleil levant.

— Je ne la vois pas.

Je fis du surplace pendant quelques interminables secondes en me demandant depuis combien de temps il était là, sans oser lui poser la question.

— Nick, est-ce que ça te dérangerait… ?

— Pardon ?

— Ma serviette.

Nick trouva ma serviette sur les rochers. Il semblait avoir rougi, mais c'était peut-être simplement les rayons du soleil levant sur son visage. Il se retourna et me tendit la serviette, le bras tendu en arrière. Je sortis de l'eau, l'attrapai, et m'enroulai dedans.

— Tu peux te retourner, dis-je.

Il se tourna à moitié, le regard fixé sur l'océan.

— Je suis désolé, dit-il. Je crois qu'elle s'est fait une idée…

— Je sais. J'ai essayé de lui expliquer que c'était impossible…

— Ah oui ? demanda-t-il.

— Pas toi ? répondis-je.

— Je ne lui ai rien dit à ce sujet. Ce n'est pas vraiment à moi de le faire, tu ne trouves pas ? dit-il en secouant la tête. Je ferais mieux d'y aller. Je suis désolé de t'avoir dérangée.

— Nick, attends. Comment va ta tête ?

— Bien.

— Et tes côtes ?

— Bien.

— Nick Greenwald, tu peux être si stoïque que c'en est énervant. Tu l'as toujours été.

— Lilybird, dit-il en regardant le sable à ses pieds, tu n'as pas idée.

Il s'était retourné, avait repris son seau et s'était éloigné, et moi j'étais remontée à la maison et avais sermonné Kiki sur le caractère sacré du mariage. Elle m'avait écoutée en regardant fixement la table de la salle à manger et, lorsque j'avais terminé, m'avait demandé si elle pouvait aller déjeuner chez les Greenwald.

J'avais refusé.

La fête de Labor Day allait être pour Kiki la première occasion depuis plusieurs jours de revoir Nick, et elle courut devant moi, monta l'escalier au pas de course et entra dans la maison avant que tante Julie et moi ayons eu le temps d'entrer dans le jardin. (Mère, qui avait choisi de se conformer à l'interdiction de fréquenter les Greenwald, était partie seule à la fête plus calme du Seaview Club, la tête haute.)

Budgie m'accueillit sur le pas de la porte, les yeux brillants et les lèvres rouges, et me fit la bise. Elle m'offrit un verre de gin-tonic plein de glaçons.

— Je t'attendais.

— Et nous voilà, répondis-je.

Elle me prit le bras.

— Graham est là et il a l'air morose. Tu ne lui as donc pas encore dit oui ? Le pauvre garçon.

— Nous ne nous fréquentons que depuis quelques semaines.

Il y avait déjà foule chez les Greenwald, et la maison était pleine de femmes qui ricanaient et d'hommes qui les reluquaient. Budgie me guida vers la véranda et murmura à mon oreille :

— Il faut que je te parle. Il faut absolument que je te parle.

— Ici ?

— Plus tard, répondit-elle avec un clin d'œil.

Elle s'arrêta à l'entrée de la véranda, où j'avais trouvé Nick et Kiki allongés par terre en train d'étudier les plans de l'appartement de New York un peu plus d'une semaine auparavant.

— Graham est là, ajouta Budgie. Va le rendre heureux, ma belle.

Elle me poussa dans le dos. Graham était en pleine discussion avec deux femmes, une blonde et une rousse. Il tenait un verre de whiskey dans une main, et une cigarette dans l'autre, et les brandissait en l'air pour appuyer quelque chose qu'il était en train de dire. Il tourna la tête quand j'entrai dans la pièce et eut le bon goût de prendre un air penaud. Je me retournai vers Budgie, mais elle avait disparu.

— Mesdames, dit Graham en les saluant d'un signe de tête. (Ses mots, un peu indistincts, me laissaient penser qu'il était déjà saoul.) J'ai l'honneur de vous présenter ma fiancée, la belle Lily Dane.

Les deux femmes se tournèrent en même temps. Leurs sourcils étaient peints délicatement, à la

Garbo, et remontaient haut sur leurs fronts, leur donnant un air étonné.

Graham posa son verre de whiskey, écrasa sa cigarette, et vint jusqu'à moi. Je ne l'avais pas vu depuis la nuit de l'accident de Nick. Je ne m'étais pas aventurée hors du club et de la maison, et il n'était pas venu me rendre visite. Il prit ma main et la porta respectueusement à ses lèvres.

Je remuai les doigts de mon autre main, qui tenait toujours mon verre.

— Bonjour, mesdames.

Il faisait chaud sur la véranda. Graham me fit traverser la maison et nous sortîmes sur la terrasse. Je gardai mes yeux rivés sur le dos de Graham, refusant de chercher Nick du regard. Graham continua de marcher d'un air déterminé et ne s'arrêta qu'une fois sur le ponton, face à la baie.

— Assieds-toi, ordonna-t-il.

Je lui obéis. Il m'offrit une cigarette et je la pris.

— Bois, dit-il. Bois tout. Je te veux complètement ivre. C'est le seul moyen avec toi.

Je bus mon gin, comme il le voulait, et fumai ma cigarette. Les nuages étaient bas et lourds au-dessus de nous et menaçaient de s'ouvrir à tout moment. De la maison et la terrasse provenaient des éclats de rire et de conversations bruyantes. Graham était assis en tailleur face à moi, sincère, incroyablement beau, étrangement humble, et passablement éméché. Il alluma une cigarette et la porta à sa bouche, puis, les mains libres, il prit la mienne, celle qui ne tenait pas mon verre de gin.

— Je t'ai laissé une semaine pour te manquer, dit-il.

— Tu m'as manqué.

Il lâcha une main pour reprendre sa cigarette.

— Beaucoup, ajoutai-je.

— Bois plus.

Je bus une autre gorgée.

— As-tu pris ta décision ? Es-tu prête à me répondre ?

Je pris le temps de réfléchir et m'occupai en fumant ma cigarette et en buvant mon verre.

— Qui étaient ces filles avec toi ? Des amies ?

— Des fans. Je ne les avais jamais rencontrées avant ce matin. Cela fait partie du jeu. Mais tu ne réponds pas à ma question.

— Que veux-tu dire par *partie du jeu* ?

Il poussa un soupir.

— Je veux dire que, dans le cadre de mon métier, il m'arrive de rencontrer des membres du sexe opposé dont les intentions sont peu recommandables. Tu comprends ?

— Et que fais-tu dans ces cas-là ?

— Rien.

— Rien ? Graham ? Écoute, je ne suis pas née de la dernière pluie. Si tu ne peux pas me dire la vérité sur ce point, je ferais mieux de me lever tout de suite et de retourner dans la maison.

Un autre soupir.

— Il m'est arrivé de profiter de ce genre de situation. Mais plus maintenant.

— Hum…

Je bus une autre gorgée.

— Lily, ne fais pas ça. Il me faut une réponse. Je retourne en ville demain. J'ai un rendez-vous avec le médecin de l'équipe.

— Demain ?

— Ils veulent vérifier que je serai prêt pour octobre.

— Que se passe-t-il au mois d'octobre ?

Il leva les yeux au ciel et s'appuya en arrière.

— Les *play-offs*, Lily. Et ensuite, les World Series, si on y arrive.

— Ton épaule est guérie ?

— Pas complètement, mais suffisamment. Je me suis entraîné à lancer avec Palmer cette semaine ; mon bras va beaucoup mieux. Je prendrai la route à la première heure demain matin, dit-il en sortant quelque chose de la poche de sa veste. J'ai prévu de dormir à l'hôtel. J'ai laissé mon appartement à un joueur de l'équipe, un type qui vient de l'Ohio, pour l'été. Je te donne l'adresse.

Il me tendit un bout de papier sur lequel était écrit « Waldorf-Astoria. Suite 1101 ».

— Pourquoi me donnes-tu cela ?

— Pour que tu viennes me rendre visite.

— Oh.

Je lui pris le bout de papier. Je n'avais pas de sac à main ni de poches où le ranger. Je tripotai le bout de papier en regardant l'encre noire et l'écriture brouillonne de Graham.

— Laisse-moi faire.

Il souleva le décolleté de ma robe et coinça le papier sous la bordure de mon soutien-gorge.

— Je ne retournerai pas en ville avant la fin du mois de septembre. Mère aime profiter des dernières journées d'été, et l'école de Kiki ne commence pas avant le vingt-six.

— Tu ne peux pas trouver une excuse pour venir ? Faire du shopping, peut-être ?

— Peut-être.

La cigarette commençait à me brûler les doigts. J'en pris une dernière bouffée et l'écrasai contre le bois du ponton.

— Peut-être, peut-être. Est-ce totalement impossible d'obtenir une réponse claire de ta part, Lily ?

Mon verre était vide. Je le posai par terre et pris les mains de Graham dans les miennes.

— Ne peux-tu pas te contenter de cela, Graham ? Tu n'as pas besoin de m'épouser.

— Quelqu'un doit prendre soin de toi, Lily.

Je ramassai mon verre vide et me levai.

— Non, je n'ai pas besoin que l'on prenne soin de moi. Très franchement, le mariage ne semble pas être une institution si épanouissante. La vie des couples que je vois autour de moi est un vrai champ de ruines. Mère et papa, tante Julie et Peter, Nick et Budgie. Il y a toujours quelque chose qui tourne mal.

— Ce sera différent pour nous.

Les mots prononcés par tante Julie, sept ans plus tôt, dans le hall d'un dortoir d'université pour filles me revinrent en mémoire.

— C'est toujours différent, Graham, jusqu'à ce que ce soit exactement pareil que pour tout le monde. Je viendrai te rendre visite à New York si tu veux. Mais, pour l'amour du ciel, laissons le mariage hors de l'équation.

Il se leva d'un bond.

— Non. Ce n'est pas l'accord que nous avions passé.

— Alors, il n'y a plus d'accord.

— Li-ly !

C'était Kiki qui avait crié, et je la vis courir vers nous à toute vitesse.

Je me précipitai vers elle.

— Kiki, qu'y a-t-il ?

— Rien, répondit-elle en enlaçant mes jambes de toutes ses forces. Je voulais juste te trouver. Tu veux bien rentrer dans la maison, Lily, s'il te plaît ? Nick dit qu'il va pleuvoir.

Graham était toujours assis sur le ponton, il secouait la tête. J'eus un pincement au cœur en le voyant si déçu.

— Désolée, criai-je. Je te verrai plus tard.

Il me fit un petit signe de la main et alluma une autre cigarette.

***

Budgie servit un repas sous forme de pique-nique, qu'on dut rapidement déménager à l'intérieur lorsque la pluie commença à tomber. Tout le monde s'assit par terre, sur le sol blanc et autour des tables en verre, pour manger du poulet et du jambon fin comme du papier à cigarette et boire du champagne glacé. Il faisait tellement gris dehors que Budgie avait dû allumer tous les lustres et les appliques de la pièce pour qu'on y voie suffisamment. Nick était introuvable.

Kiki resta assise à côté de moi et mangea en silence. J'aperçus Graham, trempé, qui parlait avec les mêmes femmes qu'à mon arrivée, ainsi qu'une troisième qui l'observait attentivement. Je sentis une main se poser sur mon coude, accompagnée du parfum de Budgie.

— Kiki, dit-elle en se baissant, pourrais-je emprunter ta sœur un moment ?

Kiki la regarda fixement et partit sans un mot. Je faillis lui crier de revenir pour la forcer à parler poliment à Budgie.

— Viens, Lily. Trouvons un coin tranquille.

Toutes les pièces du rez-de-chaussée étaient bondées. J'aperçus enfin Nick, dans un coin de la salle à manger, en pleine conversation avec un homme aux cheveux grisonnants, vêtu d'un costume en coton seersucker. Kiki agrippait la jambe de Nick en grignotant un cookie. Il caressait sa tête d'un air absent.

Budgie m'entraîna à l'étage, jusqu'à sa chambre au bout du couloir. Elle était moins bien rangée qu'avant, vaguement sordide, la commode encombrée et les draps froissés, comme si quelqu'un avait fait la sieste dessus. Les notes orientales du parfum de Budgie embaumaient la pièce. Elle fit le tour de la chambre en chantonnant, alluma les lumières et finit son verre de champagne d'un trait, tandis que la pluie battait contre les fenêtres. Je restai là à l'observer en silence en sirotant mon champagne.

Une fois la pièce éclairée, elle me fit m'asseoir à côté d'elle sur le lit et s'appuya contre son oreiller, sa cigarette toujours à la main, les trois diamants de sa bague de fiançailles scintillant.

— J'ai une grande nouvelle à t'annoncer, Lily.

Elle retira ses chaussures. Elle ne portait pas de bas et appuya ses doigts de pied rouges contre ma jambe.

— Je voulais que tu sois la première à l'apprendre, ajouta-t-elle.

Je savais déjà ce qu'elle s'apprêtait à me dire. Je le sentis d'abord dans mon ventre, un début de nausée.

— De quoi s'agit-il ? demandai-je en balançant ma jambe d'un air insouciant.

Elle écrasa sa cigarette dans un cendrier à côté du lit et se pencha en avant.

— Nous allons avoir un bébé. N'est-ce pas merveilleux ? J'ai prié tout l'été pour que cela arrive.

Bizarrement, ce n'était pas difficile du tout de prendre ses mains dans les miennes et de les serrer sincèrement. Ce n'était pas difficile du tout de lui dire, très sincèrement, dans une voix qui se brisait un peu :

— Budgie, c'est formidable ! Je suis tellement contente pour vous !

Elle m'observa d'un air grave, ses grands yeux ronds et enfantins d'un bleu glacial et lumineux à la lumière des lampes de la chambre, sa peau aussi pâle que du lait.

— Tu l'es vraiment, Lily ? Cela ne t'embête pas ?

Je serrai ses mains un peu plus fort.

— M'embêter ? Je m'y attendais. Tu seras une mère formidable, Budgie. Regarde-toi ! Tu es rayonnante ! Pour quand est-ce prévu ?

— Avril, je crois. Le docteur n'est pas sûr, et je n'étais pas certaine moi non plus, si tu vois ce que je veux dire.

Ses longs cils noirs étaient couverts d'une épaisse couche de mascara.

J'avais l'impression d'observer la scène de loin, comme si je flottais quelque part sous le plafond et que je regardais Lily et ses cheveux bouclés parlant avec bonne humeur à la belle et fragile Mme Nicholson Greenwald, la félicitant de la formidable nouvelle de sa grossesse.

— Nick doit être aux anges, m'entendis-je dire.

— Bien sûr qu'il l'est. Il rêve de devenir père. Il me l'a dit pendant notre lune de miel, qu'il voulait que je sois la mère de ses enfants, qu'il voulait que nous formions une véritable famille.

— Évidemment. C'est pour cela que les gens se marient ! commentai-je en serrant de nouveau sa main. Comment te sens-tu ?

— Mieux que je ne le pensais. Je suis épuisée, bien sûr. C'est pour cela que j'étais si hystérique l'autre jour, quand Nick s'est blessé. J'ai cru... oh, tu n'as pas idée. Avec cet adorable petit secret grandissant en moi, et lui inconscient sur le sable, dit-elle d'un air effrayé en posant une main sur son ventre. Heureusement que tu étais là pour calmer tout le monde. Tu es un roc, Lily. Tu m'aideras avec le bébé, n'est-ce pas ?

— Bien sûr.

— Je vais annoncer la nouvelle à tout le monde dans quelques minutes. Mais je voulais te le dire d'abord, en privé. Tu es ma meilleure amie, Lily. Je ne peux pas te dire à quel point cela compte pour moi d'avoir retrouvé ton amitié.

— Bien sûr, répétai-je.

Je pris mon verre de champagne, le terminai en une longue gorgée, et penchai la tête sur le côté.

— Encore une fois, c'est une merveilleuse nouvelle. J'ai vraiment hâte d'assister à cet heureux événement.

— Tu es la meilleure, Lily.

Elle me fit une bise et me laissa me lever.

— Tu ne descends pas ?

— Non, je vais rester ici et me reposer quelques minutes. C'est épuisant, tu sais.

Elle m'adressa un sourire glorieux de son nid d'oreillers.

Je descendis l'escalier et tombai sur tante Julie, flirtant dans un coin du salon avec un homme aux cheveux noirs coiffés en arrière et portant un nœud papillon.

— Pourras-tu ramener Kiki à la maison ? lui demandai-je. Je ne me sens pas très bien.

— Bien sûr, répondit-elle en m'observant d'un air curieux. Qu'y a-t-il ?

— Trop de champagne, je pense.

Graham était de retour sur la véranda, assis sur un fauteuil en rotin blanc, une femme perchée sur chacun des accoudoirs. Je me dirigeai vers lui, pris ses deux mains et le forçai à se lever.

— J'ai changé d'avis, dis-je. Ça ne te dérangerait pas de me raccompagner en voiture ? Il pleut énormément dehors.

***

Graham dut retourner chez les Palmer en courant pour aller chercher sa voiture. Quand il revint dans sa longue Cadillac, il était trempé jusqu'aux os.

— Je suis désolée, dis-je en secouant la tête pour disperser les gouttes de pluie.

— Ça ne me dérange pas.

Il me prit le visage à deux mains et m'embrassa passionnément. Sa bouche avait le goût de whiskey, comme le soir de la taverne.

— Nous sommes fiancés, ajouta-t-il.

— Oui. Ramène-moi à la maison, vite.

Nous roulâmes le long de la route de Seaview sous une pluie battante, les essuie-glaces balayant frénétiquement le pare-brise. Graham roulait lentement en me tenant par la main. La voiture zigzaguait un peu. Je me demandai combien de verres il avait bus.

— Qu'est-ce qui t'a fait changer d'avis ? demanda-t-il.

— Je ne sais pas. J'ai réfléchi. Je crois que j'ai envie d'appartenir à quelqu'un.

— Appartiens-moi, Lily. Et moi je t'appartiendrai.

Il leva ma main et l'embrassa.

Nous nous arrêtâmes devant ma maison. Les lumières étaient éteintes, à l'exception d'une lampe à l'autre bout de la maison. Dans la cuisine, sûrement. Nous avions donné à Marelda une soirée de congé, mais elle avait choisi de ne pas aller en ville, à cause du temps, vraisemblablement.

— Vas-tu m'inviter à l'intérieur ?

Je me tournai vers lui.

— Marelda est dans la maison. Restons assis ici un petit moment.

— D'accord.

Il coupa le moteur. Son visage était sombre avec la pluie qui tombait dehors. Il se pencha vers moi et m'embrassa, posant sa main sur mon genou. Ma robe était froissée et il la remonta le long de mes jambes pendant que nous nous embrassions, ses doigts glissant sur mes bas.

Il m'embrassa dans le cou, remonta mes cheveux et déposa un chapelet de baisers le long de ma nuque.

— Lily, tu ne crois pas que nous serions plus à l'aise sur la banquette arrière ?

— Je croyais que tu ne profitais pas de filles comme moi sur ta banquette arrière.

— Nous sommes fiancés maintenant, pas vrai ?

Son corps était lourd et mouillé contre le mien ; sa main chaude contre ma cuisse.

— Je crois que nous sommes bien là où nous sommes, répondis-je.

Il continua de m'embrasser. Ses doigts remontèrent lentement le long de ma cuisse gauche et défirent les attaches de mes bas avec une agilité experte. Je sentis le tissu se relâcher et glisser sur ma peau.

— Attends, Graham, dis-je. Pas ici, pas dans la voiture.

— Juste un peu plus, Lily. Allez, laisse-moi te voir un petit peu. J'adore te regarder.

Ses mains trouvèrent le crochet en haut de ma robe et l'ouvrirent, puis elles défirent le suivant, et celui d'après. Ma tête retomba en arrière contre la fenêtre.

— Graham…

— Chut… Laisse-moi te goûter, d'accord ? Je veux juste te goûter, pour me faire tenir. Je n'ai rêvé que de cela tout l'été.

Le haut de ma robe glissa sous mon soutien-gorge. L'air à l'intérieur de la voiture devint chaud et suffocant, mais la pluie gardait fraîche la fenêtre sous ma tête.

— J'en ai besoin, Lily. Tu n'as pas idée à quel point j'en ai besoin.

La souffrance que je décelai dans sa voix m'adoucit. Je passai mes bras autour de son cou.

— Chhh… Tout va bien, le rassurai-je.

Il m'embrassa, m'allongea sur le siège, tira ma robe jusqu'à ma taille et défit mon soutien-gorge. Avec un profond soupir de soulagement, il blottit son visage contre ma poitrine. Le siège en tissu était chaud sous mon dos. La pluie s'abattait sur le toit de la voiture avec fracas. Graham pétrissait ma chair et me tétait comme un enfant affamé. Je me concentrai pour essayer de retrouver le désir que j'avais éprouvé pour lui une semaine plus tôt, dans le jardin. La brûlure, la délicieuse torture, l'attirance et le désir désespéré de contact humain. Au lieu de cela, j'étais curieusement détachée, vide de toute sensation, comme si j'étais une poupée à qui l'on faisait l'amour.

— Tu es si douce, Lily, si douce, dit-il en léchant ma poitrine. Tu as le goût de lait et de miel, un délice. Et tu es à moi, maintenant.

L'ivresse me brouillait l'esprit. Je savais qu'il fallait que je l'arrête. Déjà, ses mains remontaient le long de mes jambes et il avait défait mon autre bas.

— Tu es si belle, Lily, dit Graham.

— Je ne suis pas belle. Juste au bon endroit au bon moment.

— Si douce.

Il plaça ses coudes de chaque côté de ma tête et s'allongea au-dessus de moi, sa jambe gauche appuyée contre le plancher de la voiture et son épais genou droit entre mes jambes. Il était chaud et moite de sueur dans l'air lourd de ce jour de fête du Travail. Son haleine répandait des effluves de whiskey et de fumée.

— Laisse-moi entrer, Lily, s'il te plaît. Juste une seconde. J'ai tellement envie de toi. J'en tremble.

— Graham, attends. Pas la première fois. Attendons un peu, attendons que je vienne te rendre visite en ville. À l'hôtel, d'accord ? Nous aurons toute la nuit.

— J'ai attendu cela tout l'été, Lily, répondit-il en m'embrassant. Juste un tout petit peu. Je veux juste avoir un tout petit aperçu. Je n'irai pas jusqu'au bout, je te le jure.

Je plaçai mes mains sur son torse pour le repousser.

— Graham…

Mais il était déjà en train de déboutonner son pantalon, avait déjà les mains sous ma jupe, avait déjà défait ma gaine et tirait sur ma combinaison.

— Juste une seconde, je te jure, dit-il. J'ai tellement envie de toi.

Il pressa ses pouces contre moi, dans un geste désespéré pour m'ouvrir à lui et je cédai. Je cédai et le laissai prendre possession de moi, car j'étais déjà allongée sur le dos sur le siège de sa voiture, parce que je l'avais déjà laissé défaire mon soutien-gorge et goûter ma bouche et ma poitrine dans la pénombre moite, parce que j'avais déjà accepté de devenir sa femme. Dans l'ivresse de mon désespoir, je lui avais fait comprendre mon consentement ; le rejeter maintenant me paraissait grossier et déshonorant, quand il avait tant besoin de moi.

Et, après tout, je n'étais plus vierge. Je n'avais plus d'innocence à protéger.

Au moment de ma soumission, la main de Graham avait trouvé mon entrejambe. Mais le choc de cette intrusion me coupa le souffle.

— Oh, doux Jésus, Lily, dit Graham.

Il se hissa au-dessus de moi et chercha un espace entre nos deux corps. Je me préparai. Un petit à-coup, une poussée franche ; je me sentis m'ouvrir et m'abandonner, mon dos glissa contre le siège et mes jambes s'écartèrent, impuissantes.

— Oh, Lily, que c'est bon, dit-il d'une voix rauque.

À bout de souffle, sa peau moite collant à la mienne, il s'affaissa sur moi.

— Laisse… moi… juste… oh, tu es si douce… juste un peu plus…

— Graham, attends…

Il donna un autre coup de reins, saisit mes hanches, et poussa encore. Ma tête cogna contre la poignée de la porte.

— Oh, Lily, dit-il.

Il accéléra soudain la cadence, et chaque coup me poussait contre la portière. Il respirait fort et vite, la voiture s'emplit du son de ses grognements, assourdissant même le bruit de la pluie.

— Oh, mon Dieu, je vais jouir, s'écria-t-il soudain.

À l'idée de Graham se vidant en moi, je levai les jambes et les bras, me tournai sur le côté et lui donnai un coup de coude dans la poitrine. Il perdit l'équilibre et tomba en arrière sur le sol, tremblant de tout son corps, le souffle court.

— Lily ! Merde, mais qu'est-ce qui t'a pris ? s'écria-t-il enfin, en sortant son mouchoir de la poche de sa veste.

— Tu as dit que tu n'irais pas jusque-là !

— Lily... (Il porta une main à sa poitrine et se releva avec difficulté.) Je vais t'épouser, non ? Tout le monde se fichera bien si Junior arrive un peu en avance.

— Eh bien, moi, je ne m'en fiche pas !

Je raccrochai l'attache de mon soutien-gorge, incapable de dissimuler ma colère.

Il s'assit sur la banquette en boutonnant son pantalon.

— Alors, qu'est-ce que c'était que ça ?

— Ça ? *Ça ?* (Je frappai le siège de ma paume ouverte.) C'était moi qui t'ai laissé bêtement me sauter dans ta voiture pour un peu de satisfaction mutuelle, sauf que, je ne sais pas si tu l'as remarqué, don Juan, mais la satisfaction n'a pas vraiment été mutuelle, dis-je en remettant ma robe. Et tu as juré que tu... que tu n'irais pas jusqu'au bout.

— Oh, Lily, ne le prends pas mal.

Il glissa sur la banquette pour être près de moi, me prit la main et la plaça contre son torse.

— Je suis désolé, d'accord ? (Il tenta de m'embrasser, mais je détournai la tête.) Je m'excuse. J'aurais dû me retenir, je sais. Mais je croyais... Allez, embrasse-moi. Embrasse-moi, mais pardonne-moi. J'ai perdu la tête. Tu me fais perdre la tête. Embrasse-moi, Lily, ou je ne me le pardonnerai jamais.

Il était si contrit, si beau et il faisait tout ce qu'il pouvait pour m'amadouer. Ses cheveux humides retombaient sur son front. Je pensai un instant à Budgie, allongée confortablement sur ses oreillers, satisfaite et fertile. L'enfant de Nick, le bébé qu'il désirait. Je laissai Graham m'embrasser, le laissai glisser ses mains dans le décolleté de ma robe. Ses paumes étaient chaudes contre ma peau.

— Tu es si douce, tes seins sont juste… affolants. C'est le mot. Je ne pouvais pas m'arrêter. J'ai attendu si longtemps, et tu avais enfin dit oui, tu sais, te voir allongée là, rien que pour moi. Je n'ai pas pu me retenir.

Je me mis à trembler, comme si je réagissais en retard à ce que nous venions de faire. J'avais fait l'amour – ou quelque chose comme ça – avec Graham Pendleton, avec *mon fiancé* Graham Pendleton, sur la banquette de sa Cadillac toute neuve. Graham me prit dans ses bras.

— J'irai plus lentement la prochaine fois. Je te donnerai du plaisir. Je sais comment te donner du plaisir.

— J'en suis sûre.

— Nous pourrions aller dans ta chambre maintenant.

— Non, c'est impossible. Les autres ne vont pas tarder à rentrer.

— Marions-nous bientôt, d'accord ? poursuivit-il. Dès que la saison de base-ball sera terminée. Je ne peux plus attendre. Nous aurons notre premier enfant l'année prochaine.

— Graham…

— Je sais, je sais. Je m'assurerai que ce soit neuf mois après notre mariage, pour éviter les commérages des vieilles dames. Cette fois, tu pourras avoir l'esprit tranquille, ajouta-t-il en m'embrassant les cheveux.

Je secouai la tête et m'écartai de lui.

— Graham…

Il m'embrassa les mains.

— Je veux la totale, Lily. Autant d'enfants que tu pourras m'en donner, un chien et un chat, la plus grande maison du quartier. Je te donnerai tout ce que tu voudras, toute l'aide dont tu auras besoin. Tu n'auras pas à lever le petit doigt. Tu seras la femme la plus jalousée de la côte Est. J'adopterai Kiki, et je l'élèverai comme ma propre fille. Je…

— Arrête, Graham. Tu vas trop vite.

Je commençais à reprendre mes esprits. « J'ai besoin d'une cigarette », pensai-je. Je fermai les yeux et choisis mes mots avec prudence.

— Chaque chose en son temps, d'accord ? Profitons d'abord de nos fiançailles.

Graham éclata de rire.

— Je vais plus vite que la musique, hein ?

— Oui.

— Excuse-moi, dit-il en caressant mes doigts. Commençons par la bague, alors.

— La bague ?

Graham me fit un clin d'œil et attrapa sa veste, qu'il avait balancée sur le dossier du siège avant, et en sortit une petite boîte.

— J'ai demandé à la banque de me l'envoyer. C'était celle de ma mère. Tu la transmettras à notre fils. C'est une tradition familiale.

— Oh, Graham.

Ma tête se remit à tourner.

Il ouvrit la petite boîte et la bague de fiançailles des Pendleton reposait dans un écrin de velours bleu, scintillant légèrement dans la pénombre. Un solitaire, sur un anneau en or incrusté de petites feuilles.

— Elle fait un peu vieux jeu, je sais, mais tu aimes ce genre de chose, non ?

J'étais trop stupéfaite pour protester quand il la glissa à mon doigt.

— Elle est un peu grande, dis-je en la faisant tourner autour de mon annulaire.

— Tu pourras la faire resserrer quand tu viendras me rendre visite en ville. Allez, Lily. Embrasse-moi et dis-moi qu'elle te plaît.

Il me regardait, rayonnant et plein d'espoir, comme Kiki l'avait fait quand je lui avais dit que je l'emmènerais manger une glace l'après-midi même. Je caressai sa joue, l'embrassai et lui dis qu'elle me plaisait beaucoup.

— Très bien. Alors, tu me pardonnes ma conduite grossière ?

— Je ne sais pas. Tu as été très grossier.

— Je me rattraperai. La prochaine fois, je serai parfaitement sobre et correctement équipé, je te le promets. Je serai un vrai gentleman. Quand peux-tu venir à New York ?

— Je ne sais pas. Dans une semaine, peut-être. Il me faut une excuse.

— Et si tu disais que tu dois faire resserrer ta bague ? Ou trouver une robe de mariée ? répondit-il.

— Tu es vraiment pressé de faire le grand saut, on dirait ?

— Lily, j'ai l'impression de ne plus être le même. Comme si je tournais une page ce soir, dit-il en m'embrassant la main, directement sur la bague. Tu m'as ramené à la vie.

La pluie avait enfin commencé à se calmer. Graham rattacha mes bas, m'aida à sortir de la voiture et réajusta ma robe humide et froissée. Il utilisa son corps comme bouclier pour me protéger de la pluie et nous remontâmes en courant la petite allée qui menait à la porte d'entrée.

— J'entrerais bien, dit-il, mais je ne repartirais jamais et il faut que je me lève tôt demain matin.

— Pas de problème.

— Je passerai avant de partir, pour te dire au revoir. Je t'appellerai en arrivant.

— Très bien.

Il m'embrassa, en caressant tendrement ma joue, et courut jusqu'à sa voiture sous le crachin. Je le regardai partir, puis rentrai et me fis couler un long bain chaud.

***

Le lendemain matin, Graham passa, comme promis, pour me dire au revoir, et mère, toujours en robe de chambre et ravie de la bonne nouvelle, insista pour qu'il reste un moment et prenne le petit déjeuner avec nous. Elle lui dit qu'il pouvait fumer s'il le voulait et il alluma sa cigarette avec l'air satisfait d'un pacha.

Lorsqu'elle apprit qu'il avait réservé une suite au Waldorf pour tout le mois de septembre, mère fut scandalisée. Elle monta à l'étage chercher la clé de notre appartement et lui dit de faire comme chez lui et de s'installer dans la chambre d'amis, étant donné que nous ne rentrerions pas avant la fin du mois.

Après tout, se dit-elle, il faisait partie de la famille maintenant.

15

ROUTE 9, ÉTAT DE NEW YORK

1er janvier 1932

Je me réveille juste après que nous avons dépassé Albany, quand le pneu avant droit crève.

Pendant un instant, je suis complètement désorientée. Ma première sensation est celle de la douceur de la fourrure du manteau de ma mère sur ma joue, puis l'odeur du cuir et de l'huile. Lorsque j'ouvre les yeux et vois le tableau de bord, le volant de la voiture de Nick, je pense un instant que nous sommes de retour à l'université, que je me suis endormie et que j'ai raté le couvre-feu de la résidence.

Je me redresse en sursaut et aperçois quelque chose du coin de l'œil : le gros diamant qui brille à ma main gauche.

Nick. Nous nous sommes enfuis pour nous marier en cachette.

J'ai le cœur serré. J'ai mal à la tête. J'ai la bouche pâteuse.

Mais où est Nick ?

Je sursaute quand le coffre se referme avec fracas et secoue la voiture. Quelques instants plus tard, la portière s'ouvre et laisse entrer une bourrasque d'air glacial.

— Tu es réveillée ? Je suis en train de changer le pneu. Il faut que je soulève la voiture sur le cric ; préfères-tu rester à l'intérieur ou sortir ? Il fait un froid de canard.

Je lève la tête et écarte les cheveux de mon visage. Nick me regarde en souriant, sa peau est illuminée par la lueur perlée de l'aube hivernale, son chapeau enfoncé bien bas sur la tête pour lui tenir chaud. Dans quelques heures, cet homme sera mon mari.

— Peux-tu la soulever avec moi à l'intérieur ?

Nick éclate de rire et me donne une petite chiquenaude sur le menton.

— Ma puce, tu es un poids plume. Reste dans la voiture si tu préfères, j'en ai pour une minute. Comment te sens-tu ? Tu es un peu pâle.

— Très bien, réponds-je en mentant.

— Après, nous nous arrêterons quelque part pour prendre le petit déjeuner. Comme au bon vieux temps, pas vrai ?

Il m'embrasse et ferme la portière.

Je me laisse tomber en arrière. Lentement, un côté de la voiture monte par à-coups, au même rythme que les élancements de ma migraine. Quelque chose roule sur le plancher ; j'entrouvre les yeux et vois qu'il s'agit de la bouteille de champagne vide.

Il nous faut près d'une heure pour trouver un restaurant ouvert à cette heure matinale du premier jour de la nouvelle année.

La serveuse nous dévisage :

— Vous venez de la ville, c'est ça ?

Elle a le visage ridé et la tête de quelqu'un qui n'aurait pas dormi de la nuit. Son rouge à lèvres de la veille s'est insinué dans les plis autour de sa bouche.

— Nous allons nous marier en cachette, répond Nick. Du café pour la dame, s'il vous plaît. Et une tasse pour moi aussi, en fin de compte.

Je vais aux toilettes et tente de me refaire une beauté, du mieux que je peux. Mes jolies boucles serrées de la veille ont disparu, tout comme mes trois couches de rouge à lèvres, et j'ai des mèches de cheveux qui partent dans tous les sens. Je pince mes joues, me frotte la bouche. Les sequins de ma robe attrapent la lumière sous l'arrondi de ma poitrine, et, même si la pièce est bien chauffée par un radiateur bruyant, je serre le manteau de fourrure contre mon corps. Avant de me retourner, je remarque ma main gauche dans le miroir, et la bague qui brille à mon doigt. Je la regarde à la lumière, sous un angle puis sous un autre, pour m'habituer à elle.

— Alors où allez-vous ? Au lac George ? demande la serveuse, la mine du crayon posée sur le bloc-notes.

— Tout à fait, répond Nick.

Pendant un moment, ils discutent du meilleur itinéraire compte tenu des routes qui ont été déneigées depuis Noël. La serveuse jette un coup d'œil à ma main gauche, comme si elle voulait s'assurer que nous ne la faisons pas marcher.

— Mais, bien sûr, vous n'avez pas prévu de vous marier avant demain, ajoute-t-elle.

— Non, non. Aujourd'hui, répond Nick en souriant et en me prenant la main. Le plus tôt possible.

Elle lui adresse un sourire compatissant et aussi un peu condescendant qui signifie « pauvres citadins ».

— Mais, enfin, c'est le Jour de l'An. Tout est fermé.

Je regarde Nick. Il me regarde.

— De toute façon, j'imagine que vous avez pensé à prendre vos actes de naissance et tout ça, ajoute-t-elle. Pour la licence ?

Nick se prend la tête dans les mains.

***

— Ne t'inquiète pas, dis-je une fois de retour dans la voiture.

Après une copieuse assiette d'œufs au bacon et plusieurs tasses de café, je me sens bien mieux.

— Nous allons trouver une solution. Je vais appeler Budgie. Elle pourra…

— Quoi ? Entrer en douce chez tes parents et trouver ton acte de naissance ?

— Oui, quelque chose comme ça.

Nick a les mains posées sur le volant.

— Lily, à l'heure qu'il est, ton père a forcément lu la lettre.

— Ils ne peuvent pas savoir où nous sommes partis.

— Mais le lac George est l'endroit évident, non ?

Un minuscule flocon de neige flotte dans les airs, porté par le vent, et atterrit, tout doucement, sur le pare-brise.

— Partons, dis-je. Nous trouverons quelque chose. Une fois que nous serons là-bas ensemble, tout le monde sera bien obligé de faire avec. Nous pourrons leur demander de téléphoner à la mairie à New York. Je suis sûre qu'ils font ça tout le temps.

Nick pianote sur le volant.

— Et si c'est impossible ? Et s'il nous faut attendre ?

— Que veux-tu dire ?

— Si nous ne pouvons pas nous marier tout de suite, que ferons-nous ?

Il me regarde d'un air implorant.

— Oh, oui. Je vois.

— Ne devrions-nous pas faire demi-tour et rentrer à New York ? demande-t-il en me prenant la main. Et essayer une autre fois ?

— Non, non, Nick ! Allons-y ! Nous... Nous trouverons une solution une fois que nous serons là-bas.

— Et tu te fiches du qu'en-dira-t-on ?

— Bien sûr que je m'en fiche. Les gens peuvent dire ce qu'ils veulent. Ne le sais-tu pas depuis le temps ? Si tu viens avec moi là-bas, mes parents ne pourront rien faire contre ! Ils seront obligés de t'accepter.

Mes mots résonnent pendant de longues minutes dans le silence de Nick.

Il lâche ma main et reprend le volant. Quand il parle, sa voix est différente, plus grave.

— Ils seront *obligés* de m'accepter ? Qu'est-ce que ça veut dire ?

— Tu sais très bien ce que je veux dire.

— Oh, je comprends parfaitement. Si j'ai couché avec toi, si j'ai défloré leur précieuse petite fille, ils n'auront d'autre choix que d'accepter le grand méchant loup dans la bergerie. C'est bien ça ?

— Ne le dis pas comme ça.

— Et pourquoi pas ? C'est pourtant ça que tu voulais dire. Peut-être que je devrais te faire un bébé pendant que j'y suis. Comme ça, le problème serait réglé pour de bon.

— Peut-être, réponds-je sur le ton du défi en croisant mes bras sur ma poitrine. Peut-être bien. Et si on s'y mettait tout de suite ? Hein ? Juste là, dans la voiture ? Qu'est-ce que tu attends, Nick ? Le plus tôt sera le mieux.

— Ne me tente pas. (Nick reste immobile, sa grande silhouette voûtée sur le volant, le regard perdu sur les grandes plaines gelées qui s'étendent à perte de vue à l'extérieur d'Albany.) C'est le summum de l'ironie, dit-il en mettant le contact. Le gendre idéal, hein ? Ils vont m'adorer.

Le moteur ronronne, il le laisse chauffer pendant quelques instants. Le silence entre nous devient progressivement si tendu que j'ai même peur de le briser.

Enfin, il relâche l'embrayage et sort du parking en marche arrière.

— Où vas-tu ?

— Au lac George, répond-il en s'engageant sur l'autoroute tandis que le moteur émet un grondement assourdissant. Nous n'allons quand même pas tous les décevoir.

***

Le temps d'arriver au lac George, il est presque sept heures du soir, et il neige depuis des heures.

— Je suis venu ici une fois avec mes parents, dit Nick. Il y a un grand hôtel juste au bord du lac. Je suis sûr qu'ils auront des chambres libres.

Il a les yeux gonflés, les traits tirés. Il est épuisé. Il neigeait tant que nous avons roulé au pas pendant des heures. Je l'ai supplié de me laisser prendre le volant, mais il a refusé catégoriquement.

— Est-ce encore loin ? dis-je.

— Je ne pense pas.

Il prend un virage et la voiture part en dérapage, mais Nick en reprend le contrôle presque aussitôt.

— Excuse-moi, dis-je en lâchant le siège auquel je me suis agrippée. Tout est ma faute. Je n'ai pas réfléchi.

— Ce n'est rien, ma puce. Nous y sommes presque. Nous allons pouvoir manger un repas chaud, prendre un bon bain, et tout ira mieux.

L'hôtel est immense, un énorme complexe comme ils en construisaient dans le temps. Le hall s'ouvre devant nous avec ses piliers, ses sofas en velours rouge et sa moquette usée. Il y a un restaurant sur notre gauche, et le bar en acajou juste en face de nous. Nous sommes surpris d'apprendre que l'hôtel est bondé.

— Chaque année, nous organisons une grande fête de Nouvel An, nous dit le réceptionniste. Il y a toujours beaucoup de monde. Avez-vous une réservation ?

— Non, répond Nick. Nous prendrons n'importe quelle chambre, du moment qu'il y a un lit.

L'homme nous observe d'un air suspicieux. Il regarde son cahier de réservations, en faisant claquer sa langue.

Nick se penche vers lui.

— Écoutez, ma femme et moi sommes en lune de miel. Nous avons fait une longue route aujourd'hui. Nous devrions pouvoir trouver un arrangement.

L'homme lève la tête et nous lance un regard sceptique.

— Félicitations, monsieur et madame… ?

— Greenwald.

— Greenwald. Encore une fois, félicitations. (Il jette un regard discret à ma main gauche.) Mais j'ai bien peur que nous ne soyons complets. La prochaine fois, vous choisirez peut-être de retenir à l'avance.

Sur ces mots, il nous adresse un sourire triomphant.

L'index de Nick tape le comptoir de bois dans un rythme déterminé. À chaque coup qu'il donne, je sens sa colère monter.

— Nick, il peut peut-être nous suggérer un autre hôtel dans le coin.

— Un instant, chérie. Auriez-vous l'amabilité de m'accorder un mot en privé, monsieur ? demanda Nick, d'un ton glacial.

Le réceptionniste blanchit visiblement.

— Certainement, monsieur.

Je m'appuie sur le comptoir et les regarde s'éloigner, parlant à voix basse. Le corps de Nick est légèrement penché vers celui du réceptionniste, et son profil se découpe, féroce, au-dessus du comptoir. Je reconnais cette expression. C'est celle, empreinte de la même détermination, que je lui ai vue la première fois, sur le terrain de football alors qu'il préparait la prochaine attaque de son équipe. À mesure qu'il parle, la silhouette du réceptionniste semble rétrécir.

De l'autre côté du grand hall, le pianiste entame *Thinking of You*[1]. Une femme dans une longue robe bleu nuit, appuyée contre le piano, l'accompagne d'une voix sensuelle.

— Madame Greenwald?

Il me faut un instant pour comprendre que le réceptionniste s'adresse à moi.

— Oui? réponds-je en me tournant vers lui.

— Il semblerait qu'une de nos chambres se soit libérée, finalement. Avez-vous des bagages à faire monter?

— Non. Pas de bagages.

Derrière nous, la chanteuse y met tout son cœur.

Et je ne pense à aucun autre
Depuis que j'ai commencé
À penser à toi

Nick signe le registre et je vois qu'il a écrit *M. et Mme Nicholson Greenwald, New York City.*

— Nous aimerions qu'un dîner nous soit monté dans la chambre, dit Nick en posant le stylo et en regardant le réceptionniste droit dans les yeux. Une entrecôte et votre meilleur vin rouge.

---

1. Chanson écrite en 1927 par Harry Ruby et Bert Kalmar pour la comédie musicale jouée à Broadway, *The Five O'Clock Girl.* Très populaire en 1928, puis de nouveau en 1950.

— Monsieur, dit le réceptionniste timidement, nous ne pouvons pas servir de vin. Comme vous le savez.

— Non, bien sûr. Une carafe d'eau, alors. De l'eau glacée. Qu'aimerais-tu en dessert, chérie ?

Je m'éclaircis la gorge.

— Du gâteau au chocolat ?

— Une part de gâteau au chocolat pour ma femme, dit Nick. Dans une demi-heure, s'il vous plaît. Pas plus tard. Nous avons très faim.

— Très bien, monsieur. Tout de suite.

— Merci. Vous avez été très serviable. (Nick prend la clé de notre chambre et me donne le bras.) Madame Greenwald ?

— Je vous suis, monsieur Greenwald, réponds-je en lui prenant le bras.

Notre chambre est située à un étage élevé, au bout d'un long couloir aux murs couverts de velours cramoisi. Nick ouvre la porte et, avant que j'aie eu le temps de dire ouf, me soulève dans ses bras fatigués.

— Mais nous ne sommes pas encore mariés ! protesté-je tandis qu'il me porte dans la chambre.

— Si conduire pendant seize heures dans une tempête de neige ne constitue pas un engagement irrévocable à t'épouser, alors je ne sais pas ce qu'il faut. Bienvenue chez vous, madame Presque-Greenwald.

Il allume la lumière avec son coude.

Je glisse au sol et regarde la chambre. La pièce est plongée dans une éternelle pénombre hivernale, elle sent un peu le renfermé et les rideaux sont tirés. Nick retire son manteau, le lance sur une chaise et va ouvrir les rideaux.

— On ne voit pas grand-chose, mais le réceptionniste m'a assuré que notre chambre donnait sur le lac. J'imagine que nous en aurons la preuve demain matin.

— La neige se sera sûrement arrêtée de tomber, tu ne crois pas ?

Je le rejoins à la fenêtre. On ne voit rien à part les flocons et les ombres blanches du paysage au loin. Nos visages se reflètent sur la vitre, épuisés et confus.

— C'est un bel endroit, dit Nick. Nous sommes venus ici l'été et c'était superbe. Le lac est immense, il s'étend à perte de vue.

Sa voix résonne, lourde comme du plomb.

— Tu es épuisé, dis-je en le prenant par la taille pour le tourner vers moi. Tu n'as pas dormi de la nuit.

— Ce n'est pas ma première nuit blanche, ne t'inquiète pas.

Cela me fait mal de le voir ainsi, son visage familier tiré et sa barbe naissante.

— Je ne voulais pas te pousser comme ça. Je ne voulais pas précipiter les choses... Nous aurions dû attendre, non ? Jusqu'au mois de juin, jusqu'à la fin de l'année universitaire...

Nick me caresse tendrement le visage.

— Ne dis pas ça, Lilybird. Les choses sont comme elles doivent l'être. Imagine les histoires que nous pourrons raconter à nos enfants un jour. Je ne voudrais être nulle part ailleurs qu'ici, dans cette chambre, avec toi.

— Mais qu'allons-nous faire maintenant ? Nous devons finir nos études, et...

— Ne t'en fais pas pour ça. Ne t'inquiète de rien. Nous sommes ensemble, c'est tout ce qui compte. Que sont quelques mois ? Qu'est-ce qu'une petite querelle avec nos parents ? Nous avons cinquante ou soixante ans devant nous, Lily. Ce n'est rien, dit-il en posant son front contre le mien. Non, en fait, cela, cet endroit, ce moment, c'est tout. C'est notre début. Nous démarrons sur les chapeaux de roues.

Je ris et je pleure en même temps.

— Ça, c'est sûr. Allez, va prendre un bain avant que notre dîner arrive.

— Non, vas-y la première. Je peux attendre.

— Ne sois pas idiot. Tu as conduit toute la journée. Tu dois être tout engourdi. Prends le premier bain, et je m'assurerai que la table soit mise et ton dîner prêt quand tu en sortiras, dis-je en le poussant vers la salle de bains. Je ne fais que mon devoir d'épouse.

Nick s'éloigne à reculons et remue les sourcils d'un air malicieux.

— Tu pourrais te joindre à moi.

— Si tu t'ennuies, pense à moi.

Il me donne un dernier baiser et disparaît dans la salle de bains. J'entends l'eau couler dans la baignoire de l'autre côté de la porte et le bruit étouffé de ses mouvements. Je m'occupe dans la chambre, j'allume les lampes, je suspends le manteau de Nick. Il n'y a pas beaucoup à faire. Pas de bagages à défaire, pas de vêtements à ranger. Contre le mur, le lit nous attend, prometteur ; un lit de lune de miel, pour deux personnes.

Le bruit du radiateur dans le coin de la pièce me fait sursauter. J'ai chaud avec mon manteau de fourrure, je l'enlève et le suspends dans le placard à côté de celui de Nick. Puis je vais jusqu'au lit et retire le couvre-lit, je tapote les oreillers, je lisse les draps comme je l'ai fait mille fois, avec mes propres draps, dans ma propre chambre, à Seaview et à Smith et dans l'Upper East Side de Manhattan. Tout près, derrière la porte de la salle de bains, le long corps de Nick est en train de s'étendre dans l'eau chaude. A-t-il du savon ? Devrais-je le lui demander ? Frapper à la porte et l'entrouvrir, passer ma tête ?

Je n'arrive pas à faire quoi que ce soit. On frappe à la porte, et le dîner arrive sous des cloches argentées sur une petite table à roulettes recouverte d'une nappe blanche. Le serveur installe chaque plat avec soin, muet comme une tombe ; il sort une bouteille de vin de sous la nappe et la débouche. Lorsqu'il a terminé, il se redresse et me regarde, comme s'il attendait quelque chose.

Un pourboire. Oh, mon Dieu. Je n'ai pas d'argent sur moi.

— Un instant.

Je frappe à la porte de la salle de bains et l'entrouvre un tout petit peu.

— Nick, murmuré-je. Le dîner est arrivé.

— Hmm ? marmonne-t-il d'une voix endormie.

— Le dîner est là. Il… Excuse-moi, mais il lui faut un pourboire, et je n'ai rien sur moi…

— Oh, désolé, chérie. Ma pince à billets est dans la poche intérieure de mon manteau. Prends tout ce dont tu as besoin.

Je ferme la porte de la salle de bains et vais jusqu'au placard, je plonge la main dans la doublure soyeuse de son manteau où je trouve une bosse dure. La pince dorée renferme un gros paquet de billets, de gros billets, de cent et vingt dollars. C'est peut-être ce que le réceptionniste a trouvé si persuasif. « Prends tout ce que tu veux », m'a dit Nick, avec désinvolture, comme si c'était normal, comme si nous étions déjà mariés. Je ne me sens pas du tout désinvolte. Je trie les billets de Nick, choisis un billet de un dollar, puis me souviens de la bouteille de vin de contrebande, et opte pour cinq dollars à la place. Je plie le billet en un petit rectangle discret.

— Merci, dis-je au serveur en lui tendant l'argent.

— Merci beaucoup, madame Greenwald, répond-il d'un air surpris, puis il tourne les talons et referme la porte de la chambre derrière lui.

J'entends l'eau de la baignoire se vider.

Quelques minutes plus tard, Nick apparaît, vêtu de son pantalon et de son maillot de corps, sa chemise de costume à la main. Il frotte sa barbe naissante.

— J'aurais dû demander un rasoir. Ça ne t'embête pas trop ?

— Pas du tout. Tu ressembles encore plus à un pirate comme ça.

Il sourit et me tend sa chemise.

— Je pensais que tu pourrais la porter, en attendant que nous te trouvions quelque chose demain. Ce sera plus confortable que ta robe, non ?

— Merci. Je lui ai donné cinq dollars. Excuse-moi, je sais bien que c'est beaucoup trop, mais il est arrivé si vite et il a apporté du vin en plus, et… et c'est un jour férié, et…

— Lily, bon sang, tu n'as pas à t'inquiéter pour ça… Ce qui est à moi est à toi, d'accord ? Tu n'as même pas besoin de demander. Allez, à table !

Nous mangeons en silence, l'esprit occupé par ce que nous avons fait ce soir, par l'obscurité de la nuit, par la fatigue qui s'installe dans les yeux noisette de Nick, par le lit nuptial. Nick me sert un verre de vin, mais j'ai du mal à me forcer à en boire ne serait-ce qu'une gorgée, tout comme j'ai du mal à me forcer à manger.

— Lily, mange quelque chose, s'il te plaît. (Il plante ma fourchette dans un morceau de rosbif et l'approche de ma bouche.) Il faut que tu manges. Tu m'inquiètes.

Je mâche ma viande prudemment et parviens à l'avaler malgré ma gorge serrée. Nick m'observe d'un air inquiet.

— Lily, qu'y a-t-il ? Est-ce que tu as peur ?

— Non, je suis juste fatiguée.

— Tu n'as pas changé d'avis ?

— Bien sûr que non ! Non. (Je me lève, mes jambes flageolent.) Et si j'allais prendre mon bain maintenant ? Cela me ferait du bien.

Nick se lève aussi et pose sa serviette à côté de son assiette.

— Lily, si tu es inquiète à propos de… (Il caresse mes cheveux et parle d'une voix douce.) Nous ne sommes pas obligés… Tu sais. Je ne t'obligerai jamais… Tu sais que je ne t'obligerai jamais… ?

— Je sais. (Je me dresse sur la pointe des pieds pour l'embrasser.) Mais j'en ai envie, Nick. Je veux partager ça avec toi. Tu sais que j'en ai envie. J'ai juste le trac.

— Le trac ? Pourquoi ?

— Tu sais, comme le premier jour d'école ou quand on prend le volant d'une voiture pour la première fois.

Nick me prend dans ses bras.

— Tu n'as aucune raison d'avoir peur, Lily. Ce n'est que moi. Juste ce bon vieux Nick, qui est fou de toi, qui veut te rendre heureuse. Si tu n'es pas prête, dis-le-moi. Nous avons toute notre vie devant nous.

— Je suis prête, Nick. Je t'assure. Je le suis depuis longtemps.

— Tu es sûre ?

Je recule pour voir son visage et hoche la tête.

— Je vais aller prendre un bain, pour me faire toute belle et propre pour toi, et ce sera parfait. Tout sera plus facile, tu ne crois pas, une fois que nous serons ensemble ?

— Une fois que ce sera fait, tu veux dire ? dit-il avec un sourire malicieux en me faisant une petite pichenette sur le menton.

— Tu sais très bien ce que je veux dire.

— Je t'attends.

Lorsque je sors de la salle de bains un quart d'heure plus tard, le cœur battant à tout rompre, vêtue de la chemise de Nick sans rien dessous, la table a été débarrassée et poussée de côté, et Nick est allongé sur le lit, profondément endormi.

Mon cœur se serre en le voyant. Il est si long et pur et merveilleux, son visage parfaitement immobile. Ses pieds nus dépassent du lit. Sur la table de chevet sont posés nos deux verres de vin, à moitié remplis, rouges et brillants sous la lampe.

— Oh, Nick, dis-je dans un souffle.

Je m'agenouille au bord du lit et caresse ses cheveux et ses tempes. Il ne bouge pas.

Très doucement, je fais glisser la couverture sous son corps et le couvre. Autour de nous, la pièce est immobile et semble nous observer en retenant son souffle, aucun bruit ne provient de l'hôtel et de ses clients. J'éteins les lampes une par une et m'assure que les rideaux sont bien fermés. Je décroche le téléphone. Rien ne perturbera le sommeil de Nick cette nuit.

J'entends un coup distant, le murmure d'une conversation, et le silence revient. Je soulève la couverture de l'autre côté du lit (le côté droit, celui où je dors d'habitude, comme si je l'avais toujours su) et me glisse sous les draps frais, à côté de Nick.

Maintenant que je suis là, au lit avec Nick, la fatigue m'a soudain abandonnée, comme le poids du manteau de fourrure de mère. Je suis parfaitement éveillée, les yeux fixés au plafond, et j'écoute sa respiration régulière. J'essaie de sentir les battements de son cœur à travers le drap et la couverture, la chaleur de son corps immense m'enveloppe, tandis que la neige tombe dehors.

16

MANHATTAN

Mardi 20 septembre 1938

La gare de Grand Central grouillait de passants aux parapluies dégoulinants. Il pleuvait depuis le samedi précédent, une pluie d'une grande conviction, avec des orages, des averses torrentielles et du crachin. Mère, en me conduisant à la gare à l'aube, avait même blagué, pour une fois, en disant qu'elle aurait mieux fait de m'emmener dans l'arche de Noé à la place.

J'avais prévu de prendre un taxi jusqu'à notre appartement, mais, avec la pluie tombant à verse dans les rues, il était impossible de trouver un taxi libre. Il ne me restait plus qu'à prendre le métro. Je posai ma sacoche par terre et cherchai une pièce de cinq *cents* au fond de mon sac à main, dans tous les débris de l'été. J'avais les mains moites, j'étais trempée de sueur. La pluie n'était pas parvenue à tempérer l'atmosphère. La troisième semaine de septembre avait commencé, et nous vivions sous les tropiques, ici dans le Nord-Est.

Je trouvai enfin mes cinq *cents* et je descendis l'escalier, passai les tourniquets et allai attendre sur le quai. Après chaque marche, chaque pas, la chaleur devenait un peu plus oppressante. Mes cheveux collaient à mon crâne sous mon chapeau.

En arrivant à l'appartement, la première chose que je ferais serait de prendre une douche.

Si Graham n'y était pas, bien entendu, mais on était en plein milieu de la journée et j'étais à peu près certaine qu'il serait sorti. Il m'avait appelée tous les matins depuis son départ de Seaview, très tôt car il avait soit un rendez-vous avec le médecin de l'équipe, soit une séance d'entraînement ou une réunion à propos de telle ou telle chose. Chaque matin, il avait appelé et demandé quand je prévoyais de venir lui rendre visite, et, chaque matin, j'avais évité de répondre. Trop dur de laisser Kiki seule. Mère couvait quelque chose. Nous avions commencé à ranger la maison et à faire les bagages, comme à la fin de chaque été. Je viendrais bientôt, lui promettais-je chaque matin. J'avais hâte de le voir.

Il appelait souvent le soir aussi, sa voix un peu plus chancelante, son humeur un peu plus sentimentale. Ne pouvais-je pas venir passer la journée ? Tout était ennuyeux et vide sans moi. Il avait besoin de moi. Il voulait convenir d'une date pour le mariage, il voulait m'emmener en lune de miel. Il était allé dans une agence de voyages, avait pris des brochures : que pensais-je d'une croisière dans les Caraïbes ? Ou l'Amérique du Sud ? Ou pourquoi pas faire le tour du monde en voilier et être de retour juste à temps pour les entraînements du printemps ? Il avait hâte de me voir, ne pouvait plus attendre. Il avait tant de choses à me dire, tant de projets à faire avec moi. Une toute nouvelle vie ensemble, une deuxième chance. Il me traiterait comme une reine.

Il avait promis de régler la note de téléphone quand ma mère rentrerait de Seaview.

— Pourquoi n'es-tu pas encore allée le voir ? m'avait demandé Budgie, un matin de la semaine précédente. Il m'a appelée l'autre jour, il est désespéré, Lily, complètement désespéré.

— Parce que je me sens trop coupable d'abandonner tout le monde ici, répondis-je.

— Oh, ne joue pas les martyres. Nous pouvons tous nous passer de toi et tu ne peux pas faire attendre trop longtemps un homme comme Graham, chérie.

— Mais Nick aussi est seul sans toi, à New York, dis-je sans réfléchir.

Nous étions en train de prendre le soleil, allongées sur une couverture, profitant de l'un des rares rayons de soleil de ce mois de septembre. Budgie était sur le ventre, son maillot de bain roulé jusqu'à la taille, les yeux fermés dans l'heureuse torpeur que lui avait prodiguée le gin-tonic, qu'elle avait apporté dans une immense Thermos. Elle ouvrit un œil et me sourit.

— Ce n'est pas la même chose, chérie, dit-elle en prenant une cigarette. Nous sommes mariés. Et il veut que je reste ici aussi longtemps que possible pour le bébé.

Le bébé. Elle parlait tout le temps du bébé : qu'elle était heureuse, que Nick était heureux. (Serait-ce un garçon ou une fille ? Elle espérait un garçon, pour faire plaisir à Nick.) Et qu'elle espérait que Graham et moi aurions un bébé, nous aussi, pour que nous puissions les élever ensemble. (Ne serait-ce pas adorable ? Nos enfants passeraient leurs étés à Seaview, comme nous à l'époque. Est-ce que je me souvenais du jour où nous avions mangé notre première glace toutes les deux, quand nous avions cinq ou six ans ?)

— Oui, bien sûr. C'est beaucoup mieux pour toi et le bébé d'être ici. Au grand air.

Budgie se tourna sur le côté, allongée comme une odalisque.

— Non mais regarde-moi, Lily ! Je commence déjà à m'arrondir. Est-ce que ça se voit ?

Elle prit un de ses seins dans sa main qui tenait sa cigarette. Les diamants scintillèrent à la lumière du soleil contre sa peau blanche.

C'était indéniable. Maintenant que je la voyais nue, il était clair qu'elle avait pris de la poitrine, que ses seins étaient plus ronds et plus lourds. Elle avait presque un air maternel.

Je pris la tasse de la Thermos, en bus une gorgée, et la reposai dans un creux dans le sable.

— J'irai peut-être mardi.

— Fais-le. (Elle referma les yeux.) Et mets-toi au travail sur ce bébé, tu veux ? Je veux que notre petit Nick Junior ait plein de compagnie. En plus, je ne veux pas être la seule à être grosse et enceinte.

— Naturellement. Graham aussi est pressé de faire un bébé.

— Je veux que tu sois heureuse, Lily, dit Budgie, d'un air fatigué. Je suis si contente que tu sois heureuse.

Heureuse. Bien sûr que j'étais heureuse. Le bonheur coulait dans mes veines tandis que le métro fonçait vers Lexington Avenue, ou peut-être étais-je juste étourdie par la chaleur. J'allais voir Graham ; j'allais épouser Graham. *M. et Mme Graham Pendleton*, gravé à l'encre noire sur un épais papier à lettres écru. Plus que quelques minutes et j'arriverais à la maison, dans mon appartement si familier. Je prendrais une douche et allumerais tous les ventilateurs au plafond ; je me ferais belle, je mettrais un déshabillé de soie au décolleté plongeant bordé de dentelle, un soupçon de *Shalimar* sur mes poignets. J'entendrais Graham ouvrir la porte et il me trouverait là à l'attendre, fraîche et parfumée. Nous ferions l'amour dans mon lit, la pièce inondée de la lumière du jour, et puis nous sortirions dîner et danser, avant de rentrer et de refaire l'amour et de s'endormir dans les bras l'un de l'autre, et j'appartiendrais à Graham et à personne d'autre, et je serais pleine d'amour et d'espoir pour notre avenir. Nous ne prendrions peut-être pas de précautions, après tout. Je suivrais peut-être les conseils de Budgie pour que le bébé vienne dès que possible. Si nous nous mariions au mois de novembre, comme le voulait Graham, personne ne le remarquerait.

Demain, j'emmènerais Graham rendre visite à papa, et papa serait content.

Kiki serait ma demoiselle d'honneur, évidemment. Nous irions toutes les deux choisir nos robes chez Bergdorf, et nous lui trouverions une robe simple sans trop de froufrous, elle n'aimait pas les froufrous.

Le métro s'arrêta sous la 68e Rue. Je gravis l'escalier sale et glissant, jusqu'au trottoir sale et glissant de la rue et ouvris mon parapluie. La pluie tombait toujours. Après l'été à Seaview, New York était vivant et bruyant, une succession de vitrines et de gens, d'odeur de fumée, de saleté et de corps. Deux taxis se klaxonnaient et se lançaient des insultes. Je traversai Lexington, jusqu'au calme relatif de la 69e Rue, avant de tourner sur Park Avenue.

La vue familière s'étendait devant moi : l'avenue large divisée en deux par une allée centrale fleurie en abondance, les hauts immeubles gris avec leurs auvents vert bouteille abritant les fenêtres et les terrasses aux étages élevés. J'agrippai mon parapluie et marchai jusqu'à l'entrée moderne, mais modeste de mon immeuble.

— Bonjour, Joe, dis-je gaiement au portier.

Joe était le seul employé sympathique de notre immeuble, et le seul qui avait moins de soixante ans.

— Ça alors, mademoiselle Lily ! s'exclama-t-il en souriant. Vous voilà ! Où est notre petite fille préférée ?

— Toujours dans le Rhode Island. Je suis juste venue un jour ou deux pour faire quelques courses. Avez-vous pris bien soin de mon invité ?

— Mademoiselle Lily, c'était un plaisir. Je suis fan de Pendleton depuis son premier jour avec les Yankees. Ne vous inquiétez pas, nous nous sommes bien occupés de lui. Des journalistes sont venus l'autre jour, mais nous les avons chassés.

— Des journalistes ?

Il hocha la tête.

— Oui, m'dame. Nous leur avons dit que nous n'avions jamais entendu parler de lui. C'est vrai ? Vous allez vous marier ?

— Oui, Joe, dis-je en souriant. C'est un vieil ami et nous avons... Eh bien, c'est un vrai tourbillon.

— Alors, félicitations, mademoiselle Lily. Je suis sûr que vous serez très heureux. Il est là-haut, il vient juste de rentrer de l'entraînement.

— Vraiment ? Déjà ?

— Ce n'est pas comme s'il avait des horaires de bureau, répondit Joe.

Je suivis Joe vers l'ascenseur. Il l'appela pour moi. Il était déjà au rez-de-chaussée et les portes s'ouvrirent lentement. Joe tira la grille.

— À plus tard, mademoiselle Lily.

— Merci, Joe.

J'appuyai sur le bouton portant le numéro douze et m'appuyai contre la paroi, pour regarder les numéros s'égrener. L'immeuble me paraissait silencieux, vide, comme si la chaleur et la pluie avaient endormi tous ses habitants.

Alors Graham était déjà rentré. Il n'aurait d'autre choix que de me prendre telle que j'étais. Je me tamponnai le front avec mon mouchoir, retirai mon chapeau et arrangeai mes cheveux humides.

L'ascenseur s'arrêta. Je ramassai ma sacoche, ouvris la grille et en sortis. À ma droite, la porte d'entrée de mon appartement, mon foyer depuis l'enfance, à l'intérieur duquel se trouvait l'homme qui réclamait que je lui confie ma vie de femme, assis dans le salon, la salle à manger ou bien même le bureau de papa, lisant le journal ou écoutant la radio, fumant une cigarette, une tasse de café ou un verre de quelque chose de plus corsé à portée de main.

Il serait étonné de me voir. Il serait ravi. Il me soulèverait dans ses bras et me ferait tournoyer dans les airs, comme Nick l'avait fait un jour.

Je tremblais. Je sortis ma clé de mon sac à main et ouvris la porte en faisant le moins de bruit possible.

— Graham ? dis-je, mais j'avais la gorge serrée et ma voix n'était qu'un murmure.

Je l'entendais dans le salon. Il ne parlait pas, mais émettait des bruits sourds, comme des grognements étouffés, probablement en train de faire ses exercices pour son épaule. Je posai ma sacoche dans l'entrée, mon sac à main sur la table en demi-lune, et traversai l'arche qui menait au salon.

Graham était assis sur le canapé, la tête rejetée en arrière, un bras posé sur le dossier du sofa, l'autre probablement sur ses genoux. Il avait les yeux fermés et, un instant, je crus qu'il dormait, mais ses lèvres bougeaient, et de ces lèvres provenaient les grognements que j'avais entendus de l'entrée.

J'approchai et toute la scène m'apparut. Sa main gauche n'était pas posée sur ses genoux, comme je le pensais, mais agrippait une masse de cheveux châtains bouclés. Les cheveux étaient ceux d'une femme agenouillée devant lui, une fille en fait, dont le pull jaune citron et le soutien-gorge avaient été jetés par terre à côté des chaussures noires de Graham, et sa tête était baissée attentivement au-dessus du pénis de Graham, qui émergeait et disparaissait rythmiquement entre ses lèvres rouges formant un cercle parfait.

Tandis que j'observais, clouée sur place, les grognements de Graham s'accélérèrent et se transformèrent en mots incohérents, et sa main se mit à bouger autoritairement dans les boucles châtaines de sa suppliante, la guidant avec précision. Ses hanches se cambrèrent, mais la fille tint bon, ses doigts enroulés autour de la base du pénis comme un empilement de bagues roses. Ses épaules délicates et sa peau ivoire étaient encadrées, de part et d'autre, par les jambes de Graham dans son pantalon de flanelle bleu marine.

— Mon Dieu, je vais jouir, cria Graham.

Je dus faire du bruit sans m'en rendre compte, car la fille leva des yeux horrifiés, et mon esprit était dans un tel état de confusion qu'il me fallut plusieurs secondes pour la reconnaître.

— Maisie ? dis-je.

***

Une fois que Maisie Laidlaw avait arrêté de pleurer et de s'excuser, une fois que je l'avais renvoyée chez ses parents, rhabillée dans son pull jaune moulant, j'ordonnai à Graham de faire ses bagages et de s'en aller. Je voulais qu'il soit parti quand je reviendrais. Il répondit qu'il voulait rester, parler et expliquer ce qui s'était passé, mais je lui dis qu'il ne pouvait y avoir d'autre explication possible, hormis ce qui était évident.

Il dit qu'il me parlerait plus tard, quand je me serais calmée. Je lui dis que j'étais parfaitement calme.

Il dit qu'il avait fait une terrible erreur, qu'il s'était senti si seul sans moi, qu'il avait été à la dérive, et si seulement j'étais venue lui rendre visite plus tôt. Il dit que la fille lui courait après depuis qu'il était arrivé, qu'elle n'avait cessé de lui faire des avances, et était même allée jusqu'à retirer son pull dans l'ascenseur quelques instants auparavant, et quel homme aurait été capable de résister à une poitrine comme la sienne ? Il dit qu'au moins, ils n'avaient pas couché ensemble, qu'il ne me trahirait jamais ainsi. Je lui dis, que, en ce qui me concernait, coucher ou ça, c'était la même chose.

Il tomba à genoux sur le tapis de mes parents et jura qu'il ne recommencerait plus jamais, qu'il ne regarderait jamais une autre femme.

Je lui dis que je n'étais pas idiote.

Je lui dis que Maisie Laidlaw n'avait rien d'une femme.

Il refusa de récupérer la bague de sa mère, je la laissai donc sur la table en demi-lune de l'entrée, scintillant sous la lampe en dessous des deux gravures d'Audubon, et partis rendre visite à mon père.

***

Papa vivait depuis quelque temps dans un hôpital spécial de la 63e Rue. L'hôpital ressemblait plutôt à un immeuble, en fait, excepté qu'on n'y croisait que des infirmières et des médecins et que les murs des couloirs étaient peints en blanc. Sa chambre avait l'avantage d'offrir une vue partielle du parc, et il passait la plupart de son temps à regarder par la fenêtre, ses yeux bleus vides et son visage immobile.

— Il est dans un bon jour, dit l'aide-soignant qui me fit entrer. Il a bien mangé à midi. Je lui ai lu le journal. On dirait qu'ils se préparent à un autre ouragan en Floride.

— Un autre ?

L'aide-soignant hocha la tête d'un air grave.

— Ce sera la côte atlantique cette fois. Regardez, monsieur Dane. Votre fille est là.

Mon père bougea la tête. Je fis le tour de sa chaise, m'agenouillai devant lui et lui pris la main.

— Papa, c'est moi. C'est Lily.

Il me regarda et le côté droit de son visage esquissa un petit sourire. Je touchai sa joue et caressai quelques poils de barbe que le rasoir avait manqué.

— Comment vas-tu ? Il a fait chaud cet été, hein ? Tu m'as tellement manqué.

— Je peux vous apporter une chaise ? demanda l'aide-soignant.

— Non, merci.

Je me pelotonnai contre papa. Je sentis un poids sur ma tête : c'était sa main. Je voyais tout juste un petit bout de Central Park par la fenêtre, malgré la pluie. Une fois par jour, ils le sortaient sur son fauteuil pour une promenade le long des allées du parc, à moins qu'il ne fasse trop mauvais. Je doutais qu'il soit sorti ce jour-là.

— Appelez-moi si vous avez besoin de quoi que ce soit, dit l'aide-soignant.

Je restai assise là un long moment, à regarder par la fenêtre, agrippée aux jambes de papa, sa main posée sur ma tête. Une légère odeur d'antiseptique flottait dans l'air, mêlée au parfum de la mousse à raser de papa.

— Te souviens-tu de Nick, papa ? demandai-je à voix basse. (Il ne bougea pas.) Probablement pas. C'était ce garçon de Dartmouth dont j'étais amoureuse. J'imagine que je le suis toujours. Il a épousé Budgie, papa. Budgie Byrne. Ils ont passé l'été à Seaview, dans la vieille maison de sa famille, sauf qu'elle l'a entièrement rénovée. Elle est très moderne, maintenant.

Papa fit un petit bruit de gorge.

— Ce n'est pas si mal, rassure-toi. La maison tombait en ruine ; ils devaient faire quelque chose.

Je caressai ses jambes, fines comme des allumettes sous son léger pantalon de flanelle. Vu la chaleur, il portait ses vêtements d'été. Au plafond, le ventilateur émettait un petit murmure.

— Enfin bref, ils étaient là, et il était tel qu'il a toujours été, si sérieux, intelligent et beau, chaleureux malgré tout. C'était une torture, papa, de les voir ensemble. Et Budgie... Eh bien, tu connais Budgie. Elle est si belle, assez belle pour être avec lui. Et elle l'aime. Tu aurais du mal à le croire, autant que j'en ai eu moi-même, mais elle l'aime. Elle l'aime vraiment.

Ma vision se brouilla. J'essuyai mes yeux d'un revers de manche.

— Alors, j'ai commencé à flirter avec Graham Pendleton, papa. Je ne sais pas si tu l'as déjà rencontré. Il est incroyablement beau. Il joue pour les Yankees. J'étais jalouse de Nick, et j'étais si triste... Je crois que Graham m'aidait à me sentir mieux. Il me faisait me sentir belle et aimée. Et puis Budgie a dit qu'elle et Nick attendaient un bébé, et je ne l'ai pas supporté, alors j'ai dit à Graham que je l'épouserai.

La main de papa bougea dans mes cheveux.

— Il a dit qu'il avait besoin de moi, papa. Tu sais que je ne peux pas résister aux gens qui ont besoin de moi. Je pensais pouvoir faire quelque chose de bien. Donner à Kiki un homme à admirer, avec qui elle pourrait jouer, comme je t'ai eu toi. Donner à Graham l'épouse loyale dont il avait besoin, la famille qu'il voulait. Mais j'avais tort.

La gorge serrée de sanglots, mes larmes se mirent à couler de plus belle. Je m'effondrai, agrippée toujours à la jambe de papa comme à une bouée de sauvetage.

— Papa, j'ai eu si tort. Mon Dieu que j'ai pu être bête !

Je me laissai aller à pleurer contre les jambes de mon père, la flanelle collant à mes joues. Je pleurai pendant ce qui me sembla des heures, jusqu'à me sentir vidée de l'intérieur, jusqu'à ce que j'aie l'impression de n'être plus qu'une coquille vide en équilibre instable au dix-huitième étage d'un immeuble qui donnait presque sur Central Park.

La main de papa était immobile à présent, il avait cessé de me caresser les cheveux. La pluie formait un rideau contre la fenêtre, une immense quantité de pluie qui se déversait dans les gouttières et les rues de New York. Lorsque je me levai pour partir, je n'aurais su dire si j'étais restée deux minutes ou deux heures. Mes membres étaient engourdis, mon visage me tiraillait. Je déposai un baiser sur la joue de papa et lui dis que je reviendrais le voir le lendemain.

Avant de sortir, je m'arrêtai à la cabine téléphonique dans le hall de l'immeuble et consultai l'annuaire à la recherche de l'adresse de Greenwald & Company : 99, Broadway.

***

Les lettres en cuivre sur le panneau du hall de l'immeuble indiquaient que l'entrée des visiteurs de Greenwald & Company se trouvait au onzième étage. La pluie s'était calmée le temps que je sorte du métro, il ne tombait plus qu'une petite bruine, mais ma robe était toujours humide, mes bas collés à mes jambes et mes cheveux, une masse de frisottis blond vénitien. Il était quatre heures de l'après-midi et le hall tout en marbre était quasiment déserté, comme si tout l'immeuble retenait son souffle avant l'heure de pointe du soir. Je secouai mon parapluie et appelai l'ascenseur. Je tentai de ne pas regarder mon reflet sur les parois en acier inoxydable autour de moi.

Je me disais que je ne faisais rien de mal, que j'allais simplement voir un vieil ami, qui m'aiderait à me sentir mieux et me réconforterait peut-être. Je me disais que je n'avais aucune intention envers Nick, surtout pas celle de perturber son mariage ou sa future paternité. Mais je ne pouvais empêcher mes doigts de trembler lorsque j'appuyai sur le bouton du onzième étage dans l'ascenseur ; mon cœur tambourinait dans ma poitrine et, malgré tout ce que je me disais, la culpabilité me troublait. Je me sentais coupable de ne pas me sentir coupable, justement ; de n'en avoir rien à faire, de m'en ficher royalement. Je pensais, malgré moi, que c'était mon tour de tout détruire, de blesser quelqu'un irrémédiablement.

Je ne savais pas ce qui m'attendait dans les bureaux de Nick. Je savais qu'il avait dirigé la branche parisienne de Greenwald & Company après l'université, qu'il avait sorti l'entreprise de l'abysse après la quasi-banqueroute du printemps 1932. Je savais qu'il était retourné à New York pour prendre les rênes de l'entreprise après la mort de son père un an plus tôt, et qu'il avait demandé Budgie en mariage peu de temps après. Avait-il fait des changements profonds ou conservé tel quel ce que son père avait bâti ? Les bureaux seraient-ils neufs et modernes, comme l'appartement de Gramercy Park ?

Il y avait du marbre en abondance, frais et blanc. Il y avait d'épais tapis au sol et de confortables fauteuils, ainsi que des tableaux d'art moderne sur tous les murs dans des couleurs vives. Au bout du hall, sous un panneau indiquant GREENWALD AND COMPANY en grandes lettres noires sans empattement, une jolie secrétaire aux cheveux bruns était assise derrière un bureau en bois de frêne. En me regardant approcher, mon parapluie dégoulinant à la main, elle m'observa avec un air curieux et hautain.

— Greenwald et Company, dit-elle. Puis-je vous aider ?

— Lily Dane, pour M. Greenwald.

— M. Greenwald est en réunion. Avez-vous un rendez-vous ?

— J'ai bien peur que non.

Elle jeta un coup d'œil à l'horloge au mur.

— Peut-être voudriez-vous revenir demain, dit-elle.

— Non merci. Je préfère attendre.

— Il est prévu que la réunion dure un certain temps.

— Cela ne fait rien. J'attendrai. Vous pourriez peut-être lui donner mon nom, en attendant.

Un sourire supérieur.

— Je ne peux certainement pas le déranger, à moins que ce ne soit une urgence…

— Mademoiselle…

Je cherchai son nom, soit sur un badge accroché à sa veste, soit sur son bureau, mais ne trouvai rien.

— Mademoiselle, je suis une amie proche de M. Greenwald. Je suis certaine qu'il souhaiterait être informé de ma présence.

L'ombre d'un doute passa un instant dans son regard et disparut aussitôt.

— Je suis désolée. Il a laissé des instructions précises. Vous pouvez vous asseoir pour l'attendre ou revenir demain matin.

J'observai la porte ouverte derrière elle et aperçus un couloir, tout en marbre. Un homme passa, puis un autre. L'un d'entre eux, plutôt jeune, passa la porte et vint murmurer quelque chose à l'oreille de la réceptionniste.

— La réunion est-elle terminée ? demandai-je.

L'homme leva la tête, surpris.

— Elle est ajournée, pour l'instant. Qui êtes-vous ?

— Pourriez-vous prévenir M. Greenwald que Lily Dane l'attend ?

— Lily qui ?

— Dane, répétai-je d'une voix forte. Lily Dane.

— *Lily ?*

Nick apparut à la porte menant au couloir, le visage pâle et visiblement choqué, il portait un costume sombre et avait coiffé ses cheveux en arrière. Je faillis ne pas le reconnaître, mais ses yeux noisette, presque verts dans la lumière forte du hall de Greenwald & Company, je les aurais reconnus n'importe où.

— Nick, dis-je.

— Que se passe-t-il ? Est-ce que tu vas bien ?

— Je…

Je tournai la tête vers la secrétaire, dont les yeux s'étaient écarquillés de frayeur.

— J'ai oublié de prendre rendez-vous, ajoutai-je.

La main de Nick agrippait la porte, ses phalanges blanches.

— Mademoiselle Galdone, dit-il très calmement, je crois qu'il y a eu une confusion dans mon emploi du temps. J'ai oublié de vous dire que j'avais rendez-vous avec Mlle Dane cet après-midi. Un rendez-vous de longue date. Je l'avais presque oublié moi-même. Si vous voulez bien me pardonner, mademoiselle Dane, ajouta-t-il en se tournant vers moi, je vais prendre congé de mes clients. J'en ai pour une minute. Mademoiselle Galdone, veuillez vous assurer que Mlle Dane m'attende confortablement.

— Bien sûr, monsieur Greenwald.

Je m'assis sur un fauteuil, lissai les plis de ma jupe et tripotai mon parapluie. Mlle Galdone s'éclaircit la gorge et demanda si elle pouvait m'apporter quelque chose à boire, une cigarette ou quoi que ce soit. Je répondis non, merci.

Nick revint quelques instants plus tard, son chapeau sur la tête et un parapluie à la main.

— Mademoiselle Galdone, dit-il sans la regarder, je serai absent pour le reste de la journée. Veuillez prendre mes messages.

— Oui, monsieur Greenwald.

Nick m'entraîna vers l'ascenseur sans un mot et recula pour me laisser entrer. Trois hommes étaient déjà à l'intérieur, eux aussi vêtus de costumes sombres. Nous n'échangeâmes pas un mot et observâmes simplement les numéros défiler. Lorsque les portes s'ouvrirent et que nous sortîmes dans le hall de l'immeuble, Nick se tourna vers moi.

— Veux-tu aller boire un café ?

— Oui, s'il te plaît.

Il y avait un café juste à côté, face à la sortie du métro, mais Nick passa devant sans s'arrêter et remonta Broadway. Je me hâtai de le suivre et il nous guida à travers la foule et la circulation avec prudence et précision. Nos parapluies s'entrechoquaient tandis que nous marchions sur les trottoirs de New York, en prenant soin d'éviter les autres passants. En arrivant à City Hall, Nick tourna à gauche et me fit entrer dans un petit drugstore. Nous nous installâmes au comptoir. Nick m'aida à m'asseoir sur un tabouret haut et fit signe au serveur de nous apporter du café. Après nous avoir servi deux tasses, Nick posa son chapeau sur le comptoir et s'assit à côté de moi. Ses longues jambes avaient du mal à tenir sous le comptoir ; il dut se mettre de biais, tourné vers moi, nos genoux se touchaient.

— Lily, est-ce que tout va bien ? demanda-t-il, les premiers mots qu'il prononçait depuis que nous avions quitté son bureau.

— Oui. Physiquement, je veux dire. J'ai rendu sa bague à Graham cet après-midi. Les fiançailles sont annulées.

Nick ne laissa transparaître aucune réaction, pas un muscle ne bougea sur son visage. Il but son café et sortit un paquet de Chesterfield de la poche de sa veste. Il me le tendit.

— Merci, dis-je en prenant une cigarette.

Il alluma ma cigarette, puis la sienne, et attrapa un cendrier. Les deux rubans de fumée se mêlèrent l'un à l'autre. J'observai la main de Nick, tenant sa tasse de café, et il me sembla qu'il serrait l'anse en porcelaine un peu trop fort. J'avais le souffle coupé de le sentir si près de moi, de cette intimité que j'avais si longtemps recherchée, de la proximité de sa main large qui avait un jour touché mon corps avec tant de tendresse.

— Te rappelles-tu du jour où tu es venu chez moi pour rencontrer mon père ?

Il laissa échapper un petit rire sans humour. Lorsque ses yeux se plissèrent, je fus frappée par sa beauté, juste un instant.

— Comment l'oublier ?

— Il y avait une petite fille qui s'appelait Maisie dans le couloir. Tu as été très gentil avec elle, je m'en souviens. Bref, elle a bien grandi depuis. Enfin, pas tout à fait. Elle doit avoir seize ou dix-sept ans, je pense.

Nick hocha la tête au-dessus de sa tasse de café pour m'encourager à poursuivre, sans tout à fait croiser mon regard.

— Tu sais que Graham occupait notre appartement, parce qu'il a laissé le sien à un joueur de l'équipe. (Je bus mon café, fumai ma cigarette, choisissant mes mots.) Cet après-midi, je suis venue pour lui faire une surprise, et Maisie était là avec lui, et elle… était agenouillée devant lui sur le canapé, et… sa bouche…

Je remuai la main, incapable de finir ma phrase.

— Mon Dieu, dit Nick en posant sa tasse. Oh, Lily.

— Ne dis pas que tu es désolé. Ne sois pas désolé. Je suis contente. Je savais… (Je secouai la tête. Mes mains tremblantes faisaient bouger la tasse de café que je tenais.) Je ne sais pas. Je savais qu'il aimait les femmes. Je savais que les femmes l'aimaient. J'ai de la chance de l'avoir surpris avant de l'avoir épousé.

— Mais tu as dû être très blessée.

— Non. Pas vraiment. Ça m'a choquée, certes, mais rien de plus. Je ne l'aimais pas, pas comme j'aurais dû l'aimer. Pas comme je prétendais l'aimer, dis-je en faisant tomber ma cendre dans le cendrier. Mais tu le savais, bien sûr. Toi, Nick, le grand sage, tu as passé tout l'été à nous observer pendant que nous nous ridiculisions.

— Lily, tu n'y es pas du tout. Vous voir ensemble, j'étais à l'agonie, dit-il, tête baissée sur sa tasse de café. Tu ne sais pas, Lilybird.

Ce simple surnom, *Lilybird*, résonna entre nous.

— Alors pourquoi es-tu venu ? Pourquoi es-tu resté tout l'été ? lui demandai-je enfin.

— Parce que je n'avais pas le choix, répondit-il en écrasant sa cigarette et en se levant soudain. Viens avec moi, Lily.

— Où ça ?

— Boire un verre. Dîner quelque part. Tu as l'air d'avoir besoin d'un verre. Dieu sait que moi aussi.

Il sortit un billet de un dollar et le posa sur le comptoir.

— Nick, dis-je.

— Recommençons tout, Lily. Oublions tout ce qui s'est passé avant. Tout l'été, j'ai voulu te parler, mais il y avait trop d'obstacles entre nous.

— Rien n'a changé. Les obstacles sont toujours là.

— Oui, mais nous ne sommes plus à Seaview. Nous sommes à Manhattan. J'ai l'impression de pouvoir respirer ici, de voir les choses clairement. Suis-moi, Lily.

Il mit son chapeau, accrocha la poignée de son parapluie à son bras et me tendit l'autre, la paume de sa main tournée vers le haut.

J'observai la main de Nick tournée vers moi, ses lignes entrecroisées et ses doigts tendus, puis je levai les yeux vers lui, son visage sincère. Le visage de Nick, ses lèvres que je connaissais si bien, ses pommettes, ses yeux qui me regardaient d'un air suppliant.

Je pris sa main, sans dire un mot, et le suivis dehors sous la pluie.

17

LAC GEORGE, ÉTAT DE NEW YORK
2 janvier 1932

Une lumière gris anthracite baigne la pièce lorsque j'ouvre les yeux, plusieurs heures plus tard. J'ai le nez froid, mais mon corps est enveloppé dans un cocon de chaleur.

Nick est allongé à côté de moi, la source de toute chaleur, sa masse gravitationnelle est impossible à ignorer. Je sais qu'il est réveillé. Je sens les mouvements réguliers de sa respiration et je sais qu'il ne veut pas me déranger. Je sens sa silhouette, dans l'obscurité, qui déplace l'air autour d'elle.

— Quelle heure est-il ? demandé-je en tournant la tête.

— Je n'en ai aucune idée. Un peu avant l'aube, je pense.

— Tu devrais te rendormir. Tu as besoin de te reposer.

— Aucune chance.

Sous les couvertures, sa main vient se poser sur les boutons de ma chemise, juste au-dessus de mon nombril.

— Je te regardais dormir, Lilybird.

— Tu ne devais pas voir grand-chose dans cette pénombre.

La paume de Nick est si lourde sur mon ventre que j'ai l'impression qu'elle pénètre en moi. La chemise est remontée autour de ma taille.

— Juste assez pour voir ta silhouette. Tes cheveux sur l'oreiller. Je me disais, Greenwald, tu es l'homme le plus chanceux de la terre de pouvoir te réveiller à côté de cette femme tous les matins du reste de ta vie.

Je suis détendue, encore un peu endormie, confiante. Je me tourne sur le côté et sens l'odeur de sa peau que je ne reconnais plus à cause du parfum floral du savon de l'hôtel.

— Je suis si heureuse.

La main de Nick vient se poser sur ma hanche nue.

— Tu as toujours le trac ?

— Plus du tout.

Nick m'embrasse avec passion, déboutonne la chemise fripée et l'enlève avec des gestes lents et prudents.

— Je ne veux pas te faire mal. Tu sais que tu auras sûrement mal, au début ?

— Je sais. Cela ne me fait rien.

— Je serai très doux, je te le promets. N'aie pas peur. Nous avons tout le temps. Si tu veux que j'arrête, tu n'as qu'à le dire et j'arrêterai. Enfin, j'essaierai en tout cas, murmure-t-il dans le creux de mon cou. *J'arrêterai*, c'est juré. Fais-moi confiance. Dis-moi ce que tu attends de moi.

— Je ne sais pas ce que je veux. C'est toi qui es censé savoir, pas vrai ?

— Mon Dieu, tu me prends pour un expert, c'est ça ?

— Tu ne l'es pas ? (Je suis du bout des doigts le chemin que tracent les mains de Nick sur ma peau.) J'aime ça. J'aime tes mains, et… ça.

Je me frotte contre lui, provocante, et j'entends son souffle se couper.

— D'accord, d'accord. Attends une minute.

Il glisse hors du lit et va jusqu'au placard où il fouille dans son manteau.

— J'ai réussi à en trouver quand nous nous sommes arrêtés pour déjeuner, dit-il en faisant tomber quelque chose sur la table de chevet. Dieu sait que je t'ai déjà attiré suffisamment d'ennuis.

Il retire son maillot de corps et son pantalon et revient dans le lit où je l'attends, je l'attends, je brûle pour lui de la tête aux pieds.

Nu, il me paraît encore plus grand qu'avant, immense même, et sa peau parfaite semble s'étendre sur des kilomètres. Je ne sais pas par où commencer, où le toucher en premier. Je pose la main sur son torse, juste sous sa clavicule, et écarte les doigts autant que je le peux.

— Prête ? murmure Nick.

Je fais oui de la tête.

Il est comme il me l'a promis : incroyablement tendre, terriblement attentif. Il embrasse ma poitrine, mon ventre, m'embrasse à n'en plus finir ; il fait glisser ses mains le long de mes jambes avec une liberté inimaginable et je gémis et me blottis dans le creux de son épaule. Il me caresse jusqu'à la limite de l'insoutenable, jusqu'à ce que je sois tremblante de désir et que je crie son nom.

D'accord, doucement, attends un peu, dit-il et il tend son long bras vers la table de chevet.

J'attends, sans bouger, sans respirer. Je n'ai jamais vu une capote avant ; à dire vrai, je ne sais même pas vraiment ce que c'est. J'observe Nick l'enfiler dans l'obscurité. Je lui demande si ça lui fait mal et il rit et répond : *Non, Lilybird,* et se place au-dessus de moi. Avec assurance, il écarte mes jambes et relève mes genoux. Il me demande, encore une fois, si je suis prête et je croise les mains sur sa nuque et lui réponds : *Oui, Nick, oui.*

Il progresse avec une lenteur dévastatrice, les coudes placés au niveau de mes épaules, en murmurant, *Ça va comme ça, Lilybird ? Chérie, ma puce, est-ce que je te fais mal ?* Je ne lui dis pas qu'il me fait mal, qu'il est trop fort, qu'il me déchire, parce que j'ai peur qu'il ne s'arrête. À un moment, je lui demande d'attendre, et il attend, il m'embrasse les lèvres, les joues, et l'air remplit peu à peu mes poumons et je suis prête à continuer. *C'est bon ?* demande-t-il, et je lui réponds : *Oui.* Alors il pousse en avant, il me donne plus, il me donne tout le temps du monde, encore et encore, baisse sa tête, son visage féroce à côté du mien, tendre et patient presque jusqu'à la fin ; jusqu'à ce que j'aie oublié la douleur et qu'il n'y ait plus que la cambrure du dos de Nick sous mes mains, le rythme de plus en plus rapide des jambes et du ventre de Nick, l'impossible pression du corps de Nick à l'intérieur du mien ; jusqu'à ce que je ne sois faite de rien d'autre que de Nick, que je me sois transformée en une seule et unique particule de Nick.

Lorsqu'il a fini de trembler, après la frénésie des derniers instants, il se retire doucement et embrasse mes seins, mon cou, mes poignets et le bout de mes doigts. Mon corps vibre de son absence.

Je n'arrive pas à ouvrir les yeux. Je suis une braise rougeoyante, à l'intérieur comme à l'extérieur. La chambre, noire et silencieuse, maintient tout le reste à distance. Sauf nous deux, Nick et Lily, qui venons de faire l'amour.

J'écoute le souffle de Nick contre mon oreille, toujours rapide.

— Comment te sens-tu ? murmure-t-il. Je n'ai pas été trop rude à la fin ? Oh, mon Dieu, tu pleures, excuse-moi.

— Je me sens merveilleusement bien, Nick.

— Bien ? Vraiment ? demande-t-il nerveusement.

— Je ne sais même pas. Je n'en ai aucune idée. Pourquoi m'as-tu caché cela aussi longtemps ?

— Je reviens tout de suite, dit-il en embrassant ma joue humide.

Lorsqu'il revient de la salle de bains, il me serre contre lui et me retourne, si bien que mon dos s'arrondit contre son torse et son ventre, et mes fesses se nichent contre ses cuisses. Nos corps s'adaptent l'un à l'autre dans une symétrie parfaite. Sa peau est encore chaude et moite, comme la mienne. Sa main caresse ma poitrine ; sa barbe naissante me gratte la tempe. Je ferme les yeux et imagine que j'absorbe Nick par tous les pores de ma peau.

— Tu es sûre que tu vas bien ? dit-il. Tu es heureuse ?

— Oui. Et toi ?

Il reste silencieux.

— Nick ?

Je tourne la tête vers lui. J'aimerais le distinguer mieux. J'aimerais pouvoir déchiffrer l'expression de son visage, le regard dans ses yeux. J'aimerais pouvoir lire ses pensées, savoir ce qu'il sait : les autres femmes avec lesquelles il a couché, les autres lits qu'il a partagés. (Je suis certaine désormais qu'il y en a eu plus d'une.) Les autres chambres d'hôtel plongées dans l'obscurité, peut-être. À quoi ressemblaient-elles ? Cette fois était-elle différente ? Aimer rend-il la chose plus belle, plus agréable ? Nick sent-il ce feu sacré, l'émerveillement et la beauté, ce moment d'éternité, comme moi ? Ou le sexe est-il simplement ainsi, conçu par la nature pour nous duper tous dans le but de se multiplier ?

La lente aube hivernale respire autour de nous. J'attends et attends encore, puis je tourne la tête vers la fenêtre.

Nick parle dans mes cheveux, si bas que je l'entends à peine.

— Je suis désolé. Je ne sais pas comment te dire ça autrement. Il n'y a pas de mots pour décrire ce que je ressens. Juste… *à toi*. Je suis à toi, Lilybird. Comment l'expliquer ? Physiquement, à toi, comme si tu m'avais rempli de toi. Rempli, en quelque sorte, de tout ton amour et de ta confiance en moi, de ton innocence et de ta pureté, et que tu m'avais transformé en une partie de toi.

Je ne peux pas parler.

Il embrasse mon oreille.

— Est-ce que tu trouves ça bizarre ?

Je lui dis que non, je ne trouve pas ça bizarre du tout. Allongée dans ses bras, je suis en sécurité, somnolente et bien au chaud, vibrante et vivante, et j'écoute la neige tomber dehors.

Je demande :

— Était-ce pareil pour toi ? La première fois que tu l'as fait ?

Il bouge, comme s'il avait été sur le point de s'endormir.

— Que veux-tu dire ?

— Est-ce que tu l'aimais ?

— Oh, Lily. Pourquoi me poses-tu ces questions ? Pourquoi t'inquiètes-tu de cela ?

— C'est plus facile, de savoir. Toutes ces questions sans réponses, c'est bien pire.

— Alors ne te pose pas de questions.

— Je ne peux pas m'en empêcher. Tu ne ferais pas la même chose, à ma place ?

Le corps de Nick est lourd contre le mien et m'enfonce dans le matelas. Il me caresse distraitement. Je pense qu'il ne va pas me répondre, mais :

— D'accord. S'il le faut. C'était l'été dernier, quand j'étais en Europe avec mes parents. Il faisait chaud et nous trouvions tous le temps long. Elle était plus âgée, divorcée, elle vivait à Paris ; une amie de ma mère, le vrai cliché. Elle m'a séduit un après-midi ; j'étais flatté et un peu choqué, mais tout à fait disposé à me laisser séduire. Nous nous sommes vus en douce pendant quelques semaines.

— Était-elle belle ?

— J'imagine. Les gens la trouvaient belle, oui.

— Est-ce que tu l'aimais ?

Il éclate de rire.

— Non. Je m'étais entiché d'elle, je pense, mais ce n'était qu'une passade. Nous nous sommes quittés en août sans regrets, et mes parents ne l'ont jamais su. Je suis retourné à l'université et je t'ai rencontrée et suis tombé fou amoureux. Cela te suffit ?

— J'imagine qu'elle devait avoir beaucoup d'expérience.

— Beaucoup.

Je pense à des draps luxueux tout froissés et des rires de gorge, la lumière de l'après-midi et le corps de Nick, baigné de soleil, ondulant au-dessus de celui d'une autre femme. Je ne vois pas son visage, mais je distingue ses jambes blanches enroulées autour de lui, ses longues mains ornées de bijoux agrippant ses épaules musclées. Elle guide ses mouvements, lui enseigne le rythme de la copulation, comme il vient de me l'apprendre. Mes yeux se ferment. Je fais taire le rire qui résonne à mes oreilles.

— Quelle différence il doit y avoir, dis-je d'un ton que je veux léger, quand on fait l'amour avec quelqu'un sans aucune expérience.

Sans crier gare, Nick me fait rouler sur le dos, étend mes bras au-dessus de ma tête et m'embrasse avec une telle fougue que j'ai du mal à respirer.

— Une différence incroyable, Lilybird. Et maintenant, dors et arrête de penser aux autres femmes. Il n'y en a pas. Elles n'existent plus maintenant que je suis avec toi. Il n'y a plus que toi.

***

Un peu plus tard, je me réveille en sentant la main de Nick caresser ma joue. Par la fenêtre, je vois qu'il fait encore nuit.

— Nick.

— Excuse-moi. Je ne voulais pas te réveiller.

Je me retourne et passe les bras autour de son cou.

— Tu peux me réveiller aussi souvent que tu en as envie.

Nick m'embrasse et me demande si je suis fatiguée. Je lui rends son baiser et lui réponds que non.

Alors Nick me refait l'amour, et c'est encore mieux cette fois-ci, car je sais ce que faire l'amour veut dire, car je n'ai plus à rester allongée sans bouger dans une soumission ingénue ; car je suis libre, libre de toucher Nick, de le goûter, de le sentir et de m'émerveiller de chaque millimètre où nos corps se touchent, libre d'apprendre tout du corps qui emplit le mien.

Cette fois, lorsque Nick ressort de la salle de bains, dans toute sa splendeur de pirate, je me redresse et lui ouvre grands les bras. Je ris lorsqu'il se jette sur moi et me fais tomber à la renverse et qu'il embrasse ma gorge à grand bruit. Je murmure quelque chose de scandaleux à son oreille, et il éclate de rire et me chatouille sans merci, et nous nous endormons ainsi, emmêlés et souriants : ma main sur sa taille, sa jambe entre les miennes, jeunes, amoureux et pleins d'espoir.

18

MANHATTAN

Mardi 20 septembre 1938

Nick m'emmena dans un lieu que je ne connaissais pas, quelque part dans Greenwich Village, où je ne m'étais quasiment jamais aventurée. C'était un lieu sombre et discret à la lumière tamisée grâce aux bougies sur les tables, un tout petit orchestre dans un coin de la pièce ainsi qu'une piste de danse déserte.

Nous commandâmes des martinis et les bûmes sans rien dire. Que pouvaient bien se dire deux personnes sur le point de se lancer dans une histoire d'amour adultère ? Je n'en avais aucune idée. Je me réfugiais dans mon cocktail, parfaitement sec et glacé, et je grignotais une olive, les yeux baissés, lorsque Nick parla enfin.

— Nous avons oublié de trinquer. À quoi devrions-nous trinquer ?

— Est-ce que ça ne porte pas malheur de trinquer avec des verres vides ?

— Dans ce cas, j'en commande d'autres, dit-il en faisant signe au serveur. Alors, Lily ? reprit-il quand les deux verres furent arrivés.

— Je ne sais pas. À l'honnêteté, je suppose, répondis-je en prenant mon verre.

Nick fit tinter son verre contre le mien.

— À l'honnêteté. Tu es sûre que tu vas bien ?

— Bien ? Tu veux rire ? Je me sens atrocement mal. C'est une telle pagaille. Que faisons-nous ici, Nick ?

Il posa son verre sur la table et mit sa main sur la mienne.

— Je réconforte une amie qui vient d'avoir un terrible choc.

— Oh ! C'est ce que nous sommes maintenant, des amis ?

Il retira sa main et ne répondit pas. Le serveur nous apporta des menus et j'étudiai le mien de toute l'attention dont j'étais capable, mais les mots formés par les petites lettres noires n'avaient aucun sens. Lorsque le serveur revint, je m'entendis commander une crème d'asperges et un steak cuit à point, même si je ne me souvenais pas d'avoir fait ce choix. Nick dit qu'il prendrait la même chose et une bouteille de bordeaux, un château-latour 1924 s'ils l'avaient.

— Tu aimes toujours le bordeaux, dis-je avec un petit sourire.

— Le château-latour de 1924 est mon millésime préféré.

— Nick.

Il reprit ma main.

— Tu trembles, Lily. Arrête de trembler. Je veux que tu oublies tout. Je veux que tu passes un bon moment, que tu apprécies ton verre et ton dîner. Ne t'inquiète de rien. Ce n'est pas un péché de dîner ensemble. Et si ça l'est, je prends toute la faute sur moi.

— Budgie est mon amie.

Nick se pencha vers moi et prit mon autre main.

— Écoute-moi, Lily. Écoute bien. Budgie n'est pas ton amie, tu m'entends ? Elle ne l'a jamais été. Tu ne lui dois rien. Ni ta loyauté, ni ta sympathie.

— Je sais comment elle est, Nick. Elle est quand même mon amie.

— Fais-moi confiance, Lily.

Je retirai mes mains.

— Te faire confiance. Pourquoi devrais-je te faire confiance, Nick ? Tu l'as épousée. Tu vas avoir un bébé avec elle, bon sang. En avril. Budgie a dit que tu étais ravi, je te rappelle.

Nick but longuement et alluma une cigarette. Il m'en proposa une, mais je secouai la tête. Il en fuma la moitié avant de répondre.

— Tu voulais de l'honnêteté, Lily. Tu as trinqué à l'honnêteté. Alors, voilà la vérité : Budgie est peut-être enceinte, ou peut-être pas. Dieu sait combien de fois, elle a utilisé cette excuse avant. Je ne sais pas si c'est vrai cette fois-ci. Mais je sais une chose avec une certitude absolue : le bébé, s'il naît vraiment un jour, ne sera pas le mien.

Je pris la cigarette que Nick avait posée dans le cendrier et en aspirai une bouffée. Nick m'observait fixement, grave, sincère. Au moment où j'ouvrais la bouche pour lui répondre, le serveur arriva avec le velouté dans une grande soupière et nous servit. Il ajouta du poivre. Je terminai mon martini. Le vin arriva, fut débouché et versé dans le verre de Nick pour qu'il le goûte. Je l'observais dans la lumière tamisée des bougies et, pendant un instant, il me parut si mature, élégant et expérimenté, à côté de moi, avec mes cheveux tout frisottés et ma robe fripée.

Le bébé, s'il existe vraiment, n'est pas le mien.

— Comment peux-tu en être certain ? demandai-je à voix basse, quand le serveur fut enfin parti.

— Parce que j'ai couché avec Budgie une seule et unique fois, et c'était avant notre mariage.

Je ne sais pas pourquoi, mais malgré le choc de cette révélation, malgré toutes les questions et hypothèses inondant mon esprit, je ne pus que demander :

— Une nuit ou une fois ?

— Une fois, Lily. (Il me reprit la main, et, cette fois, je ne la retirai pas.) Une fois, même pas dix minutes, dix minutes au cours desquelles j'étais malheureux et ivre mort, dix minutes que j'ai regrettées toute ma vie. Je croyais avoir trouvé le moyen de me venger une bonne fois pour toutes, mais, au lieu de cela, je me suis retrouvé face à moi-même, à toutes les erreurs que j'avais commises et à la culpabilité que je ressentais depuis...

Il baissa les yeux vers nos mains jointes.

— J'étais toujours à Paris, poursuivit-il, sur le point de rentrer à New York pour reprendre les rênes de l'entreprise familiale. Je me suis réveillé le lendemain matin avec une horrible gueule de bois, bien décidé à repartir de zéro, à changer de vie, à arrêter de me comporter comme un gamin vexé.

— Et que s'est-il passé ensuite ? demandai-je.

Nick finit son martini et se servit du vin.

— Lily, n'en parlons pas maintenant. Je ne suis pas suffisamment saoul, et toi non plus.

— Non, je suis déjà bien assez saoule, crois-moi. Et j'ai besoin de savoir.

— Mange, Lily.

— Nick, je ne suis pas une enfant.

— S'il te plaît, mange, Lily. Je suis affamé, dit-il en prenant sa cuillère.

Sa cuillère à mi-chemin entre sa soupe et sa bouche, il attendit que je finisse par céder et commence à manger. Je ne sentais même pas le goût de la soupe, ne remarquais pas celui du vin que je buvais.

— Je crois que tu devrais savoir quelque chose, Nick. Budgie va vraiment avoir un bébé. Elle est enceinte, pour moi cela ne fait aucun doute.

— C'est tout à fait possible, répondit Nick sur un ton désinvolte entre une cuillerée de soupe et une gorgée de vin.

— Que veux-tu dire ?

— Je veux dire que ma femme n'a pas choisi l'abstinence, comme je l'ai fait depuis Paris.

— Alors, qui est-ce ?

Nick m'observa d'un air grave.

— Oh, les candidats doivent être nombreux, pour ce que j'en sais. Je l'ai laissée seule la majeure partie de l'été. Mais je pense que le candidat le plus probable est Pendleton.

— Graham ? m'écriai-je en faisant tomber ma cuillère dans mon assiette avec fracas. Mais c'était il y a des années.

— Lily, dit-il à voix basse.

Mon pouls battait contre mes tempes. Je saisis mon verre de vin.

— Tu es surprise. Je pensais bien que tu ne t'en doutais pas. J'ai failli te le dire au moins une dizaine de fois, mais je pensais que tu ne me croirais pas. Je pensais que ce n'était pas à moi de te le dire, que je n'avais pas le droit d'intervenir dans votre relation.

— Tu m'aurais laissée l'épouser en sachant cela ?

— Je ne savais pas comment te le dire ! « Oh, au fait, ton fiancé et ma femme couchent ensemble tous les soirs, juste après qu'il t'a dit bonne nuit lorsqu'il prétend rentrer dormir chez les Palmer. » Je ne vois pas trop comment j'aurais abordé le sujet.

— Comment le sais-tu ? murmurai-je.

— Je faisais une promenade un soir. Je les ai surpris dans le jardin. Si j'avais pensé qu'il couchait avec toi aussi, j'aurais dit quelque chose, Lily. Je te jure que je l'aurais fait. Je lui aurais mis mon poing dans la figure, pour toi.

— Mais pas pour Budgie.

Il haussa les épaules.

— Je doute que ce soit lui qui ait fait le premier pas.

— Et comment sais-tu que je n'ai pas couché avec Graham ? demandai-je, après un moment de silence.

— Cela se voit, quand deux personnes couchent ensemble, Lily, si on les observe bien.

Je terminai mon verre de vin en une gorgée. Nick m'en versa un autre. Le reste de mon velouté d'asperges ne me paraissait plus du tout appétissant.

— Alors, j'étais l'échauffement, dis-je. Quelques baisers pour se mettre en jambes. Pas étonnant qu'il ait fait preuve d'autant de retenue. Il avait une femme consentante qui l'attendait quelques maisons plus loin.

— Je suis désolé, Lily.

— Non, tu ne l'es pas. Tu étais bien content de le savoir dans le lit de Budgie plutôt que dans le mien, répondis-je en soutenant son regard. Tu ne pouvais pas l'en empêcher ?

— Comment ? En partageant son lit moi-même ?

— Non ! m'écriai-je. (Je baissai la voix avant de poursuivre.) C'était une torture de vous imaginer ensemble. Je vous imaginais au lit chaque fois que je vous voyais danser, que je voyais les traces de son rouge à lèvres sur ton visage. Vous aviez l'air d'être des amants passionnés.

— Budgie est une excellente actrice. L'un de ses talents les plus utiles.

— Tu n'étais pas mauvais non plus, dis-je amèrement.

— Pas si tu y avais regardé de plus près. Kiki, elle, s'en est rendu compte immédiatement.

— Oui, Kiki…

Je posai ma cuillère contre mon assiette et finis mon vin.

— Viens. Dansons, dis-je.

Il se leva et me prit la main. Je le suivis jusqu'à la piste de danse à côté de l'orchestre. Un autre couple vint se joindre à nous, encouragé par notre présence. L'immense main de Nick enveloppait la mienne, douce et chaude ; l'autre reposait sur ma taille. Il dansait assez près de moi, mais pas trop non plus. Je savourais son parfum, l'odeur de Nick, de gin et de vin, de cigarettes et de pluie. Soudain, je retrouvais toutes ces sensations d'il y a des années, celles de tomber amoureuse pour la première fois, et d'être aimée en retour.

Je reculai la tête pour comparer le visage de Nick avec celui de mon souvenir et vis qu'il me regardait aussi.

— Ne dis rien, dis-je.

— Je ne dirai rien. Je ne peux pas, de toute façon. Je suis un homme marié.

Lorsque nous retournâmes à table, nos steaks nous attendaient. Nous mangeâmes rapidement, finîmes la bouteille et en commençâmes une autre. Nick alluma une cigarette puis me la tendit, il en alluma une autre pour lui. Il souriait en me parlant, avec ce regard que j'avais toujours tant aimé, et j'étais bouleversée parce que j'avais l'impression qu'il avait gardé ce sourire-là pour moi durant toutes ces années.

Quand le serveur vint nous proposer de commander un dessert, je secouai la tête.

— Viens, Nick. Allons-y.

— Mais tu n'as pas eu ton gâteau au chocolat.

— Je n'ai plus faim. Emmène-moi quelque part.

— Où ?

— Je m'en fiche. Ailleurs, n'importe où.

Dehors, il pleuvait des cordes et la pluie se déversait d'une telle force que les rues étaient inondées. Nick releva le col de sa veste et ouvrit son parapluie.

— Reste sous l'auvent, dit-il. Je vais nous trouver un taxi.

Au bout d'un quart d'heure, un taxi s'arrêta pour déposer un groupe un peu éméché devant un club de jazz. Nick me protégea sous son parapluie et nous nous installâmes sur la banquette arrière.

— Où allez-vous ? demanda le chauffeur en nous regardant dans le rétroviseur.

Nick se tourna vers moi.

— Où ? Ton appartement ?

— Mon Dieu, non. Je ne peux pas y retourner tant qu'il n'a pas été désinfecté par un professionnel.

— Gramercy Park, s'il vous plaît, dit Nick au chauffeur.

J'étais enivrée par le vin, par Nick. Je me blottis contre la banquette et observai Nick, émerveillée par sa taille, sa présence, à seulement quelques centimètres de moi, sa capacité à me protéger. Sous son costume se cachait le même corps qui m'avait fait l'amour sept ans plus tôt, celui qui avait sans nul doute fait l'amour à de nombreuses femmes depuis, avait senti d'innombrables poitrines pressées contre la sienne, et il était là de nouveau pour moi.

Les immeubles défilaient vagues et imprécis. J'avais l'impression que le taxi roulait dans le lit d'une rivière en crue.

— Comment étaient-elles ? demandai-je. Les femmes de Paris ?

— Pourquoi me poses-tu cette question ?

— J'ai juste besoin de le savoir. Tu me connais.

Le taxi marqua un arrêt à l'angle d'une rue. Nick regardait par la fenêtre.

— J'ai oublié la plupart d'entre elles. J'étais ivre le plus souvent. Elles n'avaient pas d'importance.

— Étaient-elles belles ?

— Certaines l'étaient, je crois.

Je croisai les mains fermement sur mes genoux. Même ivre, ces mots m'affectaient comme un coup de poing dans le ventre.

— J'essayais de prouver quelque chose, Lily. J'essayais de prouver que tu n'avais jamais compté pour moi, que ce que j'avais ressenti cette nuit-là, ce qui s'était passé entre nous cette nuit-là, n'avait pas d'importance. Que tout ce que j'avais à faire pour t'oublier était de trouver une femme, n'importe quelle femme, et coucher avec elle. Que tu n'avais rien de spécial par rapport aux autres. Et, à chaque fois, j'avais la preuve du contraire. Je me sentais encore plus seul, plus vide qu'avant. Coupable, aussi, de m'être conduit comme un goujat, de m'être servi d'elles, d'avoir été aussi malhonnête. (Il se tourna vers moi.) Alors, j'ai arrêté.

— Jusqu'à ce que tu rencontres Budgie.

— Elle a été la pire de toutes, la plus grosse erreur de toute ma vie.

Le taxi tourna sur Gramercy Park.

— Comment est-ce arrivé ?

— Arrête, Lily.

— J'ai besoin de savoir. Est-ce toi qui l'as séduite ?

Le taxi s'arrêta à l'angle de la rue, devant l'immeuble abritant l'appartement du père de Nick. Nick sortit sa pince à billets de la poche de sa veste.

— Non, ce n'était pas moi. Je te l'ai dit, j'avais arrêté.

— Alors ? Que s'est-il passé ?

— Elle est venue me voir au Ritz alors que j'étais en train de fêter mon départ avec les collègues du bureau de Paris. Elle m'a adressé une de ses remarques bien senties, tu vois le genre.

— À quel propos ?
— À propos de toi, évidemment. Elle voulait me blesser, et elle a parfaitement réussi. Et puis, une fois que j'ai été suffisamment ivre et que j'avais assez souffert, elle m'a fait savoir qu'elle était consentante et nous sommes montés dans sa chambre. Je suis resté dix minutes et je suis parti. Je ne me suis même pas déshabillé. J'ai payé sa chambre en partant.

Il m'aida à sortir du taxi et claqua la portière derrière moi.

Il avait raison. Je n'aurais pas dû demander. J'imaginais parfaitement tous les détails : la chambre élégante avec ses panneaux de bois, ses dorures et sa salle de bains, le dessus-de-lit en velours, Budgie allongée langoureusement sur le lit avec ses lèvres rouges, son corps lisse et épilé et ses petits seins de la taille d'abricots. J'avais déjà imaginé ces images, très souvent même, mais je savais cette fois que cela avait réellement eu lieu. L'accouplement de dix minutes, brutal et bref. Nick se relevant et boutonnant son pantalon, hors d'haleine, les joues rouges d'excitation, les cheveux ébouriffés. Nick s'arrêtant à la réception juste après, payant sa chambre en sortant sa pince pleine de billets français. Dans mon esprit enivré, les images s'enchaînaient comme des flashs.

Nick adressa un signe de tête au portier silencieux. Nous montâmes par l'ascenseur. Nick trouva ses clés, ouvrit la porte et me laissa passer devant lui. J'entrai dans l'appartement sombre, chaud et légèrement humide, mais pas aussi chaud ni aussi humide qu'à l'extérieur. Nick ferma la porte derrière nous et retira son chapeau, et, au lieu d'allumer la lumière, il m'attira contre lui. Ses pouces trouvèrent les larmes qui coulaient sur mes joues.

— Qu'y a-t-il, Lilybird ?

Il sortit son mouchoir et essuya mon visage.

— Il est trop tard, hein ? Il a toujours été trop tard.

Nick recula et s'appuya contre la porte d'entrée, créant des ombres immenses derrière lui.

— Lily, je veux que tu saches quelque chose. Autre chose. Une chose importante. Chaque fois que j'embrassais une autre femme, que je touchais une autre femme, je savais que ce n'était pas bien. Je pensais, dans mon cœur, que je commettais un péché d'adultère. Le jour de mon mariage, il y a six mois, je me suis souvenu que je t'avais un jour appelée ma femme, et j'avais l'impression d'être bigame. Je t'ai toujours appartenu, Lily, que je le veuille ou non.

J'étais incapable de parler. Je respirais, j'inspirais et j'expirais, en observant le sol à côté de ses chaussures vernies.

— Pardonne-moi, dit-il. Je sais que c'est trop, trop de choses à pardonner, mais je te le demande quand même. Je t'ai été infidèle de toutes les manières possibles, je sais, mais je ne peux vivre un instant de plus sans te demander de me pardonner. Pas d'absolution, juste le pardon. Parce que je passerai le restant de mes jours à me repentir pour ce que j'ai fait à Paris.

Je levai les yeux vers lui. Il faisait noir, et son visage était dans l'ombre, mais c'était mieux ainsi. La jalousie avait eu raison de moi, et je voulais tout savoir. Je voulais qu'il me dresse un bilan détaillé de toutes les femmes qu'il y avait eues, leurs noms, leurs âges, la couleur de leurs cheveux, les positions et les actes précis. Je voulais savoir où il les avait rencontrées, comment il les avait séduites, s'il avait eu des relations suivies ou s'il choisissait une fille différente à chaque fois. Je voulais savoir combien, comment, la fréquence, si ç'avait été lent ou rapide. Je voulais savoir s'il était resté dormir. Je voulais tous les détails, même les plus sordides, gravés dans mon esprit à jamais, pour me soulager après toutes ces années passées à me poser des questions.

— Je ne sais pas si je pourrai y arriver, répondis-je.

Nick enleva mon chapeau et le posa sur la table de l'entrée, à côté du sien, sous la lampe éteinte.

— Je vais tout arranger, Lily, dit Nick. Je te le promets.

Nous restâmes immobiles dans le noir de l'entrée de l'appartement de Nick, si longtemps que je commençai à avoir mal aux pieds et je reculai d'un pas, chancelante, ivre et confuse. Nick m'attrapa par le bras.

— Viens te sécher.

Nous entrâmes dans le salon et Nick alluma une lampe, une seule. Je pris une profonde inspiration. L'appartement avait changé : les meubles étaient plus ou moins les mêmes, les tableaux aux murs aussi, mais il était désordonné, habité. Les livres de Nick étaient empilés sur les tables et par terre. Un bureau et une chaise occupaient un coin de la pièce, ce dont je ne me souvenais pas, couverts de papiers, de stylos et d'une grande règle. Contre un mur était appuyé un tas de rouleaux de papier, des plans probablement. Toutes les surfaces étaient recouvertes de maquettes d'architecture.

— Ce sont les tiennes ? demandai-je en les montrant du doigt.

— Un hobby. Cela m'occupe. J'ai passé quasiment toutes mes soirées d'été à les fabriquer.

— Elles sont magnifiques. Est-ce que Budgie les a vues ?

— Non. Elle n'est jamais venue ici. Elle aime l'appartement *uptown*. Écoute-moi. Tu es trempée, fatiguée et ivre. Je veux que tu ailles prendre un bain et mettre tes affaires à sécher. Je t'apporterai une robe de chambre.

— Mais…

Il posa un doigt sur ma bouche.

— Chut. Pas de protestations.

J'étais effectivement trempée, fatiguée et saoule. J'obéis donc et me rendis dans la salle de bains, fis couler un bain chaud dans la baignoire de Nick, où je me lavai avec le savon de Nick et restai allongée à regarder le plafond de la salle de bains de Nick. Je l'entendais dans l'autre pièce, la cuisine, il faisait couler de l'eau, ouvrait et refermait les placards. L'eau chaude se mêlait au vin pour produire en moi une délicieuse langueur qui dissipa peu à peu toute la jalousie.

Il m'aime. Il m'a toujours aimée.

Il est parti. Il a couché avec d'autres femmes. Il a couché avec Budgie, il a épousé Budgie.

Cela ne voulait rien dire. Ce n'était rien. Il se servait d'elles et pensait à moi. Il m'aimait, moi, et pas les autres. Il a passé dix minutes avec Budgie et est parti.

Alors pourquoi l'a-t-il épousée ?

Bonne question.

Cela avait-il de l'importance ? Il n'avait même pas couché avec elle depuis, du moins c'était ce qu'il prétendait. Il n'était pas le père de son enfant. Il n'avait aucun lien avec elle, hormis une feuille de papier, une feuille de papier qui faisait de lui un bigame à ses yeux.

Les mêmes pensées tournaient en rond dans mon esprit confus, encore et encore, ainsi que de vieilles images de Nick au lit avec d'autres femmes et de toutes nouvelles images de Nick au lit avec moi, me faisant l'amour, murmurant mon nom, murmurant : « Lilybird, Lilybird. »

Je sortis de la baignoire et me séchai dans la serviette blanche de Nick. On frappa à la porte.

— Entre, dis-je.

Nick tendit le bras par la porte. Il tenait une immense robe de chambre à rayures sombres.

— Elle est trop grande, je sais, mais tu n'auras qu'à en retrousser les manches.

Je la lui pris des mains. J'enroulai la serviette autour de mes cheveux mouillés et sortis de la salle de bains, propre et fatiguée, et encore un peu éméchée. J'allai directement vers Nick et passai mes bras autour de son cou.

— J'adore ta salle de bains, dis-je. J'aime ton appartement. Je t'aime.

Nick posa ses mains sur mes bras.

— Lily, tu es ivre.

— Toi aussi. Nous avons bu la même chose.

— Oui, mais je fais deux fois ta taille.

— Embrasse-moi, Nick.

Il embrassa mon front et prit mes mains dans les siennes, m'obligeant à relâcher mon étreinte.

— Je veux que tu boives de l'eau, que tu prennes de l'aspirine et que tu ailles te coucher.

— Viendras-tu te coucher avec moi ?

— Est-ce vraiment ce que tu veux ? demanda-t-il en scrutant mon visage d'un air grave.

— Plus que tout au monde, répondis-je.

Je me mis sur la pointe des pieds, mais ne réussis qu'à embrasser son menton.

Il posa mes mains sur sa bouche et les embrassa l'une après l'autre.

— Lilybird, je vais dormir sur le canapé ce soir.

— Pourquoi ?

— C'est mieux comme ça.

— Pourquoi dis-tu ça ?

— Bois de l'eau, insista-t-il. Prends de l'aspirine. Va te coucher.

— Non.

— Si.

Il tint bon. Il alla me chercher un verre d'eau, que je bus en vacillant. Il le remplit à nouveau et je le bus aussi, en avalant deux aspirines.

— Tu vois comme je suis sage ?

— Oui, tu as été très sage.

Il me souleva dans ses bras et me porta jusqu'à la chambre au bout du couloir. Je laissai ma tête retomber sur son épaule. L'épaule de Nick. Les bras de Nick.

— Est-ce la même chambre qu'il y a sept ans ? demandai-je.

— Oui.

— Est-ce que tu dors ici ?

— Oui. Mais pas cette nuit.

Nick tira les draps et me déposa sur le lit. Il sentait son odeur.

— Comme Budgie, murmurai-je. Tu t'occupes de tout le monde, Nick. Même de Kiki.

Il défit la serviette nouée autour de ma tête et m'embrassa sur le front.

— Je vais tout arranger, ma puce, je te le promets. Tout va rentrer dans l'ordre, tu verras.

Je fermai les yeux et tentai d'imaginer Budgie acceptant de se séparer de Nick, de le laisser partir, de le relâcher de cette emprise qu'elle avait sur lui et dont j'ignorais la nature, d'accepter le divorce pour qu'il puisse m'épouser. Mais l'image refusait d'apparaître. Que pourrait Nick, fort, sincère et honorable, face à Budgie ?

— Je suis désolée, moi aussi, Nick. J'aurais dû me battre pour toi, et je ne l'ai pas fait.

— Tu n'aurais pas dû avoir à le faire. Je n'aurais jamais dû douter de toi. Dors, dit-il en déposant un baiser sur mon front.

Il caressa mes cheveux quelques instants et se leva.

— Nick ?

— Oui, Lily ?

— Il faut que je te dise quelque chose. Je ne veux pas te le cacher. L'autre soir, le soir de la fête de Labor Day, j'ai laissé Graham… dans la voiture…

— Chut. Je sais.

— Tu le savais ?

Debout à côté du lit, il m'observait avec une tendresse dévastatrice.

— Je suis parti à ta recherche. Tout le monde n'arrêtait pas de parler de la grande nouvelle de Budgie, et je voulais que tu saches au moins la vérité. On m'a dit que tu étais rentrée. J'ai vu la voiture de Pendleton devant ta maison et toutes les lumières à l'intérieur étaient éteintes. J'ai fait demi-tour et suis rentré faire mes bagages.

Je me tournai sur le côté pour lui faire face. Mes paupières se fermaient toutes seules.

— Étais-tu en colère ?

— En colère après toi, Lilybird ? Non. (Il alla jusqu'à la porte et éteignit la lumière.) Je me suis dit que je l'avais bien mérité. Allez, dors.

***

Je me réveillai quelques heures plus tard, parfaitement dégrisée. Allongée dans les draps froissés, moite et le souffle court, j'observai les ombres mouvantes au plafond blanc. Je pensai *Je ne suis pas à Seaview. Mais où suis-je ?*

Je tournai la tête vers la fenêtre et vis la silhouette d'un homme découpée contre les lumières de la ville. Une silhouette immense, fumant une cigarette, la lumière tombant sur ses épaules nues.

— Nick ? murmurai-je.

— Rendors-toi, Lily, répondit-il sans se retourner.

Je me levai. La robe de chambre de Nick glissa de mes épaules. Je la remontai et serrai fort la ceinture autour de ma taille. Il faisait noir dans la chambre ; je me laissai guider par la lumière douce provenant de la fenêtre, et par le corps de Nick, comme un phare dans la nuit. La pluie battait contre la vitre par vagues.

Je posai une main sur son dos. Sa peau était douce et lisse comme du granit.

— Tu devrais dormir.

— Impossible.

— Alors tu aurais dû me réveiller.

— Impossible aussi.

Il regardait par la fenêtre et je me rendis compte qu'il observait notre reflet sur la vitre.

— Pourquoi pas, Nick ?

Il ne répondit pas, ne bougea pas.

Je laissai ma main retomber.

— Nick, qu'y a-t-il ? Tu ne peux pas tout simplement demander le divorce ? Tu as suffisamment de raisons pourtant.

— Ce n'est pas aussi simple que cela, Lily.

Je m'assis sur le rebord de la fenêtre. Je pris la cigarette qu'il était en train de fumer, en aspirai une bouffée et la lui rendis.

— Nick, pourquoi l'as-tu épousée, si tu ne l'aimais pas ? Quelle emprise a-t-elle sur toi ?

Il continua de regarder par la fenêtre jusqu'à ce que sa cigarette se soit complètement consumée. Il écrasa le mégot et en sortit une autre de son paquet.

— Elle est venue me voir environ un mois après mon retour à New York. Elle m'a dit qu'elle allait avoir un bébé et que c'était le mien.

Le sang quitta mes doigts et j'agrippai le rebord de la fenêtre de Nick.

— Disait-elle la vérité ?

— Je lui ai dit que c'était impossible. Je lui ai rappelé que j'avais pris mes précautions.

— Je vois, répondis-je en essayant de ne pas imaginer la scène.

— Elle a dit que j'étais bien trop ivre ce jour-là pour me souvenir de quoi que ce soit. Je lui ai répondu que si j'avais été incapable de mettre un caoutchouc, alors je l'avais été tout autant d'aller au bout de l'acte.

— Mais elle a réussi à te convaincre du contraire, c'est ça ? demandai-je, en m'appuyant contre le bureau.

— Non. Je me souvenais parfaitement de ce qui s'était passé cette nuit-là. Je savais aussi qu'elle avait du mal à joindre les deux bouts depuis le suicide de son père, au cours de notre dernier hiver à l'université. Je savais, comme tout le monde, qu'elle essayait depuis des années d'épouser une fortune, qu'elle avait tenté d'appâter tous les bons partis de New York et d'une partie du reste du monde, sans succès. J'en ai donc déduit qu'elle était suffisamment désespérée pour essayer de piéger le juif.

Il tapa sa cendre dans le cendrier.

— Nick…

— Alors je lui ai dit que je ne me ferais pas avoir, que si elle avait besoin d'un petit quelque chose pour l'aider, je le ferais avec plaisir, mais qu'elle pouvait aller chercher son pigeon ailleurs. (Il observait fixement le mur en face.) C'est là que la conversation est devenue vraiment intéressante.

— Intéressante ? répétai-je, incapable de dissimuler ma curiosité.

— Elle s'est mise à pleurer. Elle a avoué qu'elle n'était pas enceinte. Elle a dit qu'elle était désespérée, que mon père lui avait donné de l'argent pendant toutes ces années, et que maintenant qu'il n'était plus là, elle n'avait plus rien pour vivre.

— Ton père lui donnait de l'argent ?

— C'est ce qu'elle a dit. Je lui ai demandé pourquoi. Elle a dit que c'était parce qu'il l'avait mise enceinte, ce dernier hiver, juste avant notre fugue au lac George. Il l'avait séduite, lui avait fait des tas de promesses ; ils avaient eu une brève liaison pendant les vacances de Noël. Elle a dit que c'était pour cela que Graham n'avait pas voulu l'épouser, que sa réputation était ruinée, qu'elle avait dû menacer mon père d'exposer leur relation au grand jour pour qu'il accepte de payer l'avortement et de lui verser une somme mensuelle.

— Mon Dieu, dis-je.

Je pressai mes doigts contre mes tempes pour tenter de me souvenir des événements de ce terrible hiver et de ce que Budgie avait fait. Je l'avais vue à la fête de Nouvel An chez les Greenwald, irrésistible dans sa robe en lamé argenté. Ne s'était-elle pas disputée avec Graham ce soir-là ? Les avais-je vus ensemble ensuite ? Et puis, son père avait fait faillite et il s'était tiré une balle dans la tête dans son bureau, et je n'avais plus revu Budgie pendant des années, jusqu'au mois de mai dernier.

Mais une liaison avec le père de Nick ?

— C'est impossible, dis-je. Elle n'aurait jamais fait ça. Elle ne le connaissait même pas, en plus !

— C'était ce que je pensais, moi aussi. Et pourtant, elle était là, dans mon bureau, dans tous ses états, disant que j'étais son dernier espoir, que tout le monde l'avait abandonnée, qu'elle n'avait plus rien. (Il croisa les bras.) J'étais moi-même assez déprimé, après la mort de mon père, après m'être rendu compte que ces cinq années à Paris passées à boire et à m'apitoyer sur mon sort n'avaient été qu'une perte de temps, alors que des gens mouraient de faim et perdaient leurs maisons, en Europe et ici. Je lui ai dit que j'allais me renseigner.

— Et disait-elle la vérité ?

Nick se tenait là, immobile et beau comme une statue, son torse nu et son visage à l'animalité familière.

— C'était tout à fait possible. J'en avais appris de bien bonnes à propos de mon père. C'est drôle, tu sais, comme on perd ses illusions d'enfant, l'une après l'autre. J'avais appris, par exemple, que cet appartement ne lui servait pas à accueillir des clients de passage, mais ses maîtresses.

Je sursautai de surprise.

— Quoi ?

— Je me suis senti bien bête, quand j'ai compris. Le champagne au frais, la décoration sophistiquée, l'emplacement discret, suffisamment loin de notre appartement et de nos connaissances pour que maman n'ait pas à subir l'humiliation.

— Et tu m'as amenée ici. Nous allions…

— Mais nous ne l'avons pas fait.

— Non.

— J'ai épluché les comptes professionnels de mon père, qui étaient absolument catastrophiques, parce que son entreprise se portait très mal à l'époque, bien sûr. Mais, ensuite, j'ai eu accès à ses comptes personnels, et c'est là que j'ai découvert que Budgie ne m'avait pas menti. J'ai relevé un premier versement de mille dollars, puis deux cents dollars par mois, de janvier 1932 jusqu'à sa mort il y a un an. J'étais même franchement surpris qu'elle l'ait laissé s'en tirer à si peu de frais.

Je fermai les yeux.

— Je crois que je devine la fin de l'histoire, dis-je. Tu as eu pitié d'elle. Tu as trouvé un moyen de vous racheter, toi et ton père.

— Je crois plutôt que j'avais peur de sa réaction si je refusais de l'aider. Elle aurait pu tout raconter à ma mère ou révéler l'affaire aux journaux.

Il se tenait toujours face à la fenêtre, les mains appuyées sur le rebord. J'observai sa nuque et son corps dans l'ombre. Les muscles de ses bras semblaient trembler, mais ce n'était peut-être qu'une illusion d'optique.

— Tu vas me trouver ridicule, ajouta-t-il. Mais je pensais pouvoir la sauver. Et que, ainsi, je me sauverais moi-même.

— Tante Julie est venue ce matin-là, le matin où l'annonce de vos fiançailles est parue dans le *Times*. Elle a jeté le journal sur la table devant moi pendant que je prenais mon petit déjeuner.

— Qu'a-t-elle dit ?

— Je ne m'en souviens pas. Quelque chose de sarcastique. Mais j'étais trop bouleversée pour faire attention à ce qu'elle disait.

— Si j'avais su que tu avais toujours des sentiments pour moi…

— C'est ce dont tout le monde a parlé tout l'hiver. Les journaux, tout le monde. Où le mariage allait-il avoir lieu ? Qui serait invité ? Que porterait-elle ? (Je terminai ma cigarette et l'écrasai dans le cendrier.) Où l'emmènerais-tu en lune de miel ?

— Ah oui, dit Nick. La lune de miel.

— Vous êtes allés aux Bermudes.

— Trois semaines, répondit Nick en hochant la tête.

Il alluma une autre cigarette et ouvrit la fenêtre. La fumée formait un long ruban et s'échappait à l'extérieur de la chambre.

— Jusque-là, j'avais gardé mes distances et m'étais comporté exactement comme il le fallait. Ce n'était pas seulement que je n'étais pas amoureux d'elle ; tout en elle me répugnait, l'idée même de l'embrasser m'était insupportable, et elle s'intéressait encore moins à moi, sauf quand elle avait besoin d'argent. Dans ces cas-là, elle n'était que larmes et tendresse. Je m'en fichais pas mal. J'aurais dû la quitter immédiatement, et tant pis pour mes bonnes intentions, mais je ne parvenais jamais à lui assener le coup de grâce.

Une voiture passa en bas, dans un grognement de moteur, et ce bruit m'évoqua cette autre nuit passée dans ce même appartement, des années plus tôt, et cette autre voiture s'arrêtant dans la rue silencieuse sous la même fenêtre devant laquelle je me tenais à présent.

— Pourquoi pas ? demandai-je au bout d'un long moment, si longtemps même que j'avais commencé à me demander s'il allait passer tout le reste de la nuit à regarder la pluie tomber sans dire un mot.

— Je ne sais pas. Je suppose qu'au fond de moi, malgré tout, j'espérais avoir enfin réussi à attirer ton attention, que si je jouais le jeu suffisamment longtemps, un jour, une certaine Lily Dane ferait irruption chez moi, se jetterait dans mes bras et me supplierait de ne pas l'épouser. Mais je sais une chose : plus d'une dizaine de fois, l'hiver dernier, j'ai traversé le parc en direction de ton appartement, et j'ai fait demi-tour à chaque fois.

— Mon Dieu, Nick.

Je me couvris les yeux d'une main pour me protéger de la vision de Nick, de son long dos, nu et exposé.

— Et les mois ont passé et, un jour, je me suis retrouvé à côté de Budgie dans une église et j'étais en train de prononcer mes vœux de mariage. Je me disais que je faisais ce qu'il fallait, que, après tout ce que mon père lui avait fait subir, après tout ce que la vie lui avait fait endurer, je pourrais apprendre à l'aimer, que je devais au moins essayer, pour refaire de nous, elle et moi, des êtres humains décents. Après tout, sa beauté était légendaire et j'avais de la chance de l'avoir dans mon lit, rien que pour moi. (Il resta silencieux un moment, le seul bruit dans la pièce était celui de son briquet allumant une autre cigarette. Il continua à voix basse :) La première nuit, celle de notre mariage, elle était trop fatiguée et trop ivre. Je l'ai étendue sur le lit et j'ai dormi sur le canapé de la chambre. La deuxième nuit, sur le bateau, elle était simplement ivre morte. Le troisième jour, avant qu'elle ait eu le temps de commencer son quatrième martini de l'après-midi, je lui ai dit que, peu importe ce qui s'était passé dans le passé, nous étions mariés désormais. Je voulais que nous nous donnions une chance d'avoir un vrai mariage. Je voulais des enfants, une famille. Je voulais voir si je pouvais la rendre heureuse.

— Crois-moi, elle m'en a longuement parlé.

— Et t'a-t-elle répété ce qu'elle m'a répondu ?
— Non.
Il porta sa cigarette à ses lèvres.
— Elle m'a dit qu'elle ne voulait pas avoir mes bébés juifs.
Les mots résonnèrent dans l'air, terribles.
— Oh Nick ! C'est impossible, elle ne t'a pas dit ça !
— Elle a ajouté que j'avais dû perdre le sens commun si je pensais qu'elle m'avait épousé pour ça. Elle m'a dit qu'elle ne m'aimait pas, qu'elle ne pourrait jamais m'aimer, qu'elle n'était pas capable d'aimer. Elle m'a aussi dit d'autres choses que j'emporterai avec moi dans ma tombe.
Je posai la main sur son bras. J'avais les yeux pleins de larmes.
— Au début, je croyais qu'elle était ivre, ou qu'elle voulait juste me blesser, qu'elle ne le pensait pas. Je suis parti. Pendant deux jours, nous ne nous sommes pas adressé la parole. Lorsque nous sommes arrivés aux Bermudes, j'ai pris une seconde chambre, pour moi. Peu après, elle a frappé à ma porte, s'est assise sur mon lit et m'a fait part de ses conditions.
— Quelles conditions ? demandai-je d'une voix rauque.
— Comme elle l'avait précisé auparavant, elle ne voulait pas d'enfants de moi. C'était la première de ses conditions. Cela n'avait rien de personnel, car elle me trouvait plutôt attirant, mais que son éducation lui avait inculqué la croyance en la pureté du sang, et que j'étais un bâtard. Elle a utilisé ce mot. Si je voulais élever des enfants, elle voulait bien

choisir un partenaire avec moi pour la féconder, ou *vice versa*, si je tenais à avoir un enfant de mon sang.

— Mon Dieu !

— Ma conception traditionnelle du mariage la surprenait, elle ne voyait pas de raison de faire toute une histoire du mariage et de la fidélité. Elle accepterait de coucher avec moi, si je prenais des précautions pour éviter la conception mais que je ne m'attende pas à ce qu'elle me soit fidèle. Si à mon tour, je désirais aller voir ailleurs, cela ne lui faisait ni chaud ni froid, tant que je restais discret. Elle remplirait son rôle d'épouse, l'organisation du foyer et ce genre de choses, et mon devoir à moi consisterait à subvenir généreusement à ses besoins matériels. Elle organiserait des fêtes et remplirait son devoir d'hôtesse, ferait preuve de marques d'affection devant nos invités et flirterait avec mes clients autant que j'en aurais besoin. Puis elle s'est servi un verre, a croisé les jambes et m'a demandé ce que j'en pensais.

— Qu'as-tu répondu ?

— Que je voulais demander le divorce.

Mes jambes s'étaient mises à trembler, et j'avais l'impression qu'elles allaient céder sous le poids de toutes ces révélations. J'avais imaginé beaucoup de choses, mais pas cela. Que Budgie dise de telles choses à Nick, à mon Nick, mon beau Nick avec ses épaules si larges, ses yeux si chaleureux. Je pensais à toutes les heures qu'il avait passées avec Kiki à lui décrire patiemment ses plans, à lui apprendre le maniement d'un voilier, et je ne pus plus retenir mes larmes. Je me laissai glisser le long du mur.

Il posa doucement la main sur ma tête et caressa mes cheveux.

— Ne pleure pas, Lily.

— Elle n'a pas voulu te laisser partir, hein ?

— Non.

— Quel argument a-t-elle trouvé pour te maintenir sous sa coupe ?

— Lilybird, dit-il. Cela n'a pas d'importance. Elle m'a convaincu, c'est tout. Je lui ai dit que je jouerai le mari amoureux et que j'irai à Seaview avec elle. Je me suis dit que ça me donnera l'occasion de te revoir et de faire la connaissance de Kiki.

— Tu voulais la rencontrer ?

— Oui, j'en avais très envie. Plus que je ne saurais le dire.

— Elle t'aime tellement, Nick. Je sais que tout le monde désapprouvait, mais quand je vous ai vus tous les deux, comment aurais-je pu m'y opposer ? Elle avait tant besoin d'une figure paternelle qu'elle puisse admirer. Toutes les filles en ont besoin.

— Cet été, elle a été mon seul rayon de soleil...

Nick se tut, le regard toujours fixé sur la fenêtre.

Mes yeux s'étaient accoutumés à l'obscurité. J'observai la forme des meubles dans la pièce, la commode, le lit et le fauteuil dans le coin. Ils étaient différents de mes souvenirs, leurs contours moins nets, mais je ne pouvais en être sûre. Sur la table de nuit, une horloge égrenait les secondes. Je tentai de lire l'heure, mais je ne distinguais pas bien les aiguilles. Nous étions comme suspendus au milieu de la nuit, hors du temps. Les heures et les minutes n'avaient plus d'importance.

— Peux-tu arranger les choses ? demandai-je. Te laissera-t-elle partir ?

— La vraie question, c'est de savoir si je suis prêt à payer le prix de la liberté. En fait, je suis prêt à supporter tout ce qu'il me faudra supporter. C'est le prix que les autres devront payer qui m'inquiète.

— Je ne comprends pas.

— Lily, chérie, je ne peux rien te dire.

— Mais bien sûr que si, tu peux tout me dire. Je me fiche du prix à payer. Si elle refuse de t'accorder le divorce, nous ferons sans. Si c'est ton argent qu'elle veut, donne-lui tout. Je m'en fiche. Je m'en contrefiche ! Tout ce que je veux, c'est toi.

— Lily…

Je pris sa main dans la mienne et la pressai contre ma poitrine.

— Fuyons. Partons pour Paris, comme nous avions prévu de le faire, il y a toutes ces années. Nous irons à Paris, divorce ou pas divorce. Nous emmènerons Kiki avec nous. Te souviens-tu de nos projets ? Moi oui. Je serai à tes côtés, je resterai toujours à tes côtés. Je porterai nos enfants.

— Lily, dit-il en secouant la tête, je sais que tu le ferais. Mais cela ne marchera pas. Nous devons faire les choses de manière honorable. Toi et moi, nous ne nous enfuirons pas. Ce qu'il y a entre nous, ajouta-t-il en posant sa main sur son cœur puis sur le mien, c'est sacré, tu te souviens ? Nous devons nous en montrer dignes. On ne fuit pas. On ne se cache pas. Voilà ce que je veux dire, Lily, par arranger les choses.

— Alors, dis-moi, Nick, répondis-je à voix basse. Pourquoi t'ai-je trouvé là, dans la chambre, à regarder par la fenêtre quand je me suis réveillée ? Si tu es si certain que tu pourras tout arranger ?

— Parce que, demain matin, Lily, à la première heure, je retourne à Seaview pour dire à Budgie que le jeu est terminé. Demain, elle va m'annoncer le prix qu'il me faudra payer.

— Le prix pour quoi ?

— Pour la quitter pour toi.

Sa barbe naissante assombrissait ses joues. Je tendis la main pour le caresser, pour essayer de le rassurer, mais il recula.

— Ne me touche pas, Lily. Mon Dieu, si tu me touches comme ça, je te ferai l'amour, je ferai de nous deux des adultères.

Je me tenais devant lui, devant Nick, sa robe de chambre trop grande glissant le long de mon corps, mon cœur prêt à exploser dans ma poitrine.

— Mais tu as dit toi-même qu'en l'épousant, tu avais l'impression d'être un bigame. Un bigame !

Il répondit doucement, sans me regarder.

— J'avais l'impression, Lily. Mais ça ne veut pas dire que je l'étais. Je ne t'ai pas épousée, Lily, Dieu me pardonne. C'est devant Budgie que j'ai prononcé mes vœux de mariage. Je suis son mari.

— Mais elle t'a été infidèle. Elle porte l'enfant d'un autre homme. Elle t'a trompé de toutes les manières possibles.

— Peut-être, mais cela ne change rien.

Je baissai la tête.

— Ton père n'en aurait rien eu à faire, dis-je en regardant le sol.

— Je ne suis pas mon père. C'est justement le but, non ? De faire mieux, cette fois.

Je ne répondis pas.

— Tout est ma faute, dit Nick. Je t'ai fait souffrir et c'est ma faute. Retourne te coucher, Lily.

— Comment puis-je aller au lit sans toi ?

— Parce qu'il le faut.

Nous nous regardions, sans nous toucher. Il pleuvait toujours, mais moins qu'avant, comme si la pluie avait fini par céder.

— Tu vois, l'ironie de tout ça, c'est que je pense qu'elle t'aime, dis-je. Elle ne peut pas s'en empêcher. Tu t'es si bien occupé d'elle, malgré tout.

— J'avais pitié d'elle.

— Quand même. Si tu avais vu son visage quand tu étais inconscient dans le sable. Je ne crois pas qu'elle jouait la comédie. Aucune actrice au monde n'aurait été si convaincante. Son regard…

Il esquissa un petit sourire.

— Et ton regard à toi ? demanda-t-il.

— Qui sait ? J'essayais simplement de te ramener parmi nous.

— Et tu as réussi. Comme tu as toujours su le faire. Maintenant, va te coucher. Je n'ose même pas m'approcher de toi. J'ai vraiment beaucoup de mal à m'empêcher de me jeter sur toi.

— La pluie s'est calmée, on dirait.

— Oui, on dirait. Bonne nuit, Lily.

Il alla à la porte. Je retournai au lit, presque en transe. Je soulevai les couvertures et me glissai dessous.

— Nick ?

— Oui, mon amour ?

— Ne peux-tu pas me dire ce que c'est ? Ce par quoi Budgie te tient prisonnier ?

Nick me paraissait immense dans l'encadrement de la porte. La lumière était allumée dans le salon, caressant ses épaules nues.

— Crois-moi, Lily, dit-il, tu ne veux pas savoir.

***

Nick vint me voir avant de partir le lendemain matin. Il s'assit sur le bord du lit, à quelques centimètres de moi, et je m'éveillai immédiatement.

— Qu'y a-t-il ? demandai-je en me redressant soudain.

Il était lavé et habillé, ses cheveux sombres humides et coiffés en arrière, les joues roses et fraîchement rasées. Il sentait le savon, le café et la cigarette. L'aube apparaissait à la fenêtre, rouge et pleine de promesses, jouant sur les reflets verts de ses yeux.

— Je voulais te dire au revoir. Voilà la clé de l'appartement, dit-il en la posant sur la table de chevet. Tes vêtements sont secs ; je les ai suspendus dans l'armoire. Si tu as besoin de quoi que ce soit, sers-toi. J'ai fait du café. Je t'appellerai plus tard pour voir comment tu vas.

— Tu ne crois pas que je devrais t'accompagner ? Je veux t'aider. Laisse-moi t'aider, laisse-moi faire quelque chose.

— Lily, c'est mon mariage. C'est à moi de corriger mon erreur. Tout ça, c'est entre Budgie et moi.

— Mais elle est mon amie. Je devrais être là.

— Mon Dieu, non. Je veux que tu sois aussi loin que possible, en sécurité. S'il te plaît, Lily, jure-moi que tu resteras loin d'elle.

Son visage était si sombre et intense, son expression si sérieuse que j'eus un mauvais pressentiment.

— Tu ne la crois pas capable de devenir violente quand même ? demandai-je.

— Dieu seul sait ce qu'elle fera. Elle est imprévisible. Tu le sais mieux que moi.

— Et Kiki ? demandai-je, de plus en plus angoissée.

— Je m'assurerai qu'il ne lui arrive rien. Ne t'inquiète pas pour ça.

Il était assis sur le lit, ses mains posées sur ses genoux, et me regardait d'un air désespéré.

— Quand te reverrai-je ?

— Bientôt, répondit-il.

Il sembla hésiter, puis déposa un baiser sur mon front.

— Nick.

Mes yeux étaient fermés. Nos fronts se touchaient. Nick m'embrassa sur la bouche, tout doucement, et laissa ses lèvres posées contre les miennes sans bouger.

Je restai assise là, à inspirer son souffle.

— Lilybird, dit-il enfin dans un soupir, avant de se lever et quitter la pièce.

19

LAC GEORGE, NEW YORK
Janvier 1932

Les coups commencent dans mon rêve. Je suis dans un stade de football, et les spectateurs venus soutenir l'autre équipe tapent des pieds de rage, et je ne veux pas bouger, je ne veux pas donner l'impression que je participe à cette manifestation de colère. Je veux rester hors de la dispute.

Puis je sens le séisme provoqué par le corps de Nick bondissant hors du lit, et le stade devient la chambre d'hôtel, et les coups proviennent de la porte.

— Que se passe-t-il ? dis-je, prise de panique.

Le jour est en train de se lever. Des rayons de soleil blanchis par la neige filtrent par les interstices entre les rideaux. Nick est en train d'enfiler son pantalon à la hâte et passe son maillot de corps.

— Je ne sais pas. Mais ça ne doit pas être une bonne nouvelle. Reste là.

Après la chaleur de Nick, l'air sur ma peau nue est froid. Je remonte les draps jusqu'à mon menton et regarde Nick se diriger vers la porte et jeter un oeil par le judas.

— C'est quelqu'un de l'hôtel, murmure-t-il. (Il entrouvre la porte.) Oui ? De quoi s'agit-il ?

Je tends l'oreille pour écouter la conversation, mais Nick parle à voix basse et la personne de l'autre côté de la porte – une voix d'homme, c'est tout ce que je parviens à distinguer – est inintelligible. Au sol repose le fantôme de la chemise de Nick ; ma robe est suspendue au porte-serviettes de la salle de bains. Je suis nue, impuissante, tout mon corps engourdi par les ravages de l'amour de Nick.

Les murmures de la conversation continuent à la porte. Enfin, Nick se retourne et cherche quelque chose dans son manteau dans le placard. Un billet passe de main en main par l'ouverture de la porte.

— Qu'y a-t-il ? Ont-ils découvert que nous ne sommes pas mariés ? Ou est-ce à cause du vin ?

Nick va raccrocher le téléphone.

— C'était le serveur d'hier soir. Il a essayé de nous appeler. Ta tante est ici. Elle te demande à la réception.

— Tante Julie ? Mais… comment ?

— Elle a dû prendre le train hier soir, répond Nick en s'asseyant sur le lit à côté de moi. Julie Van der Wahl, c'est son nom ?

Son regard est doux, mais son visage est impassible, il ne sourit pas.

— Oui. La sœur de ma mère.

Engourdi ou non, mon corps réagit à la proximité de Nick avec un élan de désir primaire. J'ai toutes les peines du monde à me retenir de le toucher.

— Elle arrive trop tard. Je ne renoncerai pas à toi maintenant, dit-il en me prenant dans ses bras.

— Qu'allons-nous faire, Nick ? Nous enfuir, encore ?

— Non. Nous allons nous habiller, descendre et régler tout ça.

Il est déterminé. Cette fois, je sais que je n'ai pas le choix.

— Nick, tante Julie est moins conventionnelle que mes parents ; je suis sûre que tu as entendu les ragots. Nous aurons peut-être une chance de la convaincre de nous aider.

Nick se lève et ramasse sa chemise.

— Nous sommes bien au-delà de tout ça, tu ne crois pas ? Si nous voulons nous marier, ce n'est pas elle qui pourra nous en empêcher. Personne ne le peut. Lily, je préférerais t'épouser avec l'approbation de ta famille, mais, avec ou sans, je t'épouserai. (Il boutonne sa chemise et me tend la main.) Si tu veux de moi, bien sûr.

Je prends sa main et me lève en rougissant des pieds à la tête alors que chaque centimètre de ma peau s'expose à la lumière.

— Je veux être avec toi.

Nick m'attire contre lui et me tient dans ses bras. J'aime sentir les battements réguliers de son cœur contre mon oreille.

— Comment te sens-tu, Lily ? Tu vas bien ?

Endolorie, engourdie, les yeux piquants de fatigue, bouleversée par le souvenir de ce que nous avons fait et dit dans l'obscurité de la nuit.

— Je me sens merveilleusement bien, Nick. Vraiment.

— Moi aussi, murmure-t-il en embrassant mes cheveux.

Je me sens mal un quart d'heure plus tard, dans le hall de l'hôtel, face à tante Julie qui m'examine intensément. D'un simple regard, elle voit tout : ma robe à sequins, la chemise froissée de Nick et sa barbe naissante, le diamant brillant entre nos mains jointes.

— Eh bien, dit-elle en déroulant la fourrure autour de son cou. Voilà qui est adorable ! Je vous remercie, monsieur Greenwald, de vous être si bien occupé de ma nièce.

La main de Nick serre la mienne. C'est moi qui parle :

— Nick a été mon ange gardien, tante Julie, et, de plus, tout est ma faute. C'était mon idée.

— Oh, j'en suis sûre. Je doute que M. Greenwald ait la moindre idée du marché qu'il s'apprête à passer avec ma si mignonne petite nièce.

— Le marché est déjà passé, dit Nick. Lily est ma femme et j'en suis très heureux.

Tante Julie hausse les sourcils d'un air légèrement intéressé.

— Vraiment ? C'est possible, j'imagine, bien que j'en doute, vu le peu de temps que vous avez eu pour préparer la cérémonie. Bien sûr, vous l'avez mise dans votre lit, c'est évident, mais ce n'est pas tout à fait la même chose qu'un mariage, dit-elle en regardant Nick dans les yeux. N'est-ce pas ?

— En ce qui me concerne, c'est la même chose.

À travers nos mains jointes, je sens combien tous les muscles de Nick sont tendus. Je le sens vibrer, malgré son calme apparent.

Tante Julie, nonchalamment, retire ses gants.

— Ah oui ? Et combien d'épouses avez-vous collectionnées ainsi, au juste ?

Nick fait un pas en avant.

— Comment oses-tu ? dis-je. Nick s'est comporté en véritable gentleman depuis le début. C'est nous qui l'avons traité de manière honteuse, et je refuse que cela continue une minute de plus.

— Eh bien, peu importe. Nous pouvons nous battre en duel à l'aube si vous voulez. Mais je suis ici pour une tout autre raison.

Cette phrase, délivrée sans préambule, me fait l'effet d'un coup de poing à l'estomac. Je recule sous l'impact. Je me répète ses mots, et, lorsque je réponds, ma voix est très aiguë.

— Que veux-tu dire ?

Tante Julie tourne son regard sur Nick, qui me tient la main plus fermement encore.

— Pourrais-je dire un mot à ma nièce en privé, monsieur Greenwald ?

— Tout ce que vous avez à dire à ma... (Il hésite, mais seulement un instant.)... à Lily, vous pouvez le dire devant moi, madame Van der Wahl.

— Il s'agit d'une affaire de famille, monsieur Greenwald, rétorque-t-elle en faisant claquer son gant impatiemment contre son poignet.

— Nick fait partie de la famille, tante Julie. Il est mon mari, ou presque.

C'est la première fois que j'utilise ce mot et il me laisse un goût exotique dans la bouche, exotique et très intime.

— Tu pourrais aussi bien dire que tu es presque enceinte, ma chère. Soit tu es mariée, soit tu ne l'es pas.

— Nous le serions déjà si hier n'avait pas été férié, dis-je. Et nous allons le faire dès que la... la mairie ouvrira. C'était ce que je voulais dire. Nous sommes mariés en tout sauf en termes juridiques, et Nick a autant le droit que moi de savoir ce que tu as à dire.

— Monsieur Greenwald ?

— J'appartiens à Lily, madame Van der Wahl. Si elle le veut, je reste.

Nick passe son bras dans mon dos. Tante Julie soupire. Nous nous tenons sous un immense lustre, orné de cristal, et les reflets bougent sur son visage en petits éclats blancs. Un instant avant qu'elle parle, je la vois sous un tout autre jour, et je pense qu'elle n'est pas belle, pas vraiment belle, juste qu'elle sait très bien se rendre belle.

— Eh bien, dit-elle comme si elle s'ennuyait, il n'y a rien de plus borné que deux jeunes gens amoureux. Si c'est ce que vous voulez, je vais vous le dire. Ton père a eu une attaque, Lily, et tu es demandée à la maison immédiatement.

20

MANHATTAN

Mercredi 21 septembre 1938

Les pluies de septembre s'étaient enfin arrêtées, l'air du matin était immobile et le soleil entrait par la fenêtre de la chambre de Nick. Lorsque j'allumai la radio dans le salon vers huit heures, habillée, café et cigarette à la main, un toast chauffant dans le grille-pain électrique et chromé de Nick, le summum de la modernité, l'annonceur m'informa que le temps resterait agréable toute la journée, un peu de vent dans l'après-midi, une fin plaisante à un été étouffant, et que l'ouragan de Floride s'était heureusement éloigné vers le large. Un bon signe, pensai-je.

Je mangeai mon toast et terminai mon café et ma cigarette. J'ouvris mon sac à main. Il me restait quelques dollars, un mouchoir froissé, un paquet de cigarettes, un briquet, du rouge à lèvres et un poudrier. Je me maquillai et allai chercher un mouchoir dans la commode de Nick.

Je ne fouinais pas, pas vraiment. Ce qu'un homme avait dans sa commode ne regardait que lui. Je remarquai simplement la présence de sous-vêtements blancs dans le tiroir de droite et l'absence de tout vêtement féminin. J'ouvris donc le tiroir de gauche et y trouvai les mouchoirs en flanelle de Nick et, en dessous, une petite boîte bleu foncé.

Je n'y aurais prêté aucune attention si je ne l'avais pas déjà vue.

Je l'ouvris et, à l'intérieur, je découvris la bague de fiançailles que Nick avait passée à mon doigt au cours des premières minutes de l'année 1932.

Je la sortis de son écrin. Ses facettes, si familières, scintillèrent comme de petits clins d'œil d'une vieille amie.

Je ne trouvai ni note, ni souvenir sentimental d'aucune sorte dans le tiroir. Certainement pas le mot que j'avais joint à la bague lorsque je la lui avais renvoyée, quelque temps plus tard. Avait-il laissé la bague sous ses mouchoirs parce qu'il souhaitait la conserver précieusement, ou simplement parce que c'était un bijou de valeur qu'il ne voulait pas perdre ?

La sonnerie du téléphone brisa soudain le silence et me fit sursauter. La bague glissa de mes doigts et tomba par terre. Pendant un moment, je restai immobile tandis que le téléphone sonnait, encore et encore, cherchant désespérément du regard la bague sur le tapis, tiraillée entre deux décisions à prendre.

Je me souvins soudain que Nick avait dit qu'il appellerait. Je m'élançai vers le salon, où le téléphone était posé sur le bureau de Nick. Je décrochai le combiné, et sa voix résonna dans un craquement à l'autre bout du fil :

— Allô ? Lily ? Es-tu là ?

— Nick, m'écriai-je en m'écroulant sur le fauteuil.

— Oui, chérie, c'est moi. Je suis à une station-service de Westport. Je voulais simplement savoir comment tu allais.

— Je vais bien. Je… Tu me manques, dis-je, hésitante.

C'était étrange d'échanger à nouveau des mots doux avec Nick.

— Tu me manques aussi. Est-ce que tu te sens bien ? As-tu réussi à dormir un peu ?

— Oui. J'ai dormi jusqu'à sept heures. Tu dois être épuisé.

— Je n'aurais pas pu dormir de toute façon. J'ai bu du café. Parle-moi, Lily. Raconte-moi une histoire. J'ai besoin d'entendre ta voix.

Il parlait d'une voix fatiguée, inquiète.

— Je ne sais pas quoi dire. Tu me manques terriblement. Je m'inquiète pour toi et pour Kiki. Si seulement tu me disais contre quoi nous nous battons.

— Ma chérie, ne t'inquiète pas. Ne t'inquiète de rien. Je trouverai un moyen. J'y ai réfléchi pendant tout le trajet.

— Ne peux-tu pas lui proposer de l'argent ?

— Ce n'est pas ça qu'elle veut, Lily. Pas vraiment.

— Alors que veut-elle ?

Je l'entendis soupirer malgré les grésillements sur la ligne.

— Tu n'as pas encore deviné ? C'est toi qu'elle veut, Lily. Elle te vénère, elle t'envie. Elle l'a toujours fait. J'ai essayé de lui offrir de l'argent, pendant notre lune de miel. Je lui ai proposé une très grosse somme, mais elle a refusé.

— Je ne comprends pas.

— Non, je suis sûr que non. Je ne crois pas qu'elle le comprenne elle-même. Écoute, je n'ai presque plus de monnaie. Je t'appellerai plus tard, en arrivant.

— Attends. Nick, je... je cherchais un mouchoir dans ta commode, dis-je en tortillant le fil du téléphone entre mes doigts.

Il resta silencieux, respirant doucement dans le téléphone. J'enroulais et déroulais le fil autour de mon doigt en attendant qu'il réponde.

— Et qu'as-tu trouvé, Lilybird ? dit-il enfin.

— J'ai trouvé la bague. Tu l'as gardée, Nick.

— Oui, je l'ai gardée. Je ne pouvais pas m'en séparer. Écoute, Lily. Remets la bague dans le tiroir. À mon retour, quand nous serons enfin débarrassés de Budgie, je la passerai une seconde fois à ton doigt.

Il y avait tant de grésillements sur la ligne que je n'étais pas sûre d'avoir bien entendu ses derniers mots.

— Nick, murmurai-je.

— Si tu le veux, Lily. Si tu acceptes de me donner une seconde chance de te rendre heureuse.

— Oui, Nick. Je le veux.

— Très bien. À présent, je veux que tu te détendes. Ne t'inquiète de rien. Je vais tout arranger, d'une manière ou d'une autre.

Sa voix était pleine de détermination. J'imaginais son visage, ses yeux de pirate fixés sur la paroi de la cabine téléphonique. Je pensais à Budgie allongée sur la plage de Seaview, son corps bronzé qui s'arrondissait un peu plus chaque jour, une cigarette pendue au bout de ses doigts, sa Thermos de gin à portée de main pour calmer ses nerfs, sans se douter de l'arrivée de Nick.

— Lily, es-tu là ? Dis quelque chose. Je veux entendre ta voix.

— Je suis là. Excuse-moi. Oui, fais attention, Nick. Je ne veux pas qu'elle soit malheureuse. Pas plus qu'elle ne l'est déjà.

— Lily, j'ai arrêté de me soucier du bonheur de Budgie Byrne. Le seul bonheur qui m'intéresse est le tien. Je veux que tu sortes et que tu profites du beau temps. Laisse-moi m'occuper de tout.

— Nick, je suis sérieuse. Ne lui fais pas de mal.

— Je ferai de mon mieux. Au revoir.

— Au revoir, Nick. Sois prudent.

— Je t'aime, Lilybird.

Avant que j'aie eu le temps de lui dire la même chose, il avait raccroché.

Je restai assise à contempler le téléphone, tandis que la radio marchait en fond sonore : une publicité pour le savon Ivory. Je me levai et allai l'éteindre.

Dans la chambre, je trouvai la bague qui avait roulé sous la commode. Je la remis dans son écrin et le rangeai dans le tiroir sous les mouchoirs. J'en pris un sur le dessus de la pile, repassé avec soin par une femme de ménage invisible.

La fenêtre était toujours ouverte. Je la fermai et verrouillai le loquet, pris mon chapeau et mon sac à main dans l'entrée, et quittai l'appartement de Nick.

***

Chaque matin, Peter Van der Wahl arrivait à huit heures trente pile à son bureau de Broad Street. Sa secrétaire me reconnut immédiatement et m'adressa un grand sourire.

— Mademoiselle Dane ! s'écria-t-elle. Vous êtes bien matinale. Êtes-vous déjà rentrée de Seaview ?

— Pas tout à fait, Maggie, répondis-je. J'avais quelques affaires à régler en ville avant de fermer la maison. Est-il là ?

— Oui. Voulez-vous que je le prévienne de votre présence ?

— S'il vous plaît.

Le cabinet d'avocats Scarborough & Van der Wahl occupait tout un étage de l'immeuble sur Broad Street et, en vingt ans, personne n'avait jamais eu l'idée de le rénover. C'était une sorte d'hommage au délabrement vénérable. Les fauteuils étaient usés et un peu enfoncés, mais toujours confortables, le tapis propre, mais élimé, les tableaux aux murs représentaient des paysages de l'Hudson dans des cadres dorés, le bureau de Maggie était une merveille à pattes de lion, ciré à la cire d'abeille une fois par an et éraflé juste comme il seyait. Dans le tiroir du haut, elle avait toujours des bonbons qu'elle me glissait dans la main en cachette, quand j'étais petite.

— Lily !

Je levai la tête et mon ex-oncle par alliance se tenait dans l'ouverture de la porte, les deux mains tendues vers moi, ses cheveux coupés récemment et ses lunettes de lecture perchées sur le sommet de sa tête.

— Oncle Peter ! m'écriai-je. Vous avez l'air en forme. Avez-vous passé un bon été ?

— Pas trop mal, pas trop mal. Il a fait chaud. J'ai passé la plupart du temps à Long Island. Et toi ? Seaview, bien sûr ? Comment vont ta mère et Julie ?

— Bronzées et parfumées au gin-tonic. Auriez-vous un moment à m'accorder ?

— Toujours. Maggie, je ne veux pas être dérangé. Du café ?

Il me fit entrer dans son bureau.

— Non, merci. J'en ai déjà bu ce matin.

Le bureau d'oncle Peter offrait une vue splendide sur le port de New York. Lorsque j'étais plus jeune et que mes parents avaient besoin de ses services, j'allais m'installer dans le coin droit de la pièce, tout contre la fenêtre, d'où je réussissais tout juste à apercevoir la statue de la Liberté.

À présent, à vingt-huit ans, j'étais assise sur le fauteuil face à son bureau et j'acceptai la cigarette qu'oncle Peter me proposait.

C'était du Peter Van der Wahl tout craché d'avoir des cigarettes et un cendrier dans son bureau alors qu'il ne fumait pas. Il s'installa confortablement au fond de son fauteuil, en souriant, tandis que j'allumai ma cigarette.

— Tu as dû te lever bien tôt pour être dans ce quartier à cette heure-ci, dit-il.

— J'avais des choses à faire en ville. Je dois retourner à Seaview dans un jour ou deux pour faire les bagages de tout le monde et fermer la maison.

Ses doigts tambourinaient sur le bord du bureau. Celui-ci était couvert de piles de papier et de livres juridiques, le tout bien aligné dans un ordre parfait.

— Et tu as trouvé le temps de venir me voir ? demanda-t-il en souriant.

— Vous étiez ma priorité, oncle Peter, comme toujours, dis-je en lui rendant son sourire.

J'avais toujours trouvé curieux que ma tante Julie ait épousé cet homme. Il était loin d'être laid, bien sûr, mais son visage était plaisant plutôt que beau, avec ses yeux bleu-gris et ses cheveux poivre et sel. Il n'était pas très grand, peut-être un mètre soixante-dix quand il portait ses chaussures d'hiver à semelles épaisses, et il n'avait pas les épaules larges d'un joueur de football. Chacun de ses traits évoquait la gentillesse et l'humour, une solide éducation aux bonnes manières épiscopaliennes, et pourtant tante Julie, passablement éméchée quelques étés plus tôt, m'avait confié qu'il était un véritable tigre au lit, que la première année de leur mariage avait été la plus épuisante de sa vie, qu'elle en avait passé la moitié au lit et l'autre au salon de coiffure. Un mois de plus et elle en serait morte, avait-elle conclu.

Il m'avait fallu plus de deux ans pour réussir à regarder oncle Peter dans les yeux sans rougir.

— Et que puis-je faire pour toi, aujourd'hui, Lily ? me demanda-t-il.

J'aspirai des bouffées de ma cigarette pour masquer mon hésitation. Je m'étais réveillée le matin avec les mots de Nick résonnant dans mon esprit, nombre d'hypothèses et de questions que je n'avais pas pensé à poser à Nick m'étaient venues pendant la nuit, formant les pièces d'un puzzle que je ne parvenais pas à assembler. Même si Nick m'avait révélé beaucoup de choses, il m'en avait certainement caché quelques-unes, et je connaissais quelqu'un qui savait tout des affaires de ma famille

– et de Manhattan, en général – et cette personne était Peter Van der Wahl, car c'était son métier.

Bien sûr, il n'était pas censé en parler.

— Oncle Peter, dis-je, que vous rappelez-vous de l'hiver 1932 ?

Il retira ses lunettes, les plia et les posa sur son bureau, et prit son stylo.

— Pourquoi me poses-tu cette question ?

— Il s'est passé beaucoup de choses cet hiver-là, n'est-ce pas ? Il y a eu l'attaque de papa et ma tentative infructueuse de m'enfuir avec Nick Greenwald pour l'épouser. Tout le monde faisait faillite. Le père de Budgie Byrne s'est suicidé, vous vous souvenez ?

— Oui. Choquant. L'une des banqueroutes les plus spectaculaires de l'année, et je crois qu'il avait de gros problèmes avec la justice en plus de tout le reste. Il y avait une question d'éthique personnelle.

Oncle Peter m'observait intensément. Il n'était pas avocat pour rien.

— Et la firme du père de Nick avait des problèmes aussi, non ?

— Je me souviens de quelque chose comme ça. Tu dois avoir raison. Lily, ma chère, qu'es-tu venue me demander ?

— Je ne sais pas. Je ne sais pas ce que je suis venue vous demander, mais surtout je ne sais pas par où commencer. Puis-je vous parler en confidence ?

— Bien sûr.

— Vous savez que Nick Greenwald a épousé Budgie Byrne au printemps dernier.

Son regard s'adoucit, plein de compassion.

— J'en ai entendu parler, oui. Julie a assisté au mariage, non ?

— Oui, bien sûr. Ils ont passé l'été à Seaview avec nous, dans la vieille maison des Byrne, pour la rénover. Et je sais maintenant – ne me demandez pas comment, oncle Peter –, je sais qu'il ne l'a pas épousée par amour. Alors j'essaie de découvrir pourquoi. Quelle emprise elle peut avoir sur lui.

Dans mon agitation, je posai la cigarette dans le cendrier et agrippai le bord du bureau de mes mains jointes.

Oncle Peter se frotta le front.

— Lily, Lily. Où veux-tu en venir ?

— Nous avons commis une terrible erreur il y a sept ans. Vous le savez. Vous savez ce qui s'est passé.

— Je le sais, répondit-il en continuant de se frotter le front. A-t-il l'intention de divorcer d'elle ?

— Oui. Le mariage – je vous parle dans la plus stricte confidence, ne l'oubliez pas – n'a jamais été consommé. Et, pendant tout ce temps, oncle Peter…

Ma voix se brisa. Je me redressai et m'enfonçai dans mon fauteuil.

— J'ai été si stupide. Après l'attaque de papa, je l'ai repoussé, je ne pouvais même pas supporter de le voir. Je me sentais tellement coupable d'avoir fait ça à papa, pauvre papa. Nous pensions qu'il ne survivrait pas. Chaque jour qui passait était une torture.

Oncle Peter me tendit son mouchoir, mais je le refusai. Je me sentais devenir plus forte.

— Je m'en souviens, dit oncle Peter.

— J'ai renvoyé la bague à Nick. Je lui ai dit que je ne pourrais jamais le revoir. Je crois que j'espérais qu'il refuserait de la reprendre, qu'il reviendrait, surgirait un jour dans l'appartement et me dirait que tout irait bien, que ce n'était pas ma faute, qu'il ne pouvait pas vivre sans moi. Mais, au lieu de cela, il est parti pour Paris.

— D'après ce que j'ai compris, l'entreprise de son père…, dit oncle Peter.

— Je sais, je sais. Mais j'avais vingt et un ans et j'étais désespérée, et, j'imagine que, comme une enfant, je pensais qu'il resterait à New York et qu'il se languirait de moi. Lorsqu'il est parti pour Paris, j'ai cru que j'en mourrais. Je serais morte de chagrin, je pense, s'il n'y avait pas eu Kiki.

Oncle Peter se tourna sur sa chaise et regarda par la fenêtre l'eau scintillante du port de New York.

— Mais tu ne le détestes pas maintenant.

— Non. Je crois qu'il souffrait, comme moi. Il pensait que je ne l'aimais pas, que je me fichais de lui, tout comme moi. Nous étions jeunes, bêtes et fiers. Et Budgie lui a mis le grappin dessus.

Oncle Peter ne dit rien, il se contenta de regarder par la fenêtre, son stylo toujours à la main. Le soleil brillait sur ses cheveux gris à ses tempes.

— Nous n'avons pas de liaison, si c'est ce que vous pensez, dis-je. Nick est un homme d'honneur. Il veut tout arranger avec elle avant.

— C'est un sacré bazar.

— Oui. C'est pour cela que je suis venue vous voir. Il est parti pour Seaview ce matin. Il va lui demander de divorcer, et je pense qu'elle va refuser. Elle est très… Elle n'est pas heureuse. Elle boit toute la journée et… d'autres choses aussi. Je ne sais pas quel chantage elle lui a fait pour qu'il accepte de l'épouser, mais elle s'en servira aujourd'hui, et je suis inquiète. Je ne sais pas ce qu'elle fera. Je crois que Nick est à bout. Il a dit des choses au téléphone ce matin. Je ne veux pas que cela se termine mal. C'est pour cette raison que je suis venue vous voir.

— Que puis-je faire ?

— Vous savez tout, oncle Peter. Tout ce qui se passe dans notre petit monde finit par arriver à vos oreilles discrètes. Vous connaissez tous nos secrets. Je pensais que vous connaissiez peut-être aussi celui-ci.

Il poussa un soupir et se tourna vers moi. Il me paraissait un peu pâle, mais cette impression était peut-être due à toute cette lumière qui inondait la pièce.

— Lily, je ne suis pas dans la confidence de Mme Greenwald. Je la connais à peine. Et je ne connais certainement pas les raisons pour lesquelles elle a épousé son mari, et encore moins pourquoi, lui, l'a épousée.

— Saviez-vous qu'elle avait eu une liaison avec le père de Nick, pendant ce dernier hiver ?

Si j'avais espéré le choquer pour qu'il me révèle quelque chose, sa réaction me montra combien je me trompais. Il leva les sourcils ; il posa son stylo sur le bureau.

— Non, je l'ignorais, répondit-il. Mais je serais surpris que ce soit vrai.

Une sensation étrange me parcourut de la tête aux pieds, et l'angoisse me gagna. Les mots d'oncle Peter étaient lourds de sens.

— Pourquoi, oncle Peter ? Pourquoi ?

Il haussa les épaules.

— Parce que cela m'étonnerait beaucoup, voilà tout. Mme Greenwald n'est pas exactement connue pour son honnêteté.

— Mais Nick a examiné les comptes de son père. Pendant des années, il lui a versé de l'argent, deux cents dollars par mois.

— Il pouvait lui allouer ces sommes pour de nombreuses autres raisons.

— Lesquelles ?

Oncle Peter secoua la tête et se leva. Je crus qu'il allait me demander de partir, mais il alla chercher une chaise dans un coin de la pièce, la plaça en face de moi et s'assit. Il prit mes mains dans les siennes.

— Lily, ma chère. De toutes les malheureuses conséquences de cet hiver, celles que tu as subies personnellement m'ont toujours semblé les plus difficiles à supporter. Tu as dû t'occuper de tout, quand tout s'écroulait autour de toi. Et pourtant, c'est toi qui as perdu le plus dans cette histoire.

— Cela n'a pas d'importance, oncle Peter. C'est la vérité que je veux. Je veux savoir comment une femme comme Budgie a réussi à convaincre un homme comme Nick de l'épouser. Je veux savoir comment le libérer de son emprise.

Oncle Peter secoua de nouveau la tête.

— Lily, tu ne poses pas les bonnes questions. Tu ne vois pas la vue d'ensemble.

— Que voulez-vous dire ?

— Toutes ces années, ma chère, tu as assumé toute la culpabilité de la maladie de ton père.

— Il a eu une attaque, oncle Peter. Lorsqu'il a appris que je m'étais enfuie avec Nick, il a eu une attaque et il a failli mourir. À l'instant où je vous parle, il est assis devant une fenêtre et regarde Central Park, comme il le fait depuis des années. Il n'a jamais tenu Kiki dans ses bras. Sa propre fille.

— Es-tu certaine que les choses se soient vraiment passées comme ça ? demanda-t-il en étreignant mes mains.

— C'est ce qu'ils ont dit. Il a trouvé mon mot, il s'est précipité à Gramercy Park pour nous arrêter. Ma mère et M. Greenwald lui ont dit qu'il était arrivé trop tard.

— Et tu ne t'es jamais demandé comment ta mère avait su pour vous deux ?

— C'est Budgie qui le lui a dit, forcément. Elle a vu ma mère à la fête chez les Greenwald et lui a tout dit. Comment mère l'aurait-elle découvert autrement ? Ma mère a demandé à M. Greenwald de l'accompagner et ils sont venus nous chercher à l'appartement. Nous les avons vus, par la fenêtre, dis-je en secouant la tête. Je ne sais pas comment Budgie a pu nous trahir ainsi. J'ai passé des années à lui en vouloir.

Oncle Peter posa mes mains l'une sur l'autre et tapota celle du dessus. Il me regarda droit dans les yeux.

— Lily, encore une fois, tu ne vois que les détails, pas la vue d'ensemble. Réfléchis, Lily. Réfléchis bien. Pense à ce que tu as vu cette nuit-là. Pense à ce qu'il s'est passé ensuite.

Je restai là, le regard plongé dans celui d'oncle Peter, les mains dans les siennes. J'examinai les images qui me venaient à l'esprit, je les retournai, je les secouai, j'y ajoutai quelques hypothèses.

— Non, murmurai-je. Cela n'a aucun sens. Ils me l'auraient dit.

— Le crois-tu vraiment ? Alors que tu as toujours accepté l'entière responsabilité des choses à leur place ?

— Et vous pensez que Budgie le sait ?

— Je n'en ai aucune idée. Mais le père de Nick ne lui a pas donné tout cet argent sans raison, non ?

Je pris mon sac à main.

— Oncle Peter, dis-je, est-ce que cela vous dérangerait que je vous emprunte votre voiture ?

21

1932 – 1938

Je me souviens très mal de ce qui s'est passé au cours des vingt-quatre heures suivantes. Je me rappelle que Nick avait voulu nous accompagner à New York, mais tante Julie lui avait répondu que ce n'était pas souhaitable au vu des circonstances, et j'étais bien trop bouleversée pour intervenir dans leur conversation.

Je me souviens d'avoir dit au revoir à Nick à la gare, la gorge serrée, pendant que tante Julie attendait patiemment derrière moi. Je me souviens de la manière dont il m'a serrée dans ses bras, ses grands bras, et comme cela m'a réconfortée de sentir les battements réguliers de son cœur. Je me rappelle m'être demandé comment je survivrais le lendemain, et les jours suivants.

Je me souviens de sa voix dans mon oreille, mais pas des mots exacts qu'il a prononcés. Qu'il m'aimait, que tout irait bien, qu'il prierait pour que mon père se remette, qu'il ferait tout ce qu'il pourrait pour nous aider. Que je n'avais pas à m'inquiéter pour lui, qu'il viendrait me voir à son retour en ville.

Et est-ce que je savais que j'étais ce qu'il avait de plus précieux ? Il n'oublierait jamais cette nuit. Je l'avais lié à moi pour toujours. J'étais toute sa vie, sa femme devant Dieu, sa Lilybird. Nous étions pratiquement déjà mariés, il m'attendrait patiemment, aussi longtemps qu'il le faudrait.

Ce genre de choses.

Je me souviens que je n'avais plus de voix, plus la force de lui répondre.

Je me souviens de l'odeur de la vapeur et de la fumée de charbon, humide et étouffante, et, à ce jour, j'ai encore la nausée quand je me tiens sur un quai de gare et que j'inspire profondément.

Je me souviens d'avoir regardé par la vitre du compartiment tandis que nous nous éloignions, et d'avoir vu la silhouette de Nick, seul sur le quai, sans vraiment le voir pourtant, parce que mon esprit était déjà consumé par tout ce désastre.

J'aimerais me rappeler plus de choses. J'aimerais me souvenir de tous les détails de l'apparence de Nick à ce moment-là, de son expression, de sa silhouette qui se découpait contre le bâtiment gris de la gare, parce que je n'allais plus le revoir avant l'été de 1938, l'été où le cyclone est passé et a tout emporté dans son sillage.

22

SEAVIEW, RHODE ISLAND

Mercredi 21 septembre 1938

Il y a un endroit, lorsqu'on approche Seaview par la côte, où la route tourne à flanc de coteau et, soudain, toute la baie apparaît sous vos yeux. La vue est spectaculaire, si spectaculaire, en fait, qu'il est facile de rater le virage qui mène à l'allée de Seaview. Cela arrive très souvent, les gens grillent le stop parce qu'ils ont la tête tournée vers l'océan et ses vagues qui roulent sur l'étendue de sable couleur crème de la plage de Seaview, ou les voiles blanches qui filent sur les eaux bleues de la baie. Mon Dieu, pensent-ils, qui a la chance de vivre ici ? Je tuerais pour avoir une maison le long de cette plage, l'une de ces jolies petites maisons à bardeaux avec *bow-windows*, pignons et véranda à l'arrière. Comme j'aimerais posséder un de ces pontons avec un ou deux voiliers amarrés aux pilotis.

Mais j'avais l'habitude de la beauté de Seaview. J'avais parcouru cette route un nombre incalculable de fois.

J'arrivai au fameux virage à environ deux heures de l'après-midi, après avoir foncé le long de la Merritt Parkway flambant neuve, le pied au plancher jusqu'à Milford, puis pris Boston Post Road aussi vite que le moteur de la vieille Studebaker de Peter Van der Wahl le permettait. J'aurais aimé arriver plus tôt, mais j'étais allée voir papa avant de quitter New York.

Je l'avais trouvé assis face à la fenêtre, comme d'habitude, l'ombre fantomatique d'un sourire sur son visage. J'avais déposé un baiser sur sa joue.

— Je retourne à Seaview, papa. J'aimerais pouvoir rester avec toi plus longtemps, mais j'ai des choses à faire. Des torts à redresser.

Il m'observa sans rien dire, ses yeux bleus usés me regardaient sans expression.

— Je ne sais pas si tu me comprends, papa, mais je l'espère. J'espère que tu es toujours là. Je vais récupérer Nick, papa. Tu l'as jeté dehors une fois, mais je crois que c'était pour une raison différente de celle à laquelle je pensais, à l'époque. Je crois qu'il y avait autre chose. J'espère que c'était autre chose.

Je pris ses mains dans les miennes.

— Je crois qu'il te plairait, papa, je le crois vraiment. Je crois que vous vous seriez bien entendus. Ce n'est pas facile de bien le connaître, mais une fois qu'il vous fait confiance, il est chaleureux et gentil, très intelligent et drôle. Il s'ouvre comme une fleur. J'aimerais tant que les choses se soient passées différemment. Je crois qu'il aurait été bien pour toi. Je crois que vous auriez été bien l'un pour l'autre.

L'horloge avait sonné dix heures moins le quart. J'avais embrassé les mains de papa et les avais reposées sur ses genoux, puis je l'avais embrassé une dernière fois.

— Au revoir, papa. Je reviendrai dès que je le pourrai. Souhaite-moi bonne chance.

J'avais eu l'impression qu'il avait appuyé sa joue contre la mienne. Je m'étais hâtée de redescendre à la voiture d'oncle Peter et avais remonté Park Avenue assez vite pour avoir tous les feux de signalisation au vert.

J'avais conduit aussi vite que le code de la route le permettait et ne m'étais arrêtée que pour prendre de l'essence et boire un café. Le temps d'arriver dans le Rhode Island, le ciel, bleu et sans nuages sur la route, s'était assombri. Il faisait extrêmement lourd et de minuscules gouttes de pluie tombaient par paquets sur le pare-brise. Des ordures volaient dans l'air le long de la route, portées par des bourrasques violentes, et les lignes électriques crissaient d'agonie. J'éteignis ma cigarette et agrippai le volant des deux mains. En tournant sur la route de Seaview, je levai les yeux et aperçus l'océan, épais et gris, strié de longues vagues roulantes sous le ciel brun-gris. Un coup de vent soudain déporta la voiture.

Un autre orage, je n'avais pas besoin de ça.

Je remontai le long de l'allée, passai devant le club, dont tous les volets étaient fermés et le parking désert, les tables et chaises déjà rentrées pour l'hiver. La plupart des maisons étaient fermées et leurs auvents avaient été enlevés jusqu'au prochain été, les volets rabattus. Les Palmer étaient partis le week-end précédent, tout comme les Crofter et les sœurs Langley. Je passai devant la maison des Hubert et vis Mme Hubert rentrant ses zinnias, un pot dans chaque main, sa jupe battant furieusement contre ses jambes.

Je passai devant la maison des Greenwald sans même y jeter un regard.

Je conduisais trop vite, inconsciente. La voiture rebondissait sur les trous de la route avec un bruit de ferraille et faisait voler du gravier sous ses pneus épais. Je serrais le volant de toutes mes forces ; le ballet incessant des essuie-glaces me faisait mal aux yeux. Une bourrasque de pluie s'abattit soudain contre le flanc de la voiture, juste au moment où je m'arrêtais devant notre vieux cottage, et j'agrippai mon chapeau et m'élançai en courant jusqu'à la porte d'entrée, que j'ouvris avec fracas.

— Mère ! criai-je.

J'entendis un mouvement provenant de l'étage. Je courus en haut de l'escalier.

— Mère ! criai-je à nouveau.

— Lily ! Que se passe-t-il ?

Ses pieds apparurent en haut du petit escalier qui menait au grenier et descendirent les marches une à une, chaussés de cuir brun et de bas noirs. Je me tenais sur le palier, tremblante, tandis qu'elle se révélait à moi, resplendissante. J'avais l'impression que toutes les terminaisons nerveuses de mon corps étaient sur le point d'exploser. Elle portait une pile de serviettes blanches. Un cardigan rose était noué autour de ses épaules. Ses cheveux bruns, attachés en chignon à la base de sa nuque, se défaisaient. Elle m'observait avec de grands yeux écarquillés de surprise.

— Tu es déjà de retour ? demande-t-elle. Mon Dieu, Lily, regarde-toi. Ta robe est toute froissée, et ton chapeau…

Je retirai mon chapeau et le jetai par terre. Les odeurs familières de la maison m'enveloppaient, celle du vieux bois chaud, de l'air marin et de l'huile de citron. Le parfum de l'été, de Seaview. Je passai ma main dans mes boucles ébouriffées.

— Pendant tout ce temps, dis-je, tout ce temps, tu as laissé croire à tout le monde que Kiki était ma fille. La mienne et celle de Nick. Je n'en avais aucune idée. Tout le monde le savait, sauf moi.

Elle recoiffa une mèche de cheveux échappée de son chignon.

— Je ne sais pas de quoi tu parles.

— Dis-moi pourquoi toi et M. Greenwald êtes venus ensemble à Gramercy Park cette nuit-là. Dis-le-moi. Dis-le-moi en me regardant dans les yeux, mère.

J'avais le souffle coupé par la colère et l'effort que cela me demandait d'essayer de la contenir. J'avais même du mal à parler.

Elle détourna le visage, comme si elle voulait remonter l'escalier.

— Je ne veux pas parler de cette nuit, Lily. Trop de mauvais souvenirs. Voir ton père s'effondrer comme ça. Allez, viens au grenier. Il y a une tempête qui se prépare, au cas où tu ne l'aurais pas remarqué. Marelda est allée en ville pour acheter des provisions.

Je lui pris le bras et la forçai à me faire face.

— Lily ! s'exclama-t-elle en serrant les serviettes contre sa poitrine.

— Dis-moi la vérité ! Je mérite de la connaître.

— Je ne sais pas de quoi tu parles ! Tu t'es enfuie avec le fils Greenwald ! Voilà la vérité.

— Et neuf mois plus tard, Kiki est née, et tout le monde a cru que c'était ma fille. Ma fille ! Et tu les as laissés le croire ! Pire, tu m'as laissée la prendre dans mes bras, tu m'as laissée m'occuper d'elle et l'élever. Tu as fait croire à tout le monde qu'elle était ma fille. Pourquoi as-tu fait ça, maman ? Pourquoi ?

— Lâche-moi ! Grand Dieu ! Est-ce ainsi que tu parles à ta mère ?

Elle s'arracha à mon étreinte, mais je l'attrapai de nouveau.

— Elle n'a jamais été la fille de papa, n'est-ce pas ? Que j'ai été bête, pendant tout ce temps, de penser que papa était même capable de concevoir un enfant avec toi ? Mais je me mentais peut-être à moi-même. Est-ce que je le savais depuis le début ? Pauvre papa. Et il vous a trouvés tous les deux, dans cet appartement, celui où le père de Nick recevait ses maîtresses. Tu ne savais pas que j'étais là. Tu ne t'en doutais pas, jusqu'à ce que papa arrive pour me ramener à la maison, parce que j'avais demandé au portier de lui monter un mot pour qu'il ne s'inquiète pas.

— Ce n'est pas vrai ! Ce n'est pas vrai !

Elle remonta l'escalier en courant, ses chaussures résonnant lourdement sur les lattes en bois.

La porte d'entrée claqua au rez-de-chaussée.

— Christina ! cria tante Julie. Christina ! Où es-tu ? Mon Dieu, tu n'as pas idée du temps qu'il fait. Est-ce la voiture de Peter dehors ?

— Nous sommes en haut, répondis-je.

— Lily ? Que fais-tu ici ? C'est toi qui es venue avec la voiture de Peter ?

— Oui.

Elle apparut à l'étage et s'arrêta.
— Que se passe-t-il ? Où est ta mère ?
Le vent sifflait contre les fenêtres et la maison tremblait. Je levai les yeux et croisai le regard de tante Julie, le visage trempé de pluie.
— Où est ta mère ?
— Dans le grenier, elle colmate les fenêtres avec des serviettes.
— Eh bien, dit-elle en levant les yeux vers la porte du grenier, je dois dire que je suis étonnée qu'il t'ait fallu sept ans pour demander des comptes à ta mère.
— Tu le savais, évidemment.
— Chérie, j'ai essayé de te dissuader de voir le fils Greenwald. Les potins allaient déjà bon train. Ta mère n'était pas exactement elle-même au cours de cet automne, et tout le monde jasait. Quand ta mère enfreint les règles, elle ne fait pas les choses à moitié, ajouta-t-elle en levant de nouveau la tête.
— Julie, je ne vois pas de quoi tu parles, répondit mère en descendant l'escalier.
Elle s'arrêta à mi-chemin. Elle était toute blanche.
— Oh, pour l'amour du ciel, s'exclama tante Julie en levant les bras en l'air. Christina ! Ce n'est pas comme si les gens ne s'étaient doutés de rien. Il t'aurait suffi d'être un peu plus discrète. Et de ne pas tomber enceinte, bien entendu, mais heureusement, l'incartade de ta fille t'a offert la solution de ton problème sur un plateau.
Mère laissa échapper un sanglot, et je vis qu'elle pleurait, que de grosses larmes coulaient le long de ses joues et tombaient de sa mâchoire.
— Ce n'est pas vrai, dit-elle.

Tante Julie croisa les bras.

— Oh, sois honnête pour une fois. Pendant sept ans, tu as pu préserver ta réputation aux dépens de celle de ta fille. À ta place, j'admettrais que ton plan a bien fonctionné le temps que ça a duré et j'affronterais la défaite avec classe, pas toi ?

— C'est bien pire que ça, dis-je. Tu m'as laissée croire que j'étais responsable de l'attaque de papa, qu'elle était survenue parce que je m'étais enfuie avec Nick. Mais c'était ta faute. C'est ta trahison, pas la mienne, qui l'a provoquée. Et j'ai repoussé Nick à cause de ça, je lui ai rendu sa bague parce que je ne pouvais supporter ce que j'avais fait à papa, parce que je craignais de le tuer si je ne rompais pas avec Nick. Pendant tout ce temps, mère, j'ai cru que c'était ma punition.

Elle leva la tête.

— Est-ce lui qui te l'a dit ? Le fils Greenwald ? Je suppose qu'il t'a aussi parlé de la lettre, qu'il t'a convaincue que…

— La lettre ? répétai-je.

Tante Julie se tourna vers ma mère.

— Quelle lettre ?

Elle se leva et passa devant moi.

— Rien.

Je l'attrapai par le bras.

— Quelle lettre, mère ? De quoi parles-tu ? Tu as envoyé une lettre à Nick ?

— Non. Je ne sais plus ce que je dis.

Elle lança un regard noir à tante Julie et détourna la tête.

— Voilà qui devient intéressant, dit tante Julie. Parle-nous de cette lettre, Christina.

Une bourrasque secoua de nouveau la maison. Les planches émirent un grincement horrible, comme un bateau sur une mer démontée. Je regardai par la fenêtre de l'entrée et vis que les vagues frappaient violemment contre la batterie et les rochers, l'écume éclaboussant tout autour d'elle. Le ciel était noir comme de l'encre, taché de jaune ocre.

Une main froide se serra autour de mon cœur.

— Où est Kiki ? demandai-je.

— Elle est chez les Hubert, répondit tante Julie.

— Que fait-elle là-bas ?

— Eh bien, après tous les événements de ce matin...

— Quels événements ?

Tante Julie couvrit sa bouche de sa main.

— Oh, mais bien sûr ! Tu viens d'arriver ! Une scène terrible chez les Greenwald.

Je la saisis par les épaules.

— Que s'est-il passé ?

— Mon Dieu, dit-elle lentement. Je commence à comprendre. Laisse-moi deviner, Lily. Tu as vu Nick en ville.

— Dis-moi ce qui s'est passé !

Elle me força à la lâcher.

— Eh bien, ton Nick est arrivé vers dix heures, il me semble, et s'est précipité dans la maison. J'étais sur la plage avec Kiki, vois-tu, nous profitions du soleil, je fumais ma cigarette en cachette du regard perçant de Mme Hubert. Au bout d'un petit moment, nous avons entendu des éclats de voix, Budgie hurlait toutes sortes de sottises, puis, soudain, Nick m'appelle de la maison, me dit que

Budgie a eu un accident et me demande de l'aider à la transporter à la voiture.

— Oh mon Dieu ! m'écriai-je. Que s'est-il passé ?

— Elle a essayé de s'ouvrir les veines, apparemment, cette hystérique. Il l'a arrêtée avant qu'elle ne puisse se faire du mal, il a défoncé la porte de la salle de bains d'après ce que j'ai vu, mais c'était quand même un sacré bazar.

— Oh non ! Comment va-t-elle ? J'espère que Kiki n'a rien vu…

— Non. Je l'ai envoyée chez les Hubert directement. Où vas-tu ?

— Il faut que je la retrouve !

Tante Julie me courut après dans l'escalier.

— Lily, elle va bien ! Tout le monde va bien ! Nick a emmené Budgie à l'hôpital, Kiki aide Mme Hubert à rentrer ses… je ne sais quoi, zinfandel, je crois…

— Ses zinnias. Quel hôpital ?

— Je ne sais pas ! Lily, arrête ! Écoute-moi ! Reprends tes esprits.

Elle m'attrapa l'épaule alors que j'arrivais au bas de l'escalier et me força à me retourner. La pluie avait fait couler son mascara, lui donnant un air perdu, ce qui ne lui ressemblait pas du tout ; elle avait l'air presque humaine.

— La tempête est en train de se lever. C'est trop dangereux. Reste ici, nous sommes en sécurité ici. Nous aurons des nouvelles demain matin. Vu le temps qu'il fait, je suis certaine qu'ils vont rester à l'hôpital toute la nuit.

— Mais je dois les retrouver ! Tu ne comprends pas ! Il allait lui demander le divorce, et…

— Mais bien sûr ! Tout s'explique. Calme-toi, Lily. Tu n'es pas dans une foutue tragédie grecque, s'exclama-t-elle en me tapotant l'épaule. Elle est entre de bonnes mains. Il ne la laissera pas se faire de mal. N'oublie pas qu'il y a le bébé.

— Ce n'est pas l'enfant de Nick.

— Oh, dit-elle en sursautant. Eh bien, qui est le père ? Cette canaille de Pendleton, j'imagine ?

— Ce n'est pas vrai ! Alors, tout le monde le savait, sauf moi ?

— Ça n'a pas d'importance. Nick est un type bien, un homme entre mille, je dirais. Il contrôlait parfaitement la situation, très calmement. Il prendra bien soin d'elle.

Je me laissai glisser contre la porte d'entrée. Je sentais le vent buter contre la porte, la pluie s'abattait contre le bois derrière moi.

— Bien sûr qu'il le fera, chuchotai-je. C'est ce qu'il fait tout le temps.

Il y eut soudain un craquement, un murmure dans l'air, puis toutes les lumières s'éteignirent.

— Il n'y a plus de courant, dit tante Julie. Bon, très bien. Allons chercher Kiki chez les Hubert, puis nous rentrerons ici et attendrons la fin de la tempête. Je ne sais pas ce que fabrique ta mère. Elle doit être en train de se trancher les veines. (Tante Julie me prit la main et ouvrit la porte, luttant contre le vent.) Mon Dieu, heureusement que tu as l'auto de Peter.

***

Nous courûmes jusqu'à la voiture et descendîmes l'allée de Seaview au pas, jusqu'à la maison des Hubert, où tous les zinnias avaient été rentrés et Kiki était assise à la table de la cuisine avec Mme Hubert, buvant du chocolat chaud à la lumière d'une lampe-tempête. En me voyant, elle se précipita vers moi et se jeta dans mes bras en criant mon nom. Je scrutai son visage, ses yeux bleu-vert. Ils avaient exactement la même forme que ceux de Nick et, lorsqu'ils souriaient, ils se plissaient de la même manière.

Pas étonnant, pensai-je, émerveillée. Elle est la sœur de Nick.

Je revoyais Nick asseoir Kiki à la barre de son voilier, couvrir sa petite main de la sienne, énorme en comparaison, pour lui montrer comment le diriger. Mon cœur se serra dans ma poitrine.

Kiki est sa sœur, pensai-je. Et il le sait.

— Kiki, chérie, nous devons partir sans tarder et rentrer à la maison avant que la tempête n'empire.

J'observai Mme Hubert, debout à côté de la table de la cuisine.

— Merci beaucoup de vous être occupée de Kiki. Avez-vous besoin de quelque chose ?

— Je n'ai besoin de rien. Jeune fille, je voudrais seulement te parler un moment. En privé.

Elle planta ses mains sur ses hanches. Elle portait un tablier incongru à rayures rose bonbon dont les cordons étaient enroulés deux fois autour de sa taille de guêpe.

— Est-ce que ça ne pourrait pas attendre que la tempête soit passée ? Nous devons rentrer tout de suite. Il n'y a déjà plus de courant, et je suis sûre que les lignes téléphoniques ont sauté, elles aussi.

— Cela ne prendra pas longtemps, répondit-elle sur un ton péremptoire.

Je tournai la tête vers tante Julie, qui haussa les épaules.

— D'accord. Mais juste une minute. Emmène Kiki dans le salon, s'il te plaît, tante Julie.

Ma tante fit ce que je lui demandais et je me tournai vers Mme Hubert.

— Alors ?

— Ne me parle pas sur ce ton, jeune fille. Que diable s'est-il passé chez les Greenwald ce matin ? Et ne me dis pas que tu n'en sais rien.

— Je sais parfaitement ce qui s'est passé. Mais cela ne vous regarde pas, madame Hubert.

— Oh que si ! Je te rappelle que Seaview est une association agréée, et que notre règlement intérieur comprend des règles très strictes sur les troubles domestiques.

— Baissez d'un ton, madame Hubert.

Elle me lança un regard noir et s'assit sur une chaise en croisant ses jambes maigres.

— Je me suis montrée plus que tolérante envers Budgie et ses petites manigances tout l'été, mais elle a dépassé les limites. Elle avait une serviette enroulée autour du poignet, Lily. Je ne suis pas bête, je sais bien ce que cela veut dire.

La colère embrasa ma peau.

— Vous n'avez pas été tolérante du tout, madame Hubert. Vous avez passé l'été à les snober et à les ignorer, et tout ça parce que Budgie a eu l'audace d'épouser quelqu'un dont le père était juif...

Mme Hubert lança ses bras en l'air.

— Oh, pour l'amour du ciel, Lily ! Comment peux-tu être aussi idiote ? Ce n'est pas parce qu'il est juif que nous l'avons ignoré. Juif ! J'imagine que cela dérange peut-être certains, mais personne ne me l'a jamais dit en face.

— Pourquoi, alors ?

— Pour toi ! Mon Dieu, Lily ! Il t'a séduite, puis il t'a abandonnée avec un bébé ! Et ensuite Budgie, cette ivrogne, cette vulgaire croqueuse de diamants, cette petite traînée sans morale, non seulement elle l'a épousé, mais elle l'a amené ici pour remuer le couteau dans la plaie. Je ne sais pas comment tu as fait pour supporter ça. Tu es soit une sainte, soit une idiote.

Je m'agrippai au rebord du vaisselier si fort que les assiettes s'entrechoquèrent.

— Vous pensez que Nick m'a abandonnée ?

Le visage de Mme Hubert s'adoucit. Elle baissa la tête et regarda ses mains, posées sur ses genoux, ses doigts écartés, ses paumes ridées pâles dans la lumière dorée vacillante de la lampe-tempête.

— Chérie, tout le monde t'aime ici. Nous te connaissons depuis que tu étais bébé, tu étais une petite fille adorable. Tout le monde se fiche de comment Kiki est arrivée. Nous avons accepté la situation de ta famille.

— Oh, madame Hubert, soupirai-je. Vous ne comprenez pas. Nick ne m'a pas abandonnée, pas vraiment. C'est moi qui l'ai quitté. Et Kiki… n'est pas sa fille. Elle n'est pas ma fille non plus.

— Lily, je ne suis pas née de la dernière pluie. Regarde-la.

Je secouai la tête.

— Kiki n'est pas sa fille. C'est sa sœur, répondis-je en levant les yeux pour croiser son regard. Elle est notre sœur.

Mme Hubert m'observa et, à mesure que la vérité prenait forme dans son esprit, ses yeux s'écarquillaient et sa bouche s'ouvrait.

— Tu ne veux pas dire... Mon Dieu !... Ta mère ?

Je hochai la tête.

— Avec le père de Greenwald ? Cette vieille rumeur ?

Je hochai la tête.

Elle se laissa tomber sur la chaise, dans un état de choc. La porte s'ouvrit soudain à la volée et M. Hubert apparut, un marteau dans une main et une vieille lampe à huile dans l'autre.

— Les fenêtres de l'étage sont condamnées. Je... Que se passe-t-il ?

Mme Hubert se redressa.

— Rien, Asa. Rien du tout. Lily, est-ce que tu es sûre que vous ne feriez pas mieux, toutes les trois, de rester ici en attendant que la tempête se calme ? Les fondations de la maison sont en pierre.

— Les murs sont épais, ajouta M. Hubert.

Je me levai maladroitement et allai voir à la fenêtre. On n'y voyait rien ; la pluie tombait si fort qu'elle couvrait tout de lignes horizontales au milieu desquelles volaient des débris.

— Vous croyez vraiment que la tempête est aussi violente que ça ?

— Le ciel était rouge trois matins de suite, dit M. Hubert.

— Je ne peux pas rester, répondis-je. Ma mère est seule à la maison, sans lumière ni téléphone. Nous devons y aller tout de suite.

— Elle peut y rester, en ce qui me concerne, marmonna Mme Hubert.

Je me précipitai à la porte du salon, où Kiki avait le visage appuyé contre la fenêtre, poussant de petits cris de joie et de surprise.

— Lily, regarde les vagues ! Je n'en ai jamais vu d'aussi hautes !

Derrière Kiki, je vis une vague immense se briser sur la plage et recouvrir la moitié de la route.

— Mon Dieu ! Nous devons partir ! Tout de suite !

Nous courûmes sous les trombes d'eau jusqu'à la voiture et je tentai de démarrer le moteur. Il toussota une fois et mourut.

— Inondé, dit tante Julie. Nous allons devoir marcher.

— Nous allons être trempées ! s'exclama Kiki gaiement.

— Il n'y a pas d'autre moyen, dis-je. Dépêchons-nous !

Le vent nous frappa comme un mur et faillit me faire tomber à la renverse quand je quittai le refuge de la voiture. Mon chapeau s'envola et disparut. J'attrapai la main de Kiki.

— Reste près de moi ! criai-je à son oreille, mais je n'entendais pas ma propre voix.

L'air vibrait de bruit, comme des explosions et des murmures. Tante Julie attrapa l'autre main de Kiki et nous avançâmes tant bien que mal dans l'eau qui nous arrivait jusqu'aux genoux. Je dus m'abriter le visage pour reprendre mon souffle. Les pieds de Kiki s'envolèrent soudain, et je saisis son bras à deux mains. Pas à pas, nous avançâmes, pliées en deux, la pluie ruisselant le long de notre dos et nos cheveux, dans nos oreilles et notre nez, une pluie infinie.

« Nous n'y arriverons pas », pensai-je.

Une forme sombre apparut à côté de moi : une automobile, de la taille d'une camionnette. Une silhouette s'élança, contourna l'auto et me prit par les épaules. Je levai les yeux et croisai le regard choqué de Nick.

— Lily ! cria-t-il. Venez dans la voiture !

— Nick ! m'exclamai-je, soulagée.

Il ouvrit la portière arrière de l'Oldsmobile et nous poussa toutes les trois à l'intérieur. Nick se précipita à l'avant et claqua la portière.

— Je ne vais pas te demander ce que tu fais là, cria-t-il pour couvrir le bruit de la pluie.

La voiture avançait lentement, sans aucune visibilité malgré les essuie-glaces qui allaient et venaient furieusement. Je serrai Kiki contre moi. Elle était trempée jusqu'aux os, tremblait de la tête aux pieds et ne riait plus. Je mis près d'une minute avant de me souvenir.

— Budgie ! Où est-elle ?

— Ici, ma belle, répondit une petite voix provenant de la banquette avant.

Je regardai par-dessus la banquette et la vis enroulée dans un manteau, ses pieds nus pressés contre la jambe de Nick, ses boucles brunes tout en désordre couvrant son visage. Un gros bandage blanc enveloppait son avant-bras gauche.

— Elle est sous sédatif, dit Nick.

La voiture glissa le long de l'allée. Je remarquai à peine quand la voiture s'immobilisa ; la pluie battante formait un rideau par les fenêtres.

— Vous allez devoir venir à l'intérieur avec nous, cria Nick. Je ne peux pas la laisser seule à la maison.

— D'accord ! répondis-je.

Nick sauta de voiture. Un instant plus tard, il avait ouvert la portière de Budgie, l'en extirpait et disparut avec elle dans ses bras sur le chemin qui menait à l'entrée de leur maison.

— Sortons de ton côté, dis-je à tante Julie.

Elle poussa la portière de toutes ses forces et elle s'ouvrit d'un coup, happée par le vent. Nous sortîmes de voiture, serrées l'une contre l'autre pour protéger Kiki, et courûmes jusqu'en haut du porche. Nick ouvrit la porte et nous tira à l'intérieur.

— Pourquoi êtes-vous rentrés ? demandai-je. Vous auriez dû rester à l'hôpital !

— Elle a insisté, répondit-il sèchement. Aide-moi à trouver des serviettes. Je ne sais pas où est la bonne.

— Où est Budgie ?

— Je l'ai mise au lit.

Je courus à l'étage, trouvai l'armoire à linge et en sortis toutes les serviettes. Nick monta au grenier ; tante Julie et Kiki descendirent au rez-de-chaussée allumer les lampes-tempête. Je passai d'une chambre à l'autre, calfeutrant les rebords de fenêtre avec des serviettes. La pluie avait déjà commencé à couler à l'intérieur. De la fenêtre de la chambre de Budgie, je voyais les immenses vagues se briser sur la plage, l'une après l'autre, les rouleaux transformés en murs d'écume blanche.

— Sacrée tempête, marmonna Budgie.

Je me retournai. Elle était allongée sur le lit, le regard vide.

— Comment te sens-tu, Budgie ? demandai-je en fourrant sous mon bras les serviettes restantes.

— Très mal. J'ai perdu le bébé juste après ton départ et maintenant tu veux me voler mon mari.

Je fis un pas vers elle, hésitante.

— Je n'ai jamais réussi à garder un bébé, dit Budgie. Je crois qu'ils ne m'aiment pas.

— Lily ! appela Nick. Est-ce qu'il reste des serviettes ?

— Vas-y, dit Budgie.

Je courus au rez-de-chaussée et tendis les serviettes à Nick.

— Cela ne va pas suffire, dit-il. Il est trop tard pour condamner les fenêtres. Nous devrons probablement remplacer tous les tapis. Heureusement, nous sommes au-dessus du niveau de la mer.

Il se tourna vers moi. Une lampe à huile était allumée sur la table. Tante Julie et Kiki étaient dans la cuisine.

— Lily, que fais-tu ici ? ajouta-t-il à voix basse.

— Il fallait que je vienne. Je suis allée voir oncle Peter ce matin, répondis-je en posant la main sur son bras. Nick, je sais tout. Je sais pour ma mère et ton père. Pour Kiki. Pourquoi ne m'as-tu rien dit ?

Il secoua la tête. Il était trempé, sa chemise était collée à son torse et ses bras, dégoulinants d'eau.

— Je ne pouvais pas, Lily. C'est ta mère.

— Elle a parlé d'une lettre. Quelle lettre, Nick ?

— Oh, cette fichue lettre ! s'exclama-t-il en passant la main dans ses cheveux mouillés. Je t'en parlerai plus tard, Lily. Après la tempête, quand nous serons seuls. Cela n'a pas d'importance pour le moment.

— Mais si, c'est important ! Tout le monde m'a toujours tout caché depuis le début, comme si j'étais une enfant, comme si j'étais trop fragile pour affronter la vérité ! Moi ! Alors que j'ai porté tout le monde à bout de bras pendant tout ce temps !

Je haletais, les poings serrés. Des gouttes d'eau coulaient de mes vêtements sur le tapis blanc de Budgie ; mes cheveux étaient plaqués contre ma tête. Je savais que j'avais l'air d'une folle, et je m'en fichais bien.

— Oui, je sais, répondit Nick. Bon sang. Ta mère. Tu ne t'imagines pas combien de fois cet été j'ai voulu… (Il se retourna et donna un coup de poing dans le mur derrière lui. Sa voix, néanmoins, resta parfaitement calme.) Cette lettre ! Cette satanée lettre ! J'étais à Paris en train d'essayer de sauver la boîte, de faire rentrer autant de capital que je le pouvais. Je t'écrivais toutes les semaines, sans jamais recevoir de réponse…

— Je n'ai jamais rien reçu !

— Je le sais maintenant. Je me doutais, bien sûr, que tu ne les aurais pas ; c'était pour cela que je continuais de t'écrire, dans l'espoir qu'une lettre échapperait à la vigilance de ta mère. J'ai même essayé de te contacter par Budgie, mais elle n'a jamais répondu. Puis, juste avant Noël, j'ai appris que tu avais eu un bébé à la fin de l'été et que ta famille essayait de faire croire à tout le monde qu'il était de ta mère. Le scandale de l'année, apparemment. Celui qui me l'a dit était sûr et certain de ses informations. J'ai perdu la tête. Je ne t'avais pas vu ni parlé depuis, cela faisait à peu près neuf mois, et je savais qu'il était impossible que ton père et ta mère aient conçu un enfant ensemble. Alors, je me suis dit qu'un miracle avait dû se produire, une chance sur mille, que la capote s'était déchirée ou je ne sais quoi. J'ai envoyé un télégramme désespéré, qui t'était adressé à toi, personnellement. Je crois que je n'ai pas dormi après ça.

Ses mots étaient presque noyés par le martèlement incessant de la pluie et le sifflement aigu de la tempête dehors. Je m'approchai pour mieux l'entendre.

— Je n'ai jamais reçu le télégramme, Nick. Je te le jure.

— Je sais. Deux semaines plus tard, j'ai reçu un paquet à mon appartement. Il contenait toutes mes lettres, qui n'avaient pas été décachetées. Il y avait aussi un mot, très simple, dit-il d'un air triste. *L'enfant n'est pas de toi.* Et tes initiales.

— Quoi ? Qui l'a envoyé ?

Nick se retourna et croisa les bras.

— Ta mère, sans doute. Évidemment, je l'ignorais à ce moment-là. Jusque-là, je t'avais été fidèle. Fidèle ! Je n'avais fait que penser à toi, chaque fois j'espérais recevoir une lettre de toi. Un mot et j'aurais pris le premier bateau, j'aurais traversé l'océan à la nage et dis à mon père qu'il n'avait qu'à faire sans moi.

— Nick, je ne savais pas ! Tu étais parti pour Paris, je n'avais reçu aucune lettre, je croyais que tu m'avais oubliée. J'étais malheureuse, et je le méritais. Je t'avais dit que c'était terminé, je t'avais renvoyé ta bague.

Il regardait par la fenêtre la pluie tomber.

— *L'enfant n'est pas de toi*, répéta-t-il en secouant la tête. J'ai failli en mourir.

— Tu ne croyais pas que j'aurais... Oh, Nick ! Comment as-tu pu penser cela, me connaissant ? Tu connaissais pourtant mon écriture, tu devais bien savoir que je n'avais pas pu écrire ce mot.

— Tout d'un coup, tout s'expliquait : ton silence, le fait que tu m'aies rendu la bague. J'avais fait très attention ce soir-là, pour ne pas t'attirer d'ennuis, et je tenais ce bout de papier à la main, les mots écrits noir sur blanc sous mes yeux, affirmant que le bébé n'était pas de moi, ou du moins que tu ne me laisserais pas le reconnaître. Je ne me suis même pas demandé si c'était ton écriture ou s'il y avait une explication logique. J'avais perdu la tête. Je suis sorti me saouler pour oublier. Lorsque j'ai repris conscience le lendemain, je suis allé rendre visite à cette vieille amie de ma mère, celle de l'été avant notre rencontre. Il devait être onze heures du matin. Elle m'a laissé entrer. Elle était encore en robe de chambre. Ça n'a pas pris longtemps.

— Oh non, Nick...

Je ne ressentais pas de la jalousie, mais de la compassion.

— J'ai été malade après, j'ai vomi aux toilettes. Je me suis rhabillé et je suis parti sans lui dire au revoir, sans même lui jeter le moindre regard. Je suis rentré chez moi et je me suis frotté sous la douche pendant une heure, et ensuite j'ai dû fumer deux ou trois paquets de cigarettes d'affilée.

Je me laissai tomber sur une chaise et me pris la tête dans les mains.

— Ne me dis pas ça. Je ne peux pas en entendre plus.

— Quoi ? Toi, Lily ? Je croyais que tu voulais savoir toutes ces choses. Chaque petit détail, parce que c'était pire de ne pas avoir de réponses à tes questions ? Alors voilà, je te dis tout. Où en étais-je ? Ah oui, la première fois que je t'ai trompée. La première fois, comme je te l'ai dit, c'était horrible. C'était le comble du sordide. Je n'arrivais pas à croire à ce que j'avais fait, je me méprisais. Mais tu sais ce qu'on dit : la première fois est toujours la plus difficile.

Il frappa du poing la cheminée, faisant s'entrechoquer la collection de faïence de Delft de Budgie.

— La deuxième fois, en revanche... C'était à peu près une semaine plus tard. J'avais tout prévu, rempli mes poches de préservatifs et de cigarettes et m'étais mis sur mon trente et un. C'était entièrement prémédité. Il y avait une femme que je me souvenais avoir déjà vue à une fête, une femme qui flirtait plus que les autres, une petite brune qui était la maîtresse de je ne sais plus qui. Je l'ai cherchée, je lui ai payé des verres et suis rentré avec elle dans son petit appartement dans un quartier en vogue du seizième arrondissement. Nous n'avons pas fait long feu. J'ai découvert que c'était moins douloureux si j'avais bu quelques verres avant, si je ne regardais pas son visage. Si j'avais toujours une cigarette à la main et si je parlais français. J'ai pu la prendre deux fois de suite. D'abord dans le couloir, puis dans la chambre. J'étais rhabillé et rentré pour une heure du matin. Une nette amélioration. La troisième fois...

— Arrête, Nick.

— La troisième fois... j'ai peur de ne pas trop m'en souvenir... la troisième fois...

Je levai la tête au moment même où Nick prenait un vase posé sur la cheminée et le lançait de toutes ses forces contre le mur en face. Il explosa en mille morceaux.

— La troisième fois, dit-il, j'aurais pu baiser toute la nuit s'il avait fallu.

— Nick ! criai-je, au comble du désespoir.

La porte de la cuisine s'ouvrit à la volée. Tante Julie et Kiki nous regardaient, choquées par le fracas du vase brisé et la vision de Nick haletant devant la cheminée.

— Tante Julie, murmurai-je. (Mais je sus immédiatement que ma voix était inaudible à cause de la tempête. J'allai vers elles et murmurai à l'oreille de ma tante.) Tante Julie, ramène Kiki dans la cuisine. Nick a eu une journée difficile. Nous allons bientôt rentrer à la maison, mais il faut que je lui parle.

— Non, je reste, répondit-elle en regardant Nick d'un air effrayé.

— Laisse-moi seule avec lui, dis-je en prenant Kiki par le bras. Tout va bien. Ramène Kiki dans la cuisine, donne-lui un biscuit.

Kiki tenta de se glisser sous mon bras pour courir vers Nick.

— Arrête, chérie. Il a besoin d'être seul. Laisse-lui un moment.

— Lily, regarde-le !

— Je sais. J'arrive, ma puce, dis-je en la poussant dans la cuisine, dans les bras de Julie.

La porte se referma derrière elles.

Nick se tenait les mains appuyées contre la cheminée, la tête baissée. J'allai à lui, passai mes bras autour de sa taille et appuyai la tête contre son dos trempé.

— Je te pardonne. Tout est oublié. Tu ne savais pas ce qui s'était passé. Tu jouais un rôle, tu étais quelqu'un d'autre. Tu n'étais pas mon Nick.

Une autre bourrasque de vent frappa la façade de la maison, tous les vases tremblèrent et l'horloge posée sur la cheminée à côté de sa tête tomba. Il ne sursauta même pas.

— Je les ai laissées me manipuler, dis-je. J'aurais dû le savoir, j'aurais dû me battre pour te garder. J'aurais dû savoir combien tu souffrais. Tu as si bon cœur, nous t'avons tant fait souffrir. Comment pourrais-je t'en vouloir ?

Il ne dit rien. Son corps tremblait contre le mien, son souffle était court. Je sentais son cœur frapper contre ses côtes.

— Je t'en supplie, arrête de te torturer, dis-je. Nous n'en reparlerons plus jamais. Nous repartirons de zéro, comme si nous étions le 2 janvier 1932.

— Lily, tu sais que c'est impossible. Comment pourrai-je te faire l'amour, comment pourrai-je te toucher, avec ces mains ? Ce sera toujours un obstacle entre nous. Ce que j'ai fait.

— Seulement si nous laissons tout ça se mettre entre nous. Si je le laisse…

Il resta silencieux.

— Et puis, ajoutai-je, il y a eu Graham.

Nick laissa échapper un petit éclat de rire.

— Oui, c'est vrai. Sacré Pendleton.

— C'était court et loin d'être satisfaisant.

— Lily, contrairement à toi, je ne ressens pas le besoin de tout savoir de tes conquêtes, et surtout pas leurs détails. (Il se tourna vers moi et me caressa les cheveux.) Vous allez rester ici ce soir. Vous repartirez quand la tempête sera finie.

— Non, ma mère est seule à la maison. Nous devons y retourner.

— Certainement pas. Ta mère peut rester là-bas seule et écouter le vent siffler.

La porte de la cuisine s'ouvrit de nouveau et Kiki en sortit en courant. Elle s'arrêta au milieu du tapis et couvrit sa bouche de ses mains.

Je lâchai Nick et m'écartai de lui. Nick s'appuya contre la cheminée.

— Kiki, chérie, il est l'heure de rentrer. Mère nous attend.

— Vous ne partez pas, dit Nick. C'est bien trop dangereux pour toi, sans parler de Kiki.

— Je ne peux pas la laisser ici, Nick !

— Alors j'y vais, répondit-il en se redressant. J'ai mon ciré. Je reviens dans quelques minutes. Je la ramènerai avec moi, je la porterai s'il le faut.

— Nick, non !

— Pourquoi pas ? Ce sera plus sûr pour tout le monde si nous restons tous ensemble. C'est à moi d'y aller. J'arriverai bien mieux à braver la tempête qu'aucune d'entre vous.

— Non, Nick ! s'écria Kiki en se jetant dans ses bras. N'y va pas !

— Ne t'en fais pas pour moi, ma puce. Tout ira bien.

— Tu ne peux pas y aller, dit Kiki. Tu dois rester ici et épouser ma sœur. Tu la tenais dans tes bras. Ça veut dire que tu l'aimes.

Nick me lança un regard coupable.

— De la bouche des enfants, dit tante Julie, les bras croisés.

Nick tapota la tête de Kiki pour l'apaiser et la repoussa gentiment.

— Bon, si je dois y aller, je ferais mieux de partir tout de suite. Mes vêtements de pluie sont à l'arrière de la maison.

Je le suivis jusqu'au débarras.

— Tu n'es pas obligé. Reste, s'il te plaît. Ou laisse-moi t'accompagner.

— Quelqu'un doit veiller sur Budgie, dit-il en enfilant son manteau et ses bottes. Tout ira bien. C'est juste un coup de vent de septembre. J'ai vu pire.

— Et tout ça pour ma mère.

— Je l'étranglerai ensuite.

— Je t'aiderai.

Il enfila la seconde botte et je lui tendis son chapeau.

— Fais attention à toi, dis-je.

Nick avait l'air encore plus grand que d'habitude dans son ciré et ses bottes de pluie qui lui ajoutaient quelques centimètres superflus. Il baissa la tête vers moi et ses yeux noisette s'emplirent de larmes.

— Oh mon Dieu, Lily, dit-il soudain. Je t'aime tant. (Ses mains enveloppèrent mon visage tendrement. Il m'embrassa, passionnément, sur la bouche.) Nous allons tout arranger. Je ne sais pas comment mais je trouverai le moyen de me faire pardonner, je te le jure. Je ne laisserai plus jamais personne nous prendre en otages. Nous avons déjà perdu sept ans. Pense à tout ce que nous aurions pu faire.

— Va chercher ma mère, dis-je d'une voix rauque. Je vais voir si j'arrive à parler à Budgie.

Il m'embrassa encore une fois et sortit par la porte de la cuisine, disparaissant immédiatement dans un claquement de porte et le sifflement du vent. Je courus dans le salon pour regarder par la fenêtre. Il me sembla apercevoir une ombre orange sous la pluie, mais elle disparut aussitôt.

Je jetai un regard à l'horloge égrenant les minutes sur la cheminée.

Il était trois heures vingt-deux de l'après-midi.

***

Budgie était réveillée lorsque je montai à l'étage, juste après le départ de Nick.

— Ça alors, dit-elle d'un air absent. Était-ce une querelle d'amoureux que j'ai entendue il y a un instant ? J'espère que tu ne t'es pas amusée à casser la faïence de Delft de ma mère. Elle l'a rapportée de sa lune de miel, tu sais.

— N'essaie pas de me rendre responsable de la situation, Budgie Byrne.

Je posai la lampe-tempête et regardai par la fenêtre les immenses vagues se briser.

— Greenwald, rectifia-t-elle.

— Plus pour longtemps.

Je me tournai vers elle. Elle était très pâle, presque aussi blanche que les oreillers, elle n'avait plus de rouge à lèvres et ses cheveux étaient plats. Ses yeux avaient l'air encore plus grands que d'habitude, cernés de noir, leur couleur bleue perdue dans la pénombre.

— Je ne te laisserai pas le récupérer si facilement, chérie, dit-elle. Prépare-toi au combat de ta vie.

— Il n'a jamais été à toi.

Elle m'observa en clignant des yeux et détourna le visage.

— Je dirai à tout le monde ce qui s'est passé. Je ruinerai la réputation de ta mère. Et celle de Kiki. Tu ne seras plus acceptée nulle part, tu verras ce que ça fait.

— Je m'en fiche. Nick s'en fiche. Ma mère peut aller au diable.

— C'est ce que tu dis, mais ton âme charitable te fera changer d'avis. Tu n'es pas assez forte pour te mesurer à moi, Lily. Tu ne l'as jamais été.

— Et toi, tu l'es ? répondis-je en montrant son bras du doigt. Te trancher les veines ? C'est très courageux de ta part, Budgie.

— Il m'a prise par surprise. Mais j'ai eu le temps de réfléchir depuis.

Je m'assis au bout du lit et me penchai vers elle.

— Parfait. Encore des manigances de ton esprit diabolique, dis-je d'un ton sarcastique. Alors, qu'envisages-tu de faire maintenant ? Comment comptes-tu rendre les gens autour de toi encore plus malheureux ?

Elle leva son bras gauche sur l'oreiller, et son bandage frôla sa joue.

— Je voulais seulement que tu sois heureuse. J'ai fait venir Nick pour qu'il rencontre sa sœur. J'ai fait venir Graham pour t'offrir un mari. J'ai fait tout ça pour toi, mais ce n'était pas assez. Tu as toujours été jalouse de ma beauté, du désir que les hommes ressentent pour moi.

Elle avait parlé avec une telle tristesse, ses yeux remplis de larmes, que je sentis la brûlure de la vérité, de ce minuscule fragment de vérité dont Budgie s'était toujours servie avec une efficacité et une intelligence redoutables, même quand elle était droguée de médicaments et au comble du désespoir.

— Tu as tort, dis-je.

— Tu sais que c'est vrai. Tu voulais ma vie, tu voulais mon mari, murmura Budgie dans le hurlement de la tempête.

Elle avait toujours la tête tournée, et mes yeux, je ne sais pourquoi, se fixèrent sur le pouls qui battait à la base de sa gorge avec la rapidité d'un lapin effrayé.

Mon Dieu, pensai-je. Elle a peur de moi.

J'enveloppai ses pieds de mes mains pour nous ancrer ensemble sur le lit étroit.

— Non, Budgie. C'était toi qui voulais ce que j'avais. Tu voulais ma vie, et mon Nick. Ils n'étaient pas à toi, mais tu les as pris. Tu aurais pu intervenir cet hiver-là, tu aurais pu faire quelque chose à n'importe quel moment au cours des six ans qui se sont écoulés depuis et me dire la vérité, mais tu ne l'as pas fait. Tu as vu que je souffrais, tu as vu que Nick souffrait. Puis, quand tu n'as plus eu d'argent, tu t'es servie de tes sales petits secrets pour piéger Nick.

Elle tourna enfin la tête pour me regarder dans les yeux.

— Tu devrais me remercier. J'aurais pu te dire ce que j'avais vu cette nuit-là. Je les ai suivis après la fête, ta mère et le père de Nick, tu le savais ? J'ai tout vu. Tu devrais m'être reconnaissante de n'avoir rien dit.

— Eh bien, tu aurais mieux fait de parler, bon sang ! J'étais à l'agonie. Je croyais que j'avais presque tué mon père. C'est pour cette raison que j'ai quitté Nick. Tu aurais dû me le dire ! C'est ce que font les amis.

Budgie se redressa maladroitement, les yeux brillants de colère. Elle parlait avec difficulté, ses mots étaient indistincts, elle bafouillait, sa colère l'obligeait à s'exprimer par à-coups à travers le brouillard de son esprit altéré par les sédatifs.

— Et pourquoi est-ce toi qui aurais tout, Lily ? Tout le monde t'a toujours aimée. Même Graham est tombé amoureux de toi, et il n'a jamais aimé personne. Toi et ta parfaite petite famille, ton gentil eunuque de père. Je parie que ton cher petit papa ne s'est jamais introduit dans ta chambre au milieu de la nuit en te disant quelle jolie petite fille tu étais, et de ne rien dire à maman si tu ne voulais pas qu'elle te batte. Pas vrai ?

Le monde sembla s'épaissir et s'arrêter autour de moi. Même la tempête s'arrêta un instant, retenant sa prochaine bourrasque, sous le choc. Comme si elle était loin, très loin, j'entendis la voix sèche de tante Julie criant quelque chose à Kiki.

Elle m'a aussi dit d'autres choses que je préfère ne pas te dire et que j'emporterai avec moi dans ma tombe.

— Non, dis-je. Il n'a pas fait ça.

— Alors, tu vois, ma vie était régie par d'autres règles que la tienne. J'ai pris mes deux cents dollars mensuels, merci beaucoup, plutôt que te dire la vérité. Et quand, aux Bermudes, Nick m'a dit qu'il voulait demander le divorce, je lui ai dit qu'il avait une sœur, et que s'il voulait la connaître un jour, s'il voulait revoir sa petite Lily adorée, il ferait mieux de rester avec moi, jouer les maris aimants et la fermer.

— Budgie...

— Oh, regarde-toi. Regarde tes beaux yeux bleus, pleins de compassion et de pitié pour Budgie. Sais-tu combien de fois tu m'as regardée ainsi ? Toi et Nick aussi. Ta pitié, je la désirais et je la haïssais en même temps.

Elle se laissa retomber sur les oreillers et ferma les yeux. Elle portait une chemise de nuit en soie couleur pêche avec de la dentelle ivoire, ainsi qu'une robe de chambre assortie. Malgré la pénombre, elle brillait joliment contre sa peau blanche. Elle devait être vêtue ainsi quand Nick était arrivé le matin même. Les courbes de sa poitrine se dessinaient sous son décolleté.

— Et maintenant j'ai perdu mon foutu bébé, et j'ai perdu mon foutu mari. Que suis-je censée faire, Lily, hein ? Toi qui sais toujours ce qu'il faut faire.

Tante Julie grimpait l'escalier. Ses pas lourds s'entendaient de plus en plus clairement en dépit des rugissements et sifflements du vent dehors et des grincements de la vieille maison.

— Budgie, tu sais ce qu'il faut que tu fasses, dis-je. Tu l'as toujours su. Ce n'est pas compliqué. C'est bien plus facile que de passer sa vie à se battre.

La porte de la chambre s'ouvrit soudain à la volée. Tante Julie se tenait sur le palier, une peur panique se lisait sur son visage.

— Kiki est-elle avec vous ? demanda-t-elle.

Je me levai d'un bond.

— Non ! Je croyais qu'elle était avec toi ! Pourquoi n'est-elle pas avec toi ?

— Oh, bon Dieu ! Elle est partie ! Je l'ai cherchée partout !

Je traversai la chambre au pas de course.

— Le grenier ! As-tu vérifié si elle était dans le grenier ?

— Pas encore !

J'allai au bas de l'escalier qui menait au grenier et l'appelai. Ma voix était hystérique, frénétique.

— Kiki ! Kiki ! Es-tu là-haut ?

Silence.

— Kiki, ne te cache pas ! Bon sang, ce n'est pas le moment de jouer ! S'il te plaît, chérie !

Mes cris résonnaient dans le silence.

Tante Julie poussa un petit cri qui ressemblait à un gémissement. Elle se tordait les mains.

— Elle n'est pas sortie quand même ? Elle n'aurait pas fait ça. Je n'ai pas entendu la porte.

— La cave ?

— J'y suis déjà allée !

Je me tournai vers elle et croisai son regard. Mon cœur tambourinait dans ma poitrine, faisant circuler la panique dans toutes les cellules de mon corps. *L'adrénaline.*

Où avait-elle bien pu aller ? *Réfléchis comme Kiki.* Pour quelle raison serait-elle sortie ? Qu'est-ce qui aurait pu attirer ma précieuse petite sœur dehors dans la fureur de la tempête ?

Quoi, en effet ?

Et soudain, le déclic. Comme la dernière pièce du puzzle trouvant enfin sa place, mon cerveau me transmit enfin la réponse redoutée.

— Nick, dis-je. Elle est partie avec Nick.

23

SEAVIEW, RHODE ISLAND

Mercredi 21 septembre 1938, après-midi

Nous nous précipitâmes au bas de l'escalier, tante Julie et moi, nos pas résonnant avec fracas sur les marches en bois. J'arrivai à la porte la première et l'ouvris pour découvrir un véritable mur de pluie et de vent, criant *Kiki ! Kiki !* mais les mots furent immédiatement avalés par la tempête.

— C'est inutile ! dit tante Julie.

Je retournai à la cuisine en courant, puis au débarras attenant. Un imperméable était suspendu au portemanteau, prêt à affronter les nombreux déluges de cette fin d'été particulièrement chaude et humide. Je l'enfilai. Les bottes de Budgie étaient trop petites pour moi, mais je fourrai néanmoins mes pieds à l'intérieur et remontai la capuche.

Je dus forcer la porte pour qu'elle s'ouvre, donner des coups d'épaule de toutes mes forces et la porte s'arracha de ses gonds. Le vent l'attrapa et l'entraîna dans les airs comme un cerf-volant.

Je sortis, trébuchant, pliée en deux, en criant le nom de Kiki. Je ne voyais rien. En dix minutes, le ciel était devenu noir, la pluie saturait l'air, si bien qu'on avait plus l'impression de boire que de respirer. Si j'ouvrais la bouche, j'étais persuadée que je me noierais. Je m'appuyai contre le mur de la maison, mais cela ne servit à rien. Je tombai au sol et avançai à quatre pattes, les mains, les genoux et les pieds dans l'eau pleine d'écume et d'algues arrachées à la mer, piquante de sable et de sel.

Pas à pas, mètre après mètre, je contournai la maison, passai devant les hortensias dont le vent avait emporté quasiment toutes les feuilles et les fleurs. Je progressais à quatre pattes dans l'eau dont le niveau montait à une vitesse alarmante. J'atteignis le bord du porche, attrapai un poteau et parvins à me mettre sur mes pieds.

— *Kiki !* criai-je.

La plage de Seaview s'étendait devant moi, mais la plage n'existait plus. Il n'y avait que de l'eau, déferlante et menaçante, gravissant sans cesse la petite montée vers la maison de Budgie. Je ne voyais que de l'eau ; il n'y avait plus de ciel, pas d'autres maisons, pas de voiture dans l'allée.

— *Nick ! Kiki !* criai-je. *Nick ! Nick !*

D'où venait-elle, toute cette mer ? Je n'avais jamais vu une tempête pareille. Je ne pouvais pas me tenir debout, je ne pouvais pas respirer.

Une main s'abattit soudain sur mon épaule.

— *Rentre !* cria tante Julie. *Viens à l'intérieur !*

— *Je ne peux pas !* répondis-je.

— *Rentre !*

Elle escalada la rambarde du porche et atterrit dans l'eau à côté de moi. Elle ne portait pas de vêtement de pluie. Elle m'attrapa par les jambes et me fit tomber.

— *Rentre ! Ne me laisse pas toute seule ! J'ai besoin de toi !*

Je sanglotai en hurlant le nom de Kiki et celui de Nick. Tante Julie me tira par le bras jusqu'au porche, me hissa en haut des marches avec le vent soufflant dans notre dos. Nous nous laissâmes tomber sur le porche au moment même où son toit était arraché et emporté par la tempête.

— *Ils sont partis !* cria tante Julie qui sanglotait, elle aussi. *Rentre à l'intérieur !*

Nous rampâmes jusqu'à la porte d'entrée et tentâmes de l'ouvrir, mais elle refusait de bouger.

Je tirai de toutes mes forces, je l'aurais même arrachée si je l'avais pu. Le hurlement de la tempête emplissait mes oreilles et mon cerveau, et chaque bourrasque résonnait jusque dans mes os. Les mains fines de tante Julie se refermèrent sur les miennes et tirèrent avec moi.

Dans le chaos, soudain, quelque chose changea. Quelque chose prit une profonde inspiration et se lança dans l'obscurité jaunâtre. Je le sentis dans mon dos. Je me retournai vers la plage.

Un mur sombre était en train de s'élever, haut comme une maison.

— *Rentre !* hurlai-je à tante Julie.

Nous tirâmes de toutes nos forces, parvînmes à introduire nos doigts dans le minuscule interstice entre la porte et la façade et à créer une ouverture de quelques centimètres. L'eau se déversa dans le hall d'entrée. Je me glissai à l'intérieur avec difficulté et tirai tante Julie derrière moi.

Je ne m'arrêtai pas. Je posai les pieds par terre et courus en haut de l'escalier.

— Budgie ! L'eau monte ! Vite ! Au grenier !

— N'exagère pas, répondit-elle en relevant la tête.

— Tout de suite, Budgie !

— Où est Nick ?

— Il est allé chercher ma mère. Il est en sécurité. Viens !

Je compris immédiatement qu'elle ne bougerait pas. J'allai jusqu'au lit, la soulevai dans mes bras et la fis basculer sur mon dos, avec la force surnaturelle causée par la panique. Elle hurla et me frappa le dos de ses poings.

L'adrénaline, encore elle.

L'adrénaline nous poussa toutes les deux en haut de l'escalier du grenier sombre, avec Budgie qui se tortillait dans tous les sens et tante Julie sur mes talons.

L'adrénaline laissa tomber Budgie dans un vieux fauteuil et me fit courir aux fenêtres pour les calfeutrer avec tout ce que je trouvais, je lançai de vieilles couvertures à tante Julie pour qu'elle ajoute ses efforts aux miens. Pendant ce temps, la pluie tombait avec fracas contre les vitres.

L'adrénaline tira les portes qui avaient été empilées sur le sol du grenier par les ouvriers, obéissant aux ordres de Budgie qui avait insisté pour tout changer, tout ouvrir, tout peindre en blanc. L'adrénaline les souleva et les plaça contre les fenêtres donnant sur la mer, si bien que la pièce fut plongée dans le noir.

Je sentis l'impact quelques secondes plus tard, quand le mur d'eau frappa la maison, l'enveloppa et la transforma en un îlot de bois flottant dans un océan immense et déchaîné. J'entendis l'océan fracasser toutes les fenêtres, portes et murs des autres étages, je l'entendis se déverser dans les pièces où nous nous tenions quelques instants auparavant, où Nick avait lancé un vase de faïence contre un mur dans son accès de rage, avait enfilé son imperméable et m'avait embrassée avant de me dire au revoir.

— Que se passe-t-il ? hurla Budgie.

Elle se laissa glisser au pied du fauteuil. J'allai à elle, la soulevai et la tins serrée contre moi.

— L'eau est en train de monter autour de la maison, Budgie. Ne t'inquiète pas, nous sommes assez haut. Elle n'arrivera pas jusqu'à nous.

Une autre vague déferla. Je sentis les fondations de la maison absorber l'impact et le choc se répercuter dans le plancher qui flancha sous nos pieds. Budgie poussa un cri de terreur et se blottit contre moi. Ses cheveux étaient secs et chauds contre ma robe trempée.

— Nick ? Où est Nick ? demanda-t-elle.

— Il va bien. Il est en sécurité. Chut.

Tout mon corps tremblait. Les larmes coulaient sur mon visage et dans ma bouche. J'agrippai Budgie de toutes mes forces. Tante Julie traversa la pièce à quatre pattes pour nous rejoindre.

Nous nous serrâmes les unes contre les autres. Une autre vague frappa la maison qui se mit à pencher.

— Oh, mon Dieu ! dit Budgie. Oh, mon Dieu ! Nous allons mourir.

Je pensai : « Peut-être que si je reste assise là, sans bouger, il n'arrivera rien. Peut-être que si je reste assise là, si je m'agrippe à Budgie et tante Julie, la maison ne sera pas emportée, peut-être qu'elle ne se désintégrera pas. L'eau ne montera pas jusqu'à nous, et Kiki reviendra, et Nick avec elle. »

L'eau se mit à couler à travers les couvertures et sous les portes posées contre les fenêtres.

— L'eau est montée jusqu'au grenier, dit tante Julie calmement, sur le ton du constat, presque émerveillée.

Les lattes du plancher éclatèrent. L'eau jaillit au travers, dans les interstices entre le plancher et les murs. Je me levai d'un bond.

— Prenez chacune une porte. Vite !

L'odeur de sel et de pluie emplit l'air. Budgie se mit sur ses pieds, chancelante. Je saisis une porte au sommet de la pile et tirai dessus.

— Les portes flottent, dis-je. Accroche-toi. Accroche-toi de toutes tes forces, Budgie.

— Je ne peux pas, dit-elle.

— Si, tu peux.

Tante Julie était déjà en train de tirer une porte pour elle. Je lui donnai un coup de main et en pris une pour moi, au moment même où l'eau se remit à monter, et toute la maison se souleva, trembla et se brisa.

Les fenêtres éclatèrent. L'eau déferla de tous côtés.

— Nous ne devons pas rester sous le toit ! criai-je. Il va s'effondrer sur nous !

Budgie se redressa et tenta de soulever sa planche de salut. J'abandonnai la mienne et allai la rejoindre. Je l'aidai à la tirer sur le plancher recouvert d'eau de mer. Les murs éclataient. Une immense fente s'était ouverte d'un côté, au travers de laquelle un déluge d'eau se déversait. Je poussai la porte et Budgie dans cette ouverture, poussai, et soudain, nous flottions, portées par un océan infini et enragé.

— Accroche-toi ! hurlai-je.

Nous étions allongées côte à côte sur notre porte. Je ne savais pas où nous étions, ni de quel côté se trouvait la terre ferme. Je ne savais pas si nous pourrions flotter longtemps ainsi et traverser la baie de Seaview. Je tentai de sentir la direction de l'eau et de battre des jambes dans la bonne direction, pour nous propulser vers la côte.

Quelque chose nous percuta : tante Julie, agrippée à sa porte.

— Bats des pieds ! criai-je. Dirige-toi vers la côte ! C'est le seul moyen de s'en sortir !

L'eau l'emporta au loin.

— Allez, Budgie ! Bats des pieds !

Elle tenta de s'exécuter, sans conviction, puis abandonna.

Je battis des pieds aussi fort que je pus, tandis que la pluie et le vent me fouettaient violemment le dos, mais bientôt je ne sentis plus la douleur. Si j'étais toujours vivante, Nick et Kiki l'étaient peut-être aussi. Je devais continuer. Je devais atteindre la côte.

Je me plaçai au-dessus de Budgie, recouvrant à moitié son corps du mien et agrippai plus fermement la porte, puis je recommençai à battre des pieds en un rythme régulier tandis que la mer nous portait. J'avais déjà nagé dans les vagues, je m'étais laissée flotter sur la surface de l'eau sur les crêtes et dans les creux. Je savais qu'il ne fallait pas lutter. C'était l'océan qui déciderait de l'issue heureuse des choses. On le chevauchait comme un cheval sauvage, il fallait s'accrocher et prier pour qu'il ne nous désarçonne pas.

Je maintenais le corps de Budgie sous le mien. Ses cheveux mouillés emplirent ma bouche. Ils avaient un goût de sang, acide et métallique. Je cessai de battre des jambes, excepté pour tourner nos dos à la tempête. Le vent et la pluie soufflaient face à nous et je fermai les yeux, ne les rouvrant que quelques secondes de temps en temps pour tenter de voir où nous allions. J'apercevais par moments tante Julie dans le flou gris, accrochée à sa porte, immobile. Elle devait être vivante, pensai-je, sinon elle serait tombée à la mer. Rien ne pouvait avoir raison de tante Julie. Même pas une tempête.

Comme l'Atlantique déchaîné me propulsait à travers la baie, et que l'eau m'inondait, et que les débris des cottages de Seaview percutaient mon radeau de fortune, je pensai : « Que diable vais-je faire si je survis ? »

***

Lorsque nous touchâmes la côte, la porte se retourna et nous renversa dans l'eau. Je pris Budgie par les épaules et la tirai, trébuchante, dans les vagues, nos pieds nus glissant sur les rochers, plus haut, toujours plus haut, à travers les arbres et les ronces de mûriers, jusqu'à être enfin sur la terre ferme, hors d'atteinte de l'océan. Je butai contre quelque chose, un tronc d'arbre rejeté par la mer, et, dans un dernier effort, nous hissai toutes les deux par-dessus. Nous tombâmes de l'autre côté, enfin à l'abri. Budgie gémit et se blottit contre moi. Je la pris dans mes bras, son visage tourné vers le sol, avec juste assez de place pour respirer.

Je ne sais pas combien de temps nous sommes restées ainsi. Je planais dans un état cauchemardesque entre l'inconscience et le demi-sommeil, agrippant une Budgie tremblante contre moi de mes mains lacérées et sanglantes, absorbant le vent et la pluie pour nous deux. Ses mains se refermèrent autour de mon bras. Sa peau était trempée et glaciale, ses membres pâles et fragiles. Seul son souffle léger était chaud dans le creux de mon cou.

À un moment, une branche d'arbre s'écrasa à côté de nous, ses brindilles m'écorchèrent les jambes et le dos, mais, après tous les bleus et les écorchures dont j'étais déjà couverte, je sentis à peine la douleur.

Au bout d'un certain temps, Budgie cessa de trembler. Je continuai de la serrer dans mes bras en me disant qu'elle s'était endormie et qu'elle se réveillerait une fois la tempête terminée. Je continuai de la serrer dans mes bras, parce que, si je la serrai bien fort contre moi, je pourrais lui transmettre toute ma force, et je pourrais lui redonner envie de se battre pour sa vie.

***

Aussi soudainement qu'elle était arrivée, la tempête disparut. Le sifflement dans l'air se fit moins aigu, moins assourdissant, et se tut. Une dernière averse s'abattit sur mes jambes et se transforma en crachin. Comme le volume sonore diminuait, j'entendis une voix provenant d'entre les arbres. Je me redressai et tendis l'oreille, en serrant toujours Budgie contre moi, et criai :

— Il y a quelqu'un ?

La voix appela, plus forte :

— Lily ?

— Tante Julie ?

— Je suis là ! C'est Lily !

Elle se fraya un chemin bruyamment dans les ronces, quelque part sur ma gauche. Je scrutai la pénombre.

— Oh, Dieu merci ! l'entendis-je dire. Tu étais là tout ce temps ? Je n'ai cessé de t'appeler ! Oh, chérie ! Où es-tu ?

— Ici ! criai-je. Budgie est avec moi !

Tante Julie apparut derrière un arbre, ses vêtements déchirés en lambeaux détrempés. J'étais agenouillée et tenais le corps immobile de Budgie. Tante Julie se laissa tomber à côté de nous et passa ses bras autour de nous.

— Oh, chérie. Tu es saine et sauve.

Elle nous serra contre elle, puis nous lâcha soudain.

— Lily… Budgie. Elle…

— Elle a perdu connaissance. Elle était trop fatiguée.

— Lily, elle est morte.

Je repoussai tante Julie de mon coude.

— Elle n'est pas morte ! Elle dort, elle était fatiguée. Elle dort.

— Chérie…

Tante Julie posa ses mains sur mes bras, mais je tenais toujours fermement Budgie contre moi. Elle força mes doigts, un à un, à lâcher prise. Elle étendit le corps de Budgie sur le sol à quelques mètres de moi. Sur la tempe, elle avait une coupure profonde et large qui remontait vers le sommet du crâne.

— La pauvre, murmura tante Julie.

— Elle n'est pas morte, elle n'est pas morte, répétai-je encore et encore, blottie contre la poitrine de tante Julie.

— La pauvre.

Elle caressait mon dos de ses longs doigts aux ongles cassés.

— La pauvre.

***

Nous passâmes la nuit dans l'abri d'une vieille grange en pierre, blotties l'une contre l'autre dans le froid, après avoir passé des heures à errer et à appeler Nick, Kiki et ma mère, en vain. Nous trouvâmes Mme Hubert, qui avait chevauché l'océan déchaîné sur une partie du toit de son grenier et avait traversé la baie de Seaview et échoué sur la côte au même endroit que nous. M. Hubert, avait-elle déclaré avec le stoïcisme typique de la Nouvelle-Angleterre, avait glissé du radeau à mi-chemin et disparu sous les vagues.

Nous avions étendu le corps de Budgie contre un mur. Il n'y avait rien pour la recouvrir. Elle était allongée là, dans sa chemise de nuit en soie pêche et sa robe de chambre assortie, avec des taches de sang sombres, et son bras gauche bandé replié sur sa poitrine. Elle aurait détesté être vue ainsi.

Au bout d'un moment, deux hommes arrivèrent, ils étaient en train de travailler dans le jardin des

Langley quand la tempête avait frappé. Ils avaient traversé la baie sur une portion de clôture de bois blanc. Ils n'avaient pas croisé un homme et une petite fille, ni sur la baie, ni sur la côte. Ils avaient prévu de marcher jusqu'à la ville, préviendraient les sauveteurs de notre présence et enverraient des gens chercher le corps de Budgie.

Le ciel se dégagea et les étoiles apparurent. Une lueur illumina l'horizon, aussi claire que l'aurore.

— Des incendies, dit Mme Hubert en hochant la tête d'un air grave.

Je tournai le regard vers Seaview de l'autre côté de la baie, mais des arbres s'élevaient devant moi, m'empêchant de voir quoi que ce soit. Dans mon esprit, je tentais de visualiser les yeux noisette de Nick en train de me sourire, son cœur battant à un rythme régulier sous ma main, les boucles brunes de Kiki et son corps bronzé. Mais je ne parvenais pas à empêcher ces images de s'effacer. Je ne me souvenais plus de leurs visages.

Je me tournai vers Budgie. Je tentai de démêler ses cheveux du mieux que je le pouvais et les arrangeai pour dissimuler la blessure sur sa tempe. Je m'allongeai à côté d'elle, parce qu'elle n'avait jamais supporté la solitude, et observai la façon dont la lueur vacillante des feux de New London dessinait des ombres sur son nez. Un nez droit, et fier, le fameux nez des Byrne.

Je ne sais pas pourquoi, mais je sentis que le poids qui exerçait sa pression sur mon cœur devenait un peu plus léger.

***

Lorsque nous nous réveillâmes à l'aube, grelottantes et humides, Mme Hubert se porta volontaire pour rester avec Budgie pendant que tante Julie et moi partirions chercher de l'aide.

— Il faut que je retrouve Nick et Kiki, dis-je. Ils doivent se faire un sang d'encre pour nous.

Tante Julie ne répondit pas.

Nous avions abordé de l'autre côté de la baie de Seaview, un petit peu à l'est. Nous traversâmes lentement les bois, nos pieds nus foulant des ronces et des cailloux. Tout était trempé et jonché de débris.

À chaque minute qui passait, la journée gagnait en beauté, calme et dégagée, les tendres rayons du soleil réchauffant peu à peu l'air. Je n'avais pas ma montre, mais je savais qu'il ne pouvait pas être plus tard que sept heures du matin. Nous gravîmes la pente de la colline surplombant Seaview. La route était quasiment invisible car entièrement recouverte d'arbres déracinés et de fils téléphoniques, de feuilles, de branches et de morceaux de toits. Çà et là, on voyait des voitures abandonnées, abîmées et ensevelies sous des branchages.

En approchant de Seaview, je me mis à courir. Tante Julie me força à m'arrêter.

— Nous devrions d'abord aller en ville, dit-elle. Ils auront des nouvelles à nous donner. Nous trouverons de la nourriture et quelqu'un pour nous aider à transporter Budgie. Je ne pense pas que Mme Hubert soit capable de traverser les bois seule.

Je refusai, j'avais la tête qui tournait, j'étais affamée, épuisée et malheureuse.

— Non, nous devons d'abord trouver Nick et Kiki. Ils sont peut-être blessés.

— Il faut que tu manges quelque chose avant.

— Je dois les retrouver.

Nous étions arrivées au virage de la route. Tante Julie me prit la main et la serra très fort. Un pas, puis un autre, et Seaview apparut devant moi, au pied de la colline.

Ou plutôt ce qui, dans un autre monde, avait un jour été Seaview.

La mer avait recouvert l'isthme à plusieurs endroits. Il y avait des débris partout : du bois, des meubles, des vêtements, l'auvent aux rayures vertes et blanches du club. L'océan était calme de chaque côté de l'allée de Seaview.

Plus une maison, plus un ponton, plus une clôture de jardin. Il n'y avait plus de club, plus de chapiteau dans le jardin des Greenwald où Budgie et Graham avaient copulé comme des animaux et probablement conçu un bébé.

Plus de maison des Palmer, plus de maison des Greenwald, plus de vieux cottage des Dane au bout de l'allée. Pas une des quarante-trois maisons de l'Association de Seaview n'avait échappé au désastre. Seules restaient les ruines des fondations de pierre de la maison des Hubert, exposées au soleil matinal, et remplies d'eau comme une piscine.

Le soleil, désormais haut dans le ciel, illuminait tout.

— Plus rien, murmurai-je.

— Chérie, mon Dieu. Je suis désolée. Oh, chérie, tenta de me consoler tante Julie.

Une légère brise faisait onduler mes cheveux. J'observai la mer aller et venir, aller et venir dans la crique où je me baignais nue tous les matins. Le soleil brillait en reflets obliques sur le côté de la vieille batterie de guerre. Sous son ombre, quelques mouettes pêchaient au milieu des rochers. J'inspirai un mélange de sel et de végétation, la fraîcheur nouvelle de l'air.

Tante Julie me tira par le bras.

— Allons-y, chérie. Allons en ville chercher à manger. Ils y seront peut-être. Ils s'en sont sûrement sortis.

— Non, tante Julie, ils n'ont pas survécu.

Elle resta immobile, silencieuse.

— Viens, Lily. Il le faut.

Une minute s'écoula. Puis une autre.

— Lily ?

— Attends, murmurai-je. Attends.

— Viens.

Je restai là dans l'herbe drue au sommet de la colline, ma main contre mon front, persuadée d'avoir aperçu quelque chose de jaune dans les débris de Seaview.

— Qu'y a-t-il ? demanda tante Julie.

Je ne bougeai pas, je ne cillai pas. J'avais l'impression de sentir chaque cheveu de ma tête se dresser.

Le jaune avait disparu.

Je plissai les yeux et attendis. Une mouette poussa un cri au-dessus de moi et plongea, plus bas, encore plus bas, jusqu'à la pointe de la plage où les oiseaux se regroupaient pour se disputer les créatures mortes échouées sur le sable.

Derrière les vestiges d'une cheminée, la tache jaune réapparut.

Je me mis à courir, descendis la longue pente, mes pieds nus et en sang frappant contre le sol et sautant par-dessus les débris.

L'adrénaline.

Je fis appel à toute l'énergie qu'il restait dans mes muscles, chaque inspiration d'oxygène dans mes poumons. Je courus pour ma vie.

L'océan avait envahi le bas de l'allée de Seaview. Je courus dans l'eau qui m'arrivait aux genoux, poussant des morceaux de meubles brisés, des caisses et même une commode, qui dérivaient devant moi.

J'atteignis du sable sec et accélérai.

Il n'y avait plus d'allée de Seaview, plus de chemin de gravier pour me guider. Tout avait été recouvert de sable. Mais je savais où j'allais. J'avais arpenté cette allée toute ma vie, j'y avais couru, sautillé et sauté à la corde, j'y avais appris à faire du vélo et conduire une auto, j'y avais mangé mon premier cornet de glace avec Budgie, et je m'étais fait sauter sur la banquette d'une voiture par Graham Pendleton, tout cela à divers endroits de cette allée. J'avais marché ici avec Nick Greenwald et avais senti mon cœur se remettre à battre.

Il battait encore désormais, propulsant mon sang dans tout mon corps, si bien que, lorsque la tache jaune réapparut devant moi, j'avais encore la force de pousser un hurlement.

Car je voyais à présent que la tache jaune était bien l'imperméable de Nick Greenwald, et qu'il était enveloppé autour d'une petite silhouette aux cheveux bruns dont la tête était levée, et bougeait, et était bel et bien vivante. La petite fille était dans les bras d'un homme grand aux épaules larges, dont le torse et les pieds étaient nus, dont les cheveux bruns bouclaient sauvagement sous le soleil, et dont le bras se leva haut dans le ciel bleu pour me faire signe.

Derrière eux, les vieilles pierres grises de la batterie s'élevaient, majestueuses et fières. Encore une fois, elles avaient repoussé victorieusement les assauts de l'ouragan.

C'est là que ma force me quitta soudain. Je parvins encore à faire quelques pas en courant, puis en marchant, puis plus du tout. Je tentai de rester debout, mais c'était impossible. Je tombai à genoux dans le sable sale et attendis.

J'eus l'impression que des heures s'étaient écoulées avant que la main de Nick ne se pose sur mon épaule, avant qu'il ne se laisse tomber à côté de moi, Kiki toujours blottie dans ses bras.

— Dieu merci, dit-il d'une voix rauque.

J'étais incapable de parler. Je passai le bras sous la tête de Kiki et essuyai mes joues humides sur l'épaule nue de Nick.

— J'ai mal au bras, dit Kiki. Nick pense qu'il est cassé. Il l'a bandé avec sa chemise. Il dit qu'il en connaît un rayon sur les os cassés.

— Oh, ma chérie, dis-je. Oh, ma chérie.

Elle poursuivit de sa voix aiguë de petite fille.

— As-tu vu mère ? Elle n'a pas voulu venir se réfugier dans la batterie avec nous. Nous avons essayé de la convaincre mais elle a refusé de nous accompagner. Le vent était si fort que Nick a dû me porter sur son dos.

— Nick a été plus fort que la tempête, hein ? murmurai-je.

Elle hocha la tête.

— Nick dit que mère a probablement navigué jusqu'à la côte sur le toit de la maison. Il dit qu'elle nous attend en ville.

— Je parie que c'est ce qu'elle a fait. C'est ce que nous avons fait, nous. Sauf que nous nous sommes servies des vieilles portes qui étaient dans le grenier des Greenwald.

Nick poussa un petit soupir. Son bras me serrait contre lui comme un étau, son visage enfoui dans mes cheveux. Je sentais ses larmes couler sur ma peau.

— Nick voulait retourner te chercher, dit Kiki, mais l'eau était déjà montée autour de la batterie à ce moment-là. Mais il a dit que tu trouverais un moyen de t'en sortir. Il en était certain. Il ne cessait de me le répéter, pour que je ne m'inquiète pas.

— Oui, chérie. Nick avait raison. Nous avons trouvé un moyen. Je n'aurais pas abandonné avant de t'avoir retrouvée.

Kiki se tut, et nous restâmes assis là, blottis les uns contre les autres, dans les ruines de Seaview pendant un long moment, sans rien dire. La marée était en train de remonter, des vêtements flottaient à la surface, comme si quelqu'un avait vidé toute une armoire au bord de la jetée, sauf que la jetée elle-même avait disparu dans l'océan et qu'il ne restait plus personne sur l'isthme de Seaview. Un short de tennis d'homme s'échoua près de nous, chaque vague le poussant un peu plus vers nous, blanc et vide dans le soleil éclatant du matin.

— J'ai faim, dit Kiki. Trouvons quelque chose à manger pour le petit déjeuner.

Épilogue

SEAVIEW, RHODE ISLAND
JUIN 1944

J'épousai Nicholson Greenwald le jour de la Saint-Valentin 1939, devant une quarantaine d'invités dans la chapelle de l'église du Repos-Éternel, à l'angle de la Cinquième Avenue et de la 90e Rue, avec Kiki comme demoiselle d'honneur. Elle portait une robe blanche, comme moi, la mienne était bordée de fourrure au col et aux poignets, et la sienne courte et sans fioritures. Un rabbin bénit notre union. Mon père était assis dans son fauteuil roulant au premier rang, à côté de la mère de Nick et, même si je ne pouvais détourner le regard du visage de Nick, je savais que papa souriait en nous écoutant répéter nos vœux solennels.

Nous avions prévu de nous marier à la fin du printemps, afin de laisser passer un laps de temps convenable entre la mort de la première femme de Nick Greenwald au cours du grand ouragan et son mariage à la femme qu'il avait séduite puis abandonnée sept ans plus tôt, mais j'étais déjà enceinte au début de l'année (« Terriblement imprudent de ma part », avait dit Nick d'un air tout sauf contrit) et Kiki me demandait ce que faisait la brosse à dents de Nick dans la salle de bains s'il n'avait pas encore le droit de vivre avec nous. Les allers-retours de Nick en plein milieu de la nuit étaient devenus incommodes pour lui et insupportables pour nous tous.

Le scandale mourut rapidement, comme tous les scandales dont les protagonistes savent agir discrètement. Après le mariage, nous laissâmes Kiki à la garde de tante Julie et partîmes deux semaines en Floride pour notre lune de miel, dont nous passâmes la plupart du temps au lit, à faire l'amour, à commander à boire et à manger par le *room-service* et à réfléchir à des prénoms pour le bébé, tous plus ridicules les uns que les autres.

À notre retour, pâles et aux anges, Kiki avait les ongles de pied vernis d'une couleur rouge vif et les oreilles percées. Après d'âpres négociations, elle accepta de laisser se refermer les trous de ses oreilles et d'attendre son dix-huitième anniversaire pour les percer à nouveau, en contrepartie de quoi elle eut le droit de conserver le vernis sur ses ongles. Tante Julie lui en appliquait une nouvelle couche environ une fois par semaine, quand Nick et moi étions de sortie.

Nous n'allâmes jamais à Paris. Après notre lune de miel, nous vendîmes le grand appartement de Nick dans l'Upper West Side ainsi que celui de ma famille à Park Avenue et emménageâmes dans celui de Gramercy Park, pour le plus grand bonheur de Kiki. Lorsque le spacieux quatre-pièces d'à côté fut mis en vente, nous l'achetâmes aussitôt et parvînmes à terminer les travaux de rénovation juste à temps pour l'arrivée du bébé au mois de septembre, près d'un an après le grand ouragan de 1938 et sept jours après que l'Angleterre eut déclaré la guerre à l'Allemagne.

Notre famille s'étant agrandie, Nick décida de vendre ses parts de l'entreprise familiale à ses associés et se mit à travailler aux plans de reconstruction de la maison de Seaview. Les autres membres de l'Association de Seaview – Mme Hubert notamment – pensaient que nous avions perdu la tête et nous le firent savoir clairement, mais quand ils s'aperçurent à quelle profondeur les fondations de la maison s'enfonçaient dans le sol et que les murs étaient construits en pierre de Nouvelle-Angleterre, nombreux furent ceux qui approchèrent Nick pour lui demander de leur dessiner des maisons. Pendant ce temps, sur l'insistance de Nick, je commençai à soumettre des articles à la gazette locale durant l'été, la plupart en rapport avec l'effort de reconstruction régional, et, rapidement, ils parurent dans des journaux de toute la région du Nord-Est.

En décembre 1941, plus de trois ans après la tempête, j'attendais notre deuxième enfant, écrivais régulièrement pour la presse et collectais, avec l'aide de Nick, des informations pour un livre sur l'ouragan et ses conséquences. Au moins dix cottages en pierre avaient fait leur apparition le long de la baie de Seaview, et nous discutions de la possibilité de reconstruire un nouveau club.

***

Ce jour-là, cependant, le 6 juin 1944, l'idée d'un nouveau club à Seaview est bien loin de mes pensées.

À l'aube, tante Julie a frappé à la porte de ma chambre pour m'apprendre le débarquement allié en Normandie, et nous sommes assises sur les rochers sous la batterie où nous observons la mer et prions pour papa et les autres soldats.

Papa, c'est Nick désormais. Même Kiki a commencé à l'appeler ainsi, une fois que le petit Nick a su prononcer le mot, malgré le fait que mon père vive avec nous à Gramercy Park et qu'il soit actuellement assis à la fenêtre de sa chambre à Seaview, avec vue sur la baie. Ce petit nom affectueux nous est venu naturellement à tous. Nous n'avons pas encore raconté à Kiki la véritable histoire de sa naissance, bien qu'elle ait presque douze ans à présent et se pose probablement des questions sur la raison pour laquelle elle ressemble tant à l'homme qui a épousé sa sœur. Quoi qu'il en soit, elle aime Nick comme un père ; elle a pleuré des jours durant lorsqu'il est parti pour l'Angleterre dans son uniforme bien repassé de lieutenant ; elle suit religieusement les nouvelles de l'avancée de son bataillon.

Tout comme moi. Comme le soleil se lève à l'horizon, je m'imagine entendre les bruits de l'artillerie lourde sur le sable des plages du débarquement et les ordres de Nick perçant le chaos de l'autre côté de l'océan. Je me souviens de lui lors du match de football sur la plage, ses yeux de pirate et sa volonté de fer. Est-il ainsi en plein combat ? Ou est-il toujours en Angleterre, attendant son tour pour monter sur un navire en direction de la Normandie ?

Est-il toujours en vie ?

Je le saurais s'il ne l'était plus, j'en suis certaine. Si le cœur de Nicholson Greenwald cessait de battre, le mien réagirait immédiatement, un soubresaut, un ralentissement, comme une rivière dont la source aurait tari. J'en suis certaine.

Je suis assise sur les pierres et j'inspire l'air familier de l'Atlantique. J'observe nos deux jeunes fils jouer dans la crique sous la surveillance de Kiki, ils rient et s'éclaboussent, absolument insensibles aux yeux rouges et à l'air anxieux de leur sœur. Je pose la main sur l'immense arrondi de mon ventre, le ventre d'une femme enceinte de neuf mois, le cadeau de départ de Nick, et essaie de ne pas espérer que Nick ne soit plus Nick. S'il ne l'avait pas été, il ne se serait peut-être pas senti obligé de se porter volontaire pour l'armée à l'instant même où il a entendu à la radio la nouvelle du bombardement de Pearl Harbor annoncée par la voix traînante du président Roosevelt.

Mais Nick est Nick, et non seulement il a terminé sa formation d'officier avec les félicitations unanimes de sa hiérarchie, mais il a également fait jouer toutes ses relations pour être muté dans une unité de combat. Et, tandis que je pleurais au lit juste avant son départ, il m'a dit qu'il avait attendu cette guerre, s'y était préparé, depuis son voyage en Europe avec ses parents lorsqu'il était étudiant. Que c'était son devoir d'aller se battre contre Hitler. Qu'il penserait sans cesse à moi et aux enfants, et qu'il resterait en vie et entier pour nous tous.

Lorsque je lui avais répondu qu'il ne pouvait pas me faire cette promesse, il m'avait pris dans ses bras et avait murmuré qu'il avait survécu à un ouragan pour moi et pour Kiki, et qu'un ouragan était mille fois plus destructeur qu'une simple guerre humaine.

Je sens une main se poser sur mon épaule.

— Tu as faim ? demande tante Julie, un panier de pique-nique à la main.

Je devrais être bien trop inquiète pour avaler quoi que ce soit, mais le bébé dans mon ventre a des exigences que je me dois de satisfaire, et je me jette sur les œufs durs et la tarte au citron de Marelda avec mon appétit habituel. En nous voyant, les garçons accourent et Kiki s'assoit sur le rocher à côté, une bouteille de *ginger ale* à la main, tout juste sortie de la glacière.

— Il va bien, n'est-ce pas ? demande-t-elle, comme si je possédais la capacité de deviner l'état de santé de Nick malgré les trois mille kilomètres d'océan qui nous séparent.

— J'en suis sûre, ma puce.

Je la serre contre moi et, l'espace d'un instant, je pense à Graham Pendleton, dont le corps doré repose maintenant au fond de la Manche, après qu'il a été tué lors d'un raid de la Luftwaffe cinq mois plus tôt.

— Tu connais papa, dis-je. Tu te souviens de l'ouragan ?

— Bien sûr.

Elle s'appuie contre moi et pose les mains sur mon ventre. Elle a fait ça pour toutes mes grossesses ; elle adore sentir les bébés donner des coups de pied contre ses mains. Comme s'ils lui disaient bonjour. Le bébé est docile et lui donne un bon coup, assez fort pour me couper le souffle.

— C'est bien le bébé de son père, dit Kiki en éclatant de rire.

— Je parie que c'est encore un garçon, dit joyeusement le petit Nick.

— Absolument pas ! s'exclame tante Julie. Nous avons assez de garçons. Si ce n'est pas une fille, je vous déshérite tous.

Les garçons protestent bruyamment, même Freddy qui n'a que deux ans et ne comprend pas vraiment qu'il y a un véritable bébé dans le ventre de maman, mais qui copie toujours ce que fait son grand frère. Le petit Nick ponctue son dégoût d'un rot sonore.

— Nicky !

Le soleil monte dans le ciel, et la nuit tombe sur les plages de Normandie. Nous terminons notre pique-nique et rentrons à la maison, et, plus tard, nous organisons une partie de croquet sur la petite pelouse dure derrière la maison et nous laissons Fred gagner. Après le dîner, quand les garçons sont couchés, Kiki, tante Julie et moi nous asseyons dehors et regardons le coucher de soleil rouge orangé enflammer l'horizon. Je bois de la limonade ; je n'aime plus le gin-tonic, cela me rappelle trop Budgie. De toute façon, aucune quantité d'alcool ne me ferait oublier la douleur omniprésente de l'absence de Nick.

— Vous savez ce que disent les marins : « Ciel rouge le soir laisse bon espoir », dit tante Julie en replaçant derrière son oreille une mèche de cheveux délogée par la brise.

Et je reprends :

— Ciel rouge le matin…

— Pluie en chemin, termine Kiki.

Elle replie ses longues jambes sous ses fesses et boit sa limonade. Ses cheveux bruns bouclent comme ceux de Nick et elle pose son menton sur sa main avec l'air pensif d'une jeune fille qui sera bientôt adolescente.

— Est-ce que le ciel était rouge le matin de l'ouragan ? demande-t-elle.

— Aucune idée, répond tante Julie.

Elle, elle boit un gin-tonic, et elle tient une cigarette entre deux doigts vernis de rouge. Elle n'a pas du tout changé.

Je pense à l'aube d'un matin à Gramercy Park, quand Nick m'avait dit au revoir avant d'aller à Seaview.

— Oui, il l'était. Il l'avait même été trois matins de suite. Pour les vieux loups de mer, c'est le signe annonciateur d'une tempête comme on n'en voit que tous les cent ans.

— J'espère qu'il fait beau pour papa, dit Kiki.

— Moi aussi.

— Nous tous, dit tante Julie, parce que Dieu sait que je ne pourrais pas engrosser Lily moi-même.

— Et Dieu sait que je me tirerais une balle dans la tête pour ne pas subir une autre grossesse, réponds-je.

***

Le hasard veut que les contractions commencent cette nuit-là et, à dix heures le lendemain matin, Nick et moi sommes parents d'une petite fille, elle pèse trois kilos et six cents grammes et a des cheveux blonds et des yeux dont les coins se plissent quand elle pleure, ce qu'elle fait fréquemment et avec beaucoup de conviction. Je l'appelle Julie Helen Greenwald. (« Si c'est un stratagème non déguisé pour influencer mon testament, dit tante Julie, il est très efficace. ») Nous envoyons un télégramme à l'unité de Nick, mais nous savons bien qu'il ne l'aura peut-être pas avant plusieurs jours à cause du débarquement et, le lendemain, nous lui envoyons une lettre accompagnée d'une photo, signée des petites empreintes des pieds de Julie.

Sept jours plus tard, alors que le bébé et moi sommes toujours à l'hôpital, un coursier de Western Union pédale sur le sable et le gravier de l'allée de Seaview pour venir délivrer un télégramme à notre porte. Il a le visage sombre et l'air épuisé. Il a dû être fort occupé ces derniers jours.

Kiki est dans le jardin et rince les maillots de bain des garçons au tuyau d'arrosage. Elle pousse un cri perçant et laisse tomber le tuyau sur la pelouse où il se met à tournoyer dans tous les sens, pour le plus grand plaisir de ses neveux.

Tante Julie remonte de la plage en courant, son chapeau s'envole. Pâle et tremblante, elle accepte le télégramme. Il m'est adressé.

Elle hésite un instant, se dit qu'elle devrait peut-être me l'apporter à l'hôpital, que je devrais être la première à le lire, mais tante Julie est tante Julie.

Elle déchire l'enveloppe et lit :

SUIS AUX ANGES STOP EMBRASSE LA PETITE JULIE DE LA PART DE SON PAPA STOP HÂTE DE SERRER MES FILLES DANS MES BRAS STOP ET MES GARÇONS AUSSI STOP AMOUR TOUJOURS NICK

Note historique

Je venais juste de rendre le manuscrit révisé de *L'Été du cyclone* (y compris le texte original de cette note historique) quand l'ouragan Sandy a dévasté le New Jersey le 30 octobre 2012, détruisant tout sur son passage et causant l'évacuation de ma propre famille de notre maison dans le Connecticut. Bien que les dégâts causés par Sandy aient forcément rappelé ceux de l'ouragan de 1938, ces deux tempêtes étaient, en fait, très différentes.

Le grand cyclone de Nouvelle-Angleterre de 1938 arriva par la côte sans prévenir l'après-midi du 21 septembre, tuant plus de sept cents personnes et déracinant plus de deux milliards d'arbres. Des décennies durant, les feux de cheminée furent alimentés par le bois de ces arbres tombés durant la tempête, et Moosilauke Ravine Lodge dans les montagnes du nord du New Hampshire a été construit en partie en utilisant le bois massif de ces arbres arrachés par l'ouragan.

À notre époque moderne, et avec nos radars et la vigilance de nos satellites météorologiques, il nous est difficile d'imaginer comment un ouragan de catégorie 3, circulant vers le nord à plus de cent-dix kilomètres par heure, ait pu dévaster la région sans que personne ne se doute de son arrivée, mais le Long Island Express, comme il est surnommé, n'était pas surveillé par des yeux électroniques et la science météorologique n'en était qu'à ses balbutiements. Les résidents avaient remarqué que le vent s'intensifiait, que la pluie tombait de plus en plus fort, et, soudain, une vague de la hauteur d'un immeuble de deux étages s'est dirigée vers la côte. C'était leur bulletin météo.

Les habitants de la Nouvelle-Angleterre et les personnes ayant étudié cette tempête reconnaîtront peut-être Seaview comme une représentation fictive de Napatree Point, une péninsule sableuse qui s'étend à la pointe de Watch Hill, dans l'État du Rhode Island, et qui a subi les effets catastrophiques de l'ouragan. De la quarantaine de maisons de vacances idylliques qui ornaient la côte de Napatree en ce matin du 21 septembre 1938, aucune n'a échappé au désastre et aucune n'a été reconstruite à ce jour. Ma description de Lily et sa famille traversant la baie à cheval sur des morceaux de toiture et de meubles cassés est fondée sur les récits et expériences des résidents de Napatree, et certains plagistes s'étaient effectivement réfugiés dans un vieux fort de pierre au bout de la pointe.

Cependant, Seaview n'est pas Napatree. J'ai créé ma propre géographie pour servir ce récit, et l'architecture et l'histoire de la batterie de guerre et de l'Association de Seaview n'offrent que peu de ressemblance à leurs inspirations réelles. Les personnages sont entièrement fictifs, même si les zinnias, eux, ont bien existé.

Pour ceux et celles qui aimeraient en savoir plus sur ce sujet, je recommande vivement l'ouvrage *Sudden Sea : The Great Hurricane of 1938* (publié chez Little & Brown en 2003) écrit par R. A. Scotti, dont les descriptions lyriques et le récit vivant de la catastrophe de Napatree et du reste de la côte ont propulsé la tempête dans mon imagination pour la première fois. Katharine Hepburn, qui, on le sait, avait joué neuf trous de golf à Old Saybrook le matin même et perdu sa maison, toutes ses possessions et presque sa vie à l'heure du dîner, a également transcrit le récit passionnant de ses souvenirs de l'ouragan dans son autobiographie de 1991, *Me : Stories of My Life* (*Moi. Histoires de ma vie*).

Je vis dans le Connecticut depuis de nombreuses années, et la famille de mon mari est installée en Nouvelle-Angleterre depuis plusieurs générations. Le souvenir de l'ouragan de 1938 est resté gravé dans les esprits de ceux qui sont suffisamment âgés pour avoir vécu les événements de ce jour-là, et si vous voulez entamer une discussion enflammée lors d'un cocktail dans le coin, il suffit de les mentionner. J'ai rencontré un homme qui venait de commencer à travailler en tant qu'assureur immobilier quand la tempête a frappé, et a ensuite passé le reste de ses jours à prier pour qu'il n'en connaisse jamais une autre. Il y avait de grandes chances pour que ses prières soient exaucées de son vivant. Les météorologues disent que la Nouvelle-Angleterre ne connaît des ouragans de cette magnitude qu'une fois tous les cent ans.

Cent étés ne s'étaient pas écoulés depuis l'ouragan de 1938 quand ma famille se retrouva forcée d'évacuer sa maison et de dîner chez mes beaux-parents près de l'embouchure du fleuve Connecticut à la lumière des bougies tandis que les arbres tombaient les uns après les autres et que l'eau du détroit de Long Island inondait la pelouse. Les tempêtes, après tout, ne se conforment pas aux statistiques humaines. Mais nous reconstruirons, comme nous l'avons toujours fait : un peu plus solidement à chaque fois.

Remerciements

Je me pince tous les jours pour y croire. Je fais le plus beau métier du monde, et ce serait impossible sans le soutien et les conseils de tout un tas de gens talentueux.

Le zèle et l'instinct de mon agent littéraire, Alexandra Machinist, sont légendaires. Pour ses conseils, sa persévérance et le fait qu'elle n'ait quasiment pas dormi de la nuit pour terminer de lire mon manuscrit après une avant-première, et pour mille autres petits services, je lui suis infiniment reconnaissante. À tout le reste de la formidable équipe chez Janklow & Nesbit : heureusement que je vous ai de mon côté !

L'enthousiasme et le soutien (sans parler des fleurs pour mon anniversaire !) des gens adorables chez Putnam sont le rêve de tout auteur. Mon éditeur, Chris Pepe, et son assistante, Meaghan Wagner ; mon éditeur associé, Ivan Held ; Katie McKee, Lydia Hirt, Alexis Welby, Kate Stark et Mary Stone, pour ne nommer que quelques-unes des stars du service marketing et publicité ; les génies de la création artistique qui ont créé cette superbe couverture ; les correcteurs, les réviseurs, les commerciaux : vous êtes mes héros. Merci.

Un grand merci également à mes vaillants copilotes de tournée littéraire : Steve Wayne, George Knight, Bradford Bates, Justin Armour, Ted Ullyot et le docteur Caleb Moore (qui m'a aussi donné de précieux conseils médicaux pour la jambe cassée de Nick Greenwald). Vous êtes de vrais gentlemen.

Toute une communauté d'auteurs m'a été d'une importance vitale cette année. Toute mon affection à Lauren Willig, Karen White, Chris Farnsworth, Darynda Jones, Mary Bly et Jenny Bernard, entre autres, pour leur soutien, leurs conseils, leur amitié et leur humour.

Ma famille et mes amis m'ont apporté une aide indicible et incalculable. Il est impossible de les nommer tous, mais je dois en distinguer certains pour leurs efforts incomparables : Sydney et Caroline Williams, Chris Chantrill, Renée Chantrill, Caroline et Bill Featherston, Melissa et Edward Williams, Anne et David Juge, Robin Brooksby, Jana Lauderbaugh, Elizabeth Kirby Fuller, Jennifer Arcure, Rachel Kahan, et bien sûr mon mari adoré, Sydney, et nos quatre bruyants (oups, je veux dire merveilleux !) enfants. J'ai une chance incroyable de vous avoir tous dans ma vie.

Enfin, à tous les lecteurs du monde entier qui m'ont encouragée et inspirée grâce à vos e-mails, vos messages Facebook, vos tweets et messages de toutes sortes : merci, merci. Tout cela en vaut la peine, pour vous.